Éloges de l'écriture évocatrice et lyrique de
MARY ALICE MONROE

« Mary Alice Monroe est devenue la première auteure du Sud à écrire sur la nature […]. Dans *Les Filles de l'été*, elle fait l'éloge des Grands dauphins, qui font la joie des hommes et des femmes qui contemplent les criques et les rivières de la côte de la Caroline du Sud chaque soir. Comme pour le reste de ses livres, *Les Filles de l'été* est un véritable cri de ralliement. »

— Pat Conroy, auteur à succès du *New York Times*

« *Les Filles de l'été* est bien plus qu'un portrait magnifique et émouvant de trois sœurs qui trouvent leur voie et se retrouvent après des années de séparation. C'est un roman qui attaque de front des questions délicates et importantes, et elles sont tissées si serrées avec la trame narrative que j'ai souvent dû interrompre ma lecture pour comprendre pleinement la teneur de ce que je venais de lire. »

— Cassandra King, auteure à succès du *New York Times*

« Aussi inspirant que la merveille naturelle qui sert de décor à son récit. »
— Dorothea Benton Frank, auteure à succès du *New York Times*

« Monroe procure authenticité et émerveillement. »

— *Publishers Weekly*

« Ses personnages sont  presque les entendre respirer. »

— *Booklist*

« Ses histoires lyriques, captivantes et pleines d'émotions en font de superbes expériences de lecture. »

— RT Reviews

« Ce roman permettra aux admirateurs de Monroe de ressentir l'impression d'avoir grandi le long des eaux côtières de Caroline du Sud. »

— *Charleston City Paper*

« Mary Alice Monroe sait comment plonger instantanément ses lecteurs dans l'histoire et comment les garder jusqu'au tout dernier mot de la toute dernière page. »

— *The Huffington Post*

Les étés sur la côte

LES FILLES
DE L'ÉTÉ

Les étés sur la côte

LES FILLES
DE L'ÉTÉ

Mary Alice Monroe

Traduit de l'anglais par
Sophie Beaume et Youness Azzouz

Copyright © 2013 Mary Alice Monroe, Ltd.

Titre original anglais : The Summer Girls

Copyright © 2014 Éditions AdA inc. pour la traduction française

Cette publication est publiée en accord avec Simon & Schuster, Inc., New York, NY

Éditeur : François Doucet

Traduction : Sophie Beaume det Youness Azzouz

Révision linguistique : Isabelle Veillette

Correction d'épreuves : Nancy Coulombe, Carine Paradis

Conception de la couverture : Sylvie Valois et Matthieu Fortin

Photo de la couverture : © Thinkstock

Mise en pages : Mathieu C. Dandurand

ISBN papier 978-2-89733-907-4

ISBN PDF numérique 978-2-89733-908-1

ISBN ePub 9978-2-89733-909-8

Première impression : 2014

Dépôt légal : 2014

Bibliothèque et Archives nationales du Québec

Bibliothèque Nationale du Canada

Éditions AdA Inc.
1385, boul. Lionel-Boulet
Varennes, Québec, Canada, J3X 1P7
Téléphone : 450-929-0296
Télécopieur : 450-929-0220
www.ada-inc.com
info@ada-inc.com

Diffusion
Canada :   Éditions AdA Inc.
France :   D.G. Diffusion
                Z.I. des Bogues
                31750 Escalquens — France
                Téléphone : 05.61.00.09.99
Suisse :   Transat — 23.42.77.40
Belgique :   D.G. Diffusion — 05.61.00.09.99

Imprimé au Canada

Participation de la SODEC.

Nous reconnaissons l'aide financière du gouvernement du Canada par l'entremise du Fonds du livre du Canada (FLC) pour nos activités d'édition.

Gouvernement du Québec — Programme de crédit d'impôt pour l'édition de livres — Gestion SODEC.

Catalogage avant publication de Bibliothèque et Archives nationales du Québec et Bibliothèque et Archives Canada

Monroe, Mary Alice

    [Summer girls. Français]

    Les filles de l'été

    (Les étés sur la côte ; t. 1)
    Traduction de : The summer girls.

    ISBN 978-2-89733-907-4
    I. Beaume, Sophie, 1968-   . II. Titre. III. Titre : Summer girls. Français.

PS3563.O511S95 2014   813'.54   C2014-940795-5

À Nana,
Elizabeth Potter Kruesi,
avec tout mon amour et ma gratitude.

Sea Breeze, Sullivan's Island, Caroline du Sud

5 avril 2012

Mes chères petites-filles, Dora, Carson et Harper,

Salutations, mes chères filles ! Le 26 mai, je célébrerai mon quatre-vingtième anniversaire : pouvez-vous croire que je suis si âgée ? Viendrez-vous le célébrer à la maison, à Sea Breeze, avec votre vieille Mamaw[1] ? Nous le ferons comme il se doit, avec un bon lowcountry boil[2], des biscuits préparés par Lucille, et surtout, nous le ferons ensemble.

Mes chéries, un peu comme une pêche trop mûre, mes beaux jours sont derrière moi. J'ai encore l'esprit vif et je suis en bonne santé malgré tout. Mais je regarde vers l'avenir et j'ai décidé de m'installer dans une maison de retraite. Il est temps pour moi de faire le tri de tout ce que j'ai accumulé dans ma maison au cours de ces longues années.

Je me rends compte aujourd'hui qu'il y a trop longtemps que nous ne nous sommes pas vues. Je sais que vous êtes très occupées et que vos étés sont pleins d'obligations et de voyages. Mais s'il vous plaît, dites que vous viendrez à ma fête ! Pour tout l'été, si vous le pouvez ! C'est le seul cadeau que je désire. Je meurs d'impatience de partager cette dernière saison passée à Sea Breeze en compagnie de mes Filles de l'été.

Bien à vous,

Mamaw

P.-S. Cette invitation ne s'adresse pas à vos maris, à vos amants ou à vos mères !

---

1. N.d.T. : Mot tendre utilisé en Caroline du Sud pour dire « grand-mère ».

2. N.d.T. : Plat traditionnel du sud des États-Unis à base de crevettes sur un lit de maïs et de pommes de terre.

CHAPITRE 1

LOS ANGELES

C arson triait les habituelles et très ennuyeuses factures et circulaires de son courrier lorsque ses doigts s'attardèrent sur une enveloppe écrue épaisse, marquée de l'inscription *Mme Carson Muir* tracée d'une plume bleue familière. Elle serra l'enveloppe. Son cœur battait à un rythme effréné tandis qu'elle montait quatre à quatre les chaudes marches de ciment qui menaient à son appartement. Le climatiseur avait rendu l'âme et seules quelques rares bouffées d'air frais chargées du bruit et de la poussière de la circulation flottaient jusqu'aux fenêtres ouvertes. C'était un petit appartement, au deuxième étage d'un immeuble en stuc situé non loin de Los Angeles, mais il était proche de l'océan et le loyer était abordable, raisons pour lesquelles Carson y avait vécu pendant trois ans, plus longtemps que dans n'importe quel autre appartement.

Elle jeta sans ménagement le reste du courrier sur la table de verre du salon, étira ses longs membres sur le sofa au tissu rêche marron, puis glissa son doigt pour décacheter l'enveloppe. Des vagues de plaisir anticipé fusèrent le long de ses veines au moment où elle retira doucement la carte faite d'un papier à lettres couleur crème, orné de bordures bleu marine. Elle fut immédiatement assaillie par une odeur de parfum aux douces épices et à la fleur d'oranger. Elle ferma les yeux et vit l'océan Atlantique, pas le Pacifique, et les maisons de bois blanc sur pilotis entourées de palmiers et de vieux chênes. Un sourire se dessina sur son visage. De vaporiser du parfum sur ses lettres ressemblait tellement à sa grand-mère. Ça faisait tellement « vieux monde », typique du Sud.

Carson se blottit plus profondément dans les coussins et relut avec délectation chaque mot de la lettre. Quand elle eut fini, elle leva les yeux et regarda, un peu étourdie, les particules de poussière qui flottaient dans un rayon de lumière. La lettre était une invitation… Était-ce possible ?

À ce moment précis, Carson aurait pu bondir de joie et tournoyer sur le bout de ses orteils, sa tresse virevoltant dans son sillage comme celle de la petite fille qui habitait ses souvenirs. Mamaw l'invitait à Sullivan's Island. Un été à Sea Breeze. Trois mois à la mer, sans avoir à payer de loyer !

Mamaw tombe toujours à pic, pensa Carson, en s'imaginant la grande et élégante femme aux cheveux couleur de sable et au sourire aussi voluptueux qu'un coucher de soleil de Caroline du Sud. L'hiver avait été épouvantable à tous les points de vue. La série télé sur laquelle Carson travaillait avait été annulée sans avertissement après trois ans à l'antenne. Ses entrées d'argent étaient presque nulles et elle essayait justement de trouver un moyen de payer le loyer du mois prochain. Depuis quelques mois, elle avait sillonné la ville à la recherche d'un emploi, comme un morceau de bois flottant à la dérive dans des eaux agitées.

Carson regarda de nouveau la lettre qu'elle tenait dans sa main.

— Merci Mamaw, dit-elle à haute voix, le ressentant profondément.

Pour la première fois depuis plusieurs mois, Carson ressentit un élan d'espoir. Elle fit les cent pas, étira ses doigts, puis marcha à grandes enjambées jusqu'au réfrigérateur. Elle sortit une bouteille de vin et s'en versa une pleine coupe. Elle traversa alors la pièce jusqu'à son petit bureau en bois, écarta la pile de vêtements qui traînaient sur sa chaise, puis s'assit et ouvrit son ordinateur portable.

Selon elle, lorsqu'on se noie et que quelqu'un vous tend une corde, on ne réfléchit pas : on l'attrape, puis on se démène comme un diable et on nage jusqu'à être hors de danger. Elle avait beaucoup à faire et elle n'avait que peu de temps pour quitter l'appartement avant la fin du mois.

Carson reprit le carton d'invitation et l'embrassa avant de poser ses mains sur le clavier et de commencer à écrire. Elle allait accepter l'invitation de Mamaw. Elle retournerait dans le Sud, elle retournerait voir Mamaw, vers le seul endroit qu'elle avait jamais considéré comme sa maison.

~

SUMMERVILLE, CAROLINE DU SUD

Dora était debout devant la cuisinière, occupée à mélanger une sauce rouge. Il était 17 h 35, et la maison victorienne pleine de coins et de recoins semblait vide et morne. Dora avait jadis été capable de prédire l'horaire de son mari. Aujourd'hui encore, six mois après le départ de Calhoun, elle s'attendait à le voir passer la porte, le courrier à la main. Elle tendrait alors la joue à l'homme qui avait été son mari pendant 14 ans pour recevoir un baiser convenu.

Des bruits de pas sur les marches attirèrent son attention. Quelques secondes plus tard, son fils fit irruption dans la cuisine.

— J'ai réussi à passer au prochain niveau, annonça-t-il.

Il ne souriait pas, mais ses yeux brillaient d'une lueur de triomphe.

Dora lui sourit. Son fils de neuf ans était toute sa vie. Une tâche énorme pour un si petit garçon. Nate était menu et pâle, avec des yeux furtifs qui faisaient toujours se demander à Dora de quoi il pouvait bien avoir peur.

— De quoi a-t-il peur ? avait-elle demandé au pédopsychiatre, qui avait souri gentiment.

— Le problème de Nate, ce n'est pas tant qu'il est effrayé, c'est qu'il est surprotégé, avait-il répondu de manière rassurante. Ne le prenez pas comme une attaque personnelle, Mme Tupper.

Nate n'avait jamais été un bébé très câlin, mais Dora avait commencé à s'inquiéter lorsqu'il avait arrêté de sourire à l'âge de un an. Vers deux ans, il ne la regardait pas dans les yeux ni ne tournait la tête quand elle l'appelait. À trois ans, il ne venait plus chercher du réconfort dans ses bras quand il se faisait mal. Lorsqu'elle pleurait ou qu'elle se mettait en colère, il ne le remarquait pas ou n'y portait même pas attention. Sauf si elle se mettait à crier. Alors, Nate couvrait ses oreilles et se balançait d'avant en arrière, pris de panique.

Son instinct lui hurlait que quelque chose ne tournait pas rond chez son petit garçon. Elle avait commencé à lire des livres sur le développement de l'enfant. Combien de fois avait-elle fait part de ses inquiétudes à Cal ? Le développement de la parole de Nate était inférieur à la norme et ses mouvements étaient maladroits. Combien de fois Cal avait-il rétorqué, catégorique, que leur garçon n'avait aucun problème et que Dora se faisait des idées ? Elle avait agi comme une tortue qui rentre sa tête sous sa carapace, trop effrayée de se confronter à lui. Déjà, la question du développement de Nate creusait un fossé entre eux. Mais quand Nate avait eu quatre ans, il s'était mis à agiter ses mains et à produire des sons étranges. Elle s'était alors décidée à prendre un rendez-vous avec un pédopsychiatre, rendez-vous qu'elle aurait dû fixer bien avant. Dora avait ainsi appris de la bouche du médecin ce qu'elle avait toujours redouté : son fils était atteint d'autisme de haut niveau de fonctionnement.

Cal avait accueilli la nouvelle comme une condamnation à mort psychologique. Mais Dora avait été étonnamment soulagée. Avoir un diagnostic officiel était toujours mieux que de devoir inventer des excuses ou gérer ses soupçons. Maintenant, elle pouvait au moins aider activement son fils.

Et c'était ce qu'elle avait fait. Elle s'était jetée tête première dans le monde des troubles du spectre de l'autisme. Il ne servait à rien de se mordre les doigts en regrettant de ne pas avoir écouté son instinct plus tôt, sachant qu'un diagnostic et un traitement précoces auraient été synonymes d'avancées importantes dans le développement de Nate. Elle avait plutôt consacré toute son énergie dans un groupe de soutien et avait travaillé sans répit à la mise en place d'un programme thérapeutique à domicile. Il n'avait pas fallu longtemps pour que la vie de Dora tourne autour de Nate et de ses besoins. Elle avait abandonné tous ses projets de rénovations pour la maison, ses rendez-vous chez le coiffeur, les déjeuners avec ses amies, ses vêtements taille huit.

Et son mariage.

Dora avait été dévastée quand Cal lui avait annoncé de but en blanc, un samedi après-midi d'octobre, qu'il ne se sentait plus capable de vivre avec Nate et elle plus longtemps. Il lui avait assuré qu'il s'occuperait d'elle, avait fait son sac, puis avait quitté la maison. Tout simplement.

Dora éteignit rapidement la cuisinière et s'essuya les mains sur son tablier. Elle afficha son plus beau sourire pour accueillir son fils, refoulant son instinct qui lui intimait de se pencher et de l'embrasser. Nate n'aimait pas qu'on le touche. Elle tendit la main vers le comptoir pour attraper le carton d'invitation bleu marine qui était arrivé avec le courrier du matin.

— J'ai une surprise pour toi, lui dit-elle avec une inflexion dans la voix.

Elle sentait que c'était le bon moment de lui faire part des plans de Mamaw pour l'été.

Nate pencha la tête, un peu curieux, mais hésitant.

— Quoi?

Elle ouvrit l'enveloppe et en sortit la carte, humant au passage une bouffée du parfum de sa grand-mère. Elle sourit, tout excitée, puis entama la lecture de la lettre à haute voix. Comme Nate ne répondit pas, elle dit :

— C'est une invitation, lui dit-elle. Mamaw organise une fête pour son 80e anniversaire.

Il se recroquevilla immédiatement sur lui-même.

— Est-ce que je dois y aller? demanda-t-il, inquiet, les sourcils plissés.

Dora comprenait que Nate n'aime pas participer à des réunions sociales, pas même avec les personnes qu'il aimait, comme son arrière-grand-mère. Elle se pencha plus près et sourit.

— C'est à la maison de Mamaw. Tu aimes aller à Sea Breeze.

Nate tourna la tête vers la fenêtre, évitant son regard pendant qu'il lui parlait.

— Je n'aime pas les fêtes.

Et tu n'es jamais invité à aucune, pensa-t-elle tristement.

— Ce n'est pas vraiment une fête, s'empressa-t-elle d'expliquer, en prenant garde d'adopter une voix enjouée, mais calme.

Elle ne voulait pas que Nate se braque.

— Il n'y aura que des membres de la famille : toi, moi et tes deux tantes. Nous sommes invités à Sea Breeze pour la fin de semaine.

Elle laissa échapper un rire bref, incrédule.

— Pour tout l'été en fait.

Nate tourna la tête.

— Pour *tout l'été*?

— Nate, nous allons toujours à Sea Breeze en juillet pour voir Mamaw, tu te souviens? Nous allons simplement y aller un peu plus tôt cette année parce que c'est l'anniversaire de Mamaw. Elle va avoir 80 ans. C'est un anniversaire très spécial pour elle.

Dora espérait lui avoir expliqué suffisamment clairement pour qu'il digère la nouvelle. Nate n'aimait pas du tout le changement. Il aimait que sa vie soit bien ordonnée. Surtout depuis que son père était parti.

Les six derniers mois avaient été tumultueux pour tous les deux. Même s'il n'y avait jamais vraiment eu beaucoup d'interactions entre Nate et son père, le garçon avait été extrêmement agité les semaines qui avaient suivi son départ. Il avait voulu savoir si son père était malade et s'il avait dû aller à l'hôpital. Était-il plutôt en voyage d'affaires, comme les pères de plusieurs camarades de classe? Lorsque Dora avait clairement fait comprendre à Nate que son père ne reviendrait jamais vivre avec eux à la maison, Nate avait plissé les yeux et lui avait demandé si, en fait, Cal était mort. Dora avait scruté le visage taciturne de Nate. Elle avait été troublée de constater qu'il ne semblait pas contrarié à l'idée que son père puisse être mort. Il devait simplement savoir si Calhoun Tupper était mort ou vivant afin que tout puisse être en ordre dans sa vie. Elle devait admettre que cette attitude avait rendu la perspective d'un divorce beaucoup moins pénible.

— Si je vais chez Mamaw, il faudra que je prenne mon tétra, finit par dire Nate. Le poisson va mourir si je le laisse tout seul à la maison.

Dora expira lentement. Elle plierait à cette demande.

— Oui, c'est une très bonne idée, dit-elle gaiement.

Puis, pour ne pas que Nate s'attarde sur la question et parce qu'il avait jusqu'alors eu une bonne journée, elle décida d'orienter la conversation vers un sujet moins menaçant.

— Maintenant, qu'est-ce que tu dirais de me parler du prochain niveau dans ton jeu ? Quelle sera ta prochaine aventure ?

Nate réfléchit à la question. Il pencha la tête et se lança dans l'explication détaillée des défis qu'il avait dû relever et des plans qu'il avait échafaudés pour les affronter.

Dora retourna à sa cuisinière, murmurant un « Mmh-mmh » consciencieux à l'occasion pendant que Nate continuait son discours. La sauce avait refroidi et le tourbillon d'émotions qu'elle avait ressenties à la lecture de la lettre s'était calmé, lui laissant un grand vide dans la poitrine. Mamaw avait clairement indiqué qu'il s'agissait d'une fin de semaine entre filles. Oh, Dora aurait adoré passer une fin de semaine loin de ses innombrables et monotones tâches ménagères à boire du vin, rire, retrouver ses sœurs, redevenir une Fille de l'été, ne serait-ce que pour quelques jours… Était-ce trop demander ?

Apparemment, ça l'était. Elle avait appelé Cal tout juste après la réception de l'invitation.

— Quoi ? avait tonné la voix de Cal dans le combiné. Tu veux que je le garde ? Toute la fin de semaine ?

Dora avait senti ses muscles se contracter.

— Ce sera amusant. Tu ne vois plus Nate.

— Ce ne sera pas amusant. Tu sais comment est Nate quand tu n'es pas là. Il ne m'acceptera pas pour te remplacer. Il ne l'accepte jamais.

Elle sentait dans sa voix qu'il voulait clore la conversation.

— Je t'en prie, Cal. Tu es quand même son père. C'est à toi de te débrouiller !

— Sois raisonnable, Dora. Nous savons tous les deux que Nate ne me tolérera pas et qu'il n'acceptera pas non plus de gardienne. Il se vexe dès que tu pars.

Des larmes avaient commencé à lui monter aux yeux.

— Mais je ne peux pas l'amener avec moi. C'est une fin de semaine entre filles.

Elle avait levé l'invitation.

— Il est écrit : «Cette invitation ne s'adresse pas à vos maris, à vos amants ou à vos mères. »

Cal avait grogné.

— Ça ressemble bien à ta grand-mère.

— Cal, s'il te plaît…

— Je ne vois pas quel est le problème, avait-il ajouté, une pointe d'exaspération dans la voix. Tu amènes toujours Nate avec toi quand tu pars pour Sea Breeze. Il connaît la maison, il connaît Mamaw…

— Mais elle a dit…

— Franchement, je me fiche de ce qu'elle a dit, l'avait interrompue Cal.

Il avait fait une pause, puis avait conclu avec froideur :

— Si tu veux aller chez Mamaw, tu devras amener Nate avec toi, un point c'est tout. Maintenant, au revoir.

Il en avait toujours été ainsi avec Cal. Il ne cherchait pas à voir les qualités de Nate, son sens de l'humour, son intelligence, son sens de l'effort. Il n'appréciait pas le temps passé avec leur fils et se plaignait plutôt du fait que leurs vies tournaient autour de Nate et de Nate seul. Alors, comme l'aurait fait un enfant intraitable, Cal avait décidé de les abandonner tous les deux.

Les épaules de Dora s'affaissèrent quand elle accrocha l'invitation de Mamaw au réfrigérateur avec un aimant, entre une liste de courses et une photo scolaire de son fils. Sur l'image, Nate avait un air renfrogné et ses grands yeux marron fixaient l'objectif avec circonspection. Dora soupira, embrassa la photo et retourna à la préparation de leur dîner.

Ses yeux se remplirent de larmes pendant qu'elle coupait les oignons.

~

NEW YORK

Harper Muir-James picorait comme un oiseau des morceaux de sa rôtie. Quand elle grignotait et mâchait minutieusement par petits bouts, en prenant des gorgées d'eau entre chaque bouchée, elle mangeait moins. Pendant qu'elle mangeait, son esprit tentait de maîtriser l'avalanche d'émotions qui avait déferlé depuis qu'elle avait ouvert la lettre ce matin. Harper tint l'invitation entre ses doigts et regarda l'écriture familière à l'encre bleue.

— Mamaw, murmura-t-elle.

Le nom semblait si étranger quand elle le prononça. Il y avait bien longtemps qu'elle s'était entendue le dire à haute voix.

Elle posa l'épais carton d'invitation contre le vase à fleurs en cristal, sur la table en marbre du petit déjeuner. Sa mère insistait pour que toutes les pièces de leur condominium d'avant-guerre avec vue sur Central Park soient décorées en permanence de fleurs fraîches. Georgiana avait grandi dans le domaine familial en Angleterre, où cette habitude était de rigueur. Le regard de Harper passa paresseusement du carton d'invitation au parc qu'elle pouvait voir de sa fenêtre. Le printemps était arrivé à Central Park, transformant les tons bruns et gris monotones de l'hiver en vert éclatant. Mais dans son esprit, le spectacle avait tout des marais à spartine du Sud, des criques côtières sinueuses parsemées de quais, et des grands magnolias en fleurs d'un blanc cireux sur fond de feuilles vertes et brillantes.

Ses sentiments à l'égard de sa grand-mère étaient comme les cours d'eau qui coulaient derrière Sea Breeze : profonds et débordants de bons souvenirs. Dans sa lettre, Mamaw avait évoqué ses «Filles de l'été». C'était une expression que Harper n'avait pas entendue, et à laquelle elle n'avait en fait pas pensé, depuis une dizaine d'années. Elle ne devait pas avoir plus de 12 ans lors de son dernier été à Sea Breeze. Combien de fois avait-elle vu Mamaw depuis ? Elle fut surprise de se rendre compte qu'elle ne l'avait vue que trois fois.

Elle avait reçu tellement d'invitations au cours de ces années. Tellement de regrets refirent surface. Harper ressentit une pointe de honte à l'idée qu'elle ait pu laisser passer tant d'années sans rendre visite à Mamaw.

— Harper ? Où es-tu ? lança une voix dans le hall.

Harper s'étouffa presque avec une miette de pain sec.

— Ah, te voilà enfin, dit sa mère en entrant dans la cuisine.

Georgiana James ne se contentait pas d'entrer dans une pièce, elle y *faisait irruption*. Ses gestes étaient toujours accompagnés d'un mouvement de tissu et elle semblait entourée d'une aura crépitant d'énergie. Sans parler de son parfum, qui agissait comme le bruit des trompettes annonçant son arrivée. En tant que directrice d'une importante maison d'édition, Georgiana était constamment pressée, que ce soit pour respecter une échéance, pour un rendez-vous à déjeuner ou à dîner, ou pour une série d'interminables réunions. Lorsque Georgiana ne se précipitait pas d'un endroit à l'autre, elle s'installait confortablement derrière des portes closes pour lire. Dans tous les cas, Harper n'avait pas eu beaucoup d'occasions de voir sa mère en grandissant. À 28 ans, elle travaillait maintenant comme son assistante personnelle. Même si elles vivaient ensemble, Harper savait qu'il lui fallait prendre rendez-vous pour avoir une discussion avec sa mère.

— Je ne m'attendais pas à te voir encore ici, dit Georgiana en l'embrassant sur la joue.

— J'étais sur le point de partir, répondit Harper, percevant le ton de réprimande dans sa voix.

La veste en tweed bleu pâle de Georgiana et sa jupe droite bleu marine épousaient parfaitement sa menue silhouette. Harper jeta un coup d'œil à sa propre jupe, noire et lisse, et à son chemisier gris en soie, à la recherche du moindre défaut de couture, du moindre bouton manquant que l'œil de lynx de sa mère aurait tôt fait d'apercevoir. Puis, avec un geste qu'elle espérait d'apparence nonchalante, elle attrapa avec désinvolture l'invitation qu'elle avait bêtement laissée posée contre le vase à fleurs en verre.

Trop tard.

— Qu'est-ce que c'est? demanda Georgiana en fondant sur la carte pour l'attraper. Une invitation?

L'estomac de Harper se serra. Elle ne répondit pas et jeta un regard furtif au visage de sa mère. C'était un très beau visage, de cette beauté qu'ont les statues de marbre. Elle avait la peau pâle comme l'albâtre, les pommettes saillantes, et ses cheveux roux pâle au carré accentuaient son menton pointu. Elle n'avait jamais une seule mèche de travers. Harper savait qu'au bureau, on appelait sa mère «la reine de glace». Harper n'en était pas offensée. Elle trouvait au contraire que ce surnom était bien choisi. Elle scruta le visage de sa mère pendant que cette dernière lisait la lettre. Elle vit ses lèvres se pincer lentement et ses yeux bleus devenir froids.

Le regard de Georgiana quitta la lettre pour fixer Harper droit dans les yeux.

— Quand l'as-tu reçue?

Harper était aussi menue que sa mère et avait hérité de son teint pâle. Contrairement à elle, la réserve de Harper ne dégageait pas de froideur, mais du calme comme celui d'une proie.

Elle s'éclaircit la gorge. Elle avait la voix douce et tremblante.

— Aujourd'hui. Elle est arrivée par le courrier du matin.

Les yeux de Georgiana flamboyèrent. Elle tapota la carte dans la paume de sa main et eut un grognement de dérision.

— Alors comme ça, la reine du Sud aura 80 ans.

— Ne l'appelle pas comme ça.

— Pourquoi pas? demanda Georgiana avec un petit rire. C'est la vérité n'est-ce pas?

— Ce n'est pas gentil.

— Tu es sur la défensive? se moqua Georgiana.

— Mamaw a écrit qu'elle compte déménager, répondit Harper pour changer de sujet.

— Elle ne trompe personne. Elle utilise cet argument comme un appât pour vous attirer là-bas et vous refiler des meubles, de l'argenterie ou d'autres vieilleries qu'elle a accumulées dans ce trou à rat au bord de la mer.

Georgiana renifla.

— Comme si vous pouviez être intéressées par ce qu'elle ose appeler des antiquités.

Harper fronça les sourcils, agacée par l'attitude snob de sa mère. Sa famille en Angleterre possédait des antiquités qui avaient plusieurs centaines d'années. Mais ce fait n'enlevait rien selon elle aux charmantes antiquités américaines que possédait Mamaw dans sa maison. Non pas que Harper voulait quoi que ce soit. En vérité, elle avait déjà hérité de tant de meubles et d'argenterie qu'elle ne savait plus quoi en faire.

— Ce n'est pas pour ça qu'elle nous a invitées, argua Harper. Mamaw veut toutes nous voir réunies à Sea Breeze, pour une dernière fois. Moi, Carson, Dora…

Elle haussa ses frêles épaules.

— Nous avons passé du bon temps là-bas. Je crois que ça pourrait être agréable d'y retourner.

Georgiana lui tendit l'invitation du bout de ses ongles vernis rouges, comme si la lettre avait quelque chose de répugnant.

— Eh bien, tu ne peux y aller, bien sûr. Mère et quelques invités vont arriver d'Angleterre le 1er juin. Elle s'attend à te voir dans les Hamptons.

— La fête organisée par Mamaw est fixée le 26 mai. Grand-mère James n'arrivera pas avant la semaine suivante. Ce ne devrait donc pas être un problème. Je peux très bien aller à cette fête et être de retour dans les Hamptons à temps, s'empressa de dire Harper. Je veux dire, c'est tout de même le

80ᵉ anniversaire de Mamaw après tout. Et je ne l'ai pas vue depuis des années.

Harper vit sa mère redresser les épaules, ses narines se dilater, et elle pointa le menton, autant de signes que Harper reconnut comme une marque de dépit.

— Eh bien, commença Georgiana, si tu veux perdre ton temps, vas-y. Je suis certaine que je ne peux t'en empêcher.

Harper repoussa son assiette et son estomac se serra quand elle comprit l'avertissement sous-entendu : *Si tu y vas, je ne serai pas contente.* Harper regarda l'invitation bleu marine et caressa du bout du pouce l'épais vélin, appréciant sa douceur. Elle pensa aux étés à Sea Breeze et au sourire amusé et tolérant de Mamaw devant les bêtises des Filles de l'été.

Harper adressa à sa mère un sourire radieux.

— Très bien alors, je crois que je vais y aller.

~

Quatre semaines plus tard, la vieille Volvo de Carson traînait sa carcasse sur le pont Ben Sawyer en direction de Sullivan's Island, comme un vieux cheval arrivant à son écurie. Carson éteignit la musique, et le monde plongea dans le silence. Le ciel au-dessus des marais offrait un panorama de terre de Sienne brûlée, d'or terni et de teintes de bleu changeantes. Les quelques nuages fins et parsemés ne pouvaient faire ombrage à l'astre lumineux qui avait entamé sa descente dans l'horizon aqueux.

Elle traversa le pont, et quelques instants plus tard, les roues du véhicule foulaient la terre de Sullivan's Island. Elle y était presque. Ses doigts tapotèrent nerveusement le volant lorsqu'elle prit conscience de la réalité de sa décision. Elle était sur le point de se présenter à la porte de la maison de Mamaw, pour y passer tout l'été. Elle espérait que l'offre de Mamaw était sincère.

Carson avait en fait abandonné son appartement, rassemblé tout ce qu'elle avait pu emporter dans sa Volvo et fait entreposer le reste. La maison de Mamaw lui servirait de refuge pendant qu'elle chercherait un emploi et lui permettrait également de mettre un peu d'argent de côté. Le voyage de trois jours qui l'avait menée de la côte ouest à la côte est avait été épuisant, mais elle y était finalement arrivée, les yeux fatigués et les épaules courbaturées. Mais quand elle avait quitté le continent, les brises parfumées de l'île lui avaient donné un second souffle.

La route arrivait à une intersection à Middle Street. Carson sourit à la vue des gens attablés aux terrasses des restaurants, riant et mangeant pendant que leur chien dormait à leurs pieds. C'était le début du mois de mai. Dans quelques semaines, l'été débuterait et les restaurants déborderaient de touristes.

Carson abaissa la vitre et laissa entrer la brise douce et parfumée qui soufflait depuis l'océan. Elle était de plus en plus proche maintenant. Elle quitta Middle Street et tourna sur une route étroite qui s'éloignait de l'océan et avançait vers l'autre versant de l'île. Elle dépassa l'église catholique Stella Maris et son clocher qui transperçait fièrement le ciel d'un bleu pervenche.

Les pneus s'arrêtèrent en crissant sur le gravier. Carson empoigna la canette de Red Bull qu'elle avait bue pendant le voyage.

— Sea Breeze, murmura-t-elle.

La maison chargée d'histoire trônait au milieu des chênes, des palmiers nains et des arbres qui dominaient l'endroit où Cove Inlet séparait Charleston Harbor de l'Intracoastal Waterway. Sea Breeze pouvait sembler au premier abord une maison en bois modeste avec un large porche et une volée de marches élégantes. Mamaw avait voulu que la maison d'origine soit dressée sur pilotis afin de la protéger de la marée montante pendant les orages. C'était à cette même époque qu'elle avait agrandi la maison, restauré le chalet des invités et réparé le garage. Cet assortiment de bâtiments en bois n'avait peut-être pas la splendeur tape-à-l'œil des nouvelles maisons de l'île, pensa Carlson, mais aucune de ces dernières n'avait le charme authentique et subtil de Sea Breeze.

Carson éteignit les phares, ferma ses yeux fatigués et soupira de soulagement. Elle y était. Elle avait voyagé pendant plus de 4 000 kilomètres et pouvait sentir dans son corps chaque kilomètre parcouru. Elle demeura assise dans la voiture, en silence. Elle ouvrit les yeux et regarda fixement Sea Breeze à travers le pare-brise.

— Ma maison, soupira-t-elle, savourant le mot qui avait traversé ses lèvres.

Un mot si puissant, si chargé de sens et d'émotions, pensa-t-elle, maintenant incertaine. Sa seule naissance suffisait-elle pour prétendre à cet endroit? Elle n'était que la petite-fille de la propriétaire, et pas la plus attentionnée qui plus est. Mais, contrairement à ce que ressentaient les autres filles, Mamaw était pour elle plus qu'une grand-mère. C'était la seule mère que Carson ait jamais vraiment connue. Sa mère était morte alors que Carson n'avait que quatre ans. Son père l'avait confiée à Mamaw et s'était éloigné pour panser ses plaies et se ressourcer. Il était revenu la chercher quatre ans plus tard. Ils avaient alors déménagé en Californie, mais Carson revenait à Sea Breeze chaque été, jusqu'à l'âge de 17 ans. Son amour pour Mamaw avait toujours été comme la lumière du porche, la seule vraie lumière qui brillait dans son cœur lorsque le monde se révélait sombre et effrayant.

Mais à la vue de l'éclat doré de Sea Breeze dans le ciel sombre, elle eut honte. Elle ne méritait pas un accueil chaleureux. Elle n'était venue qu'à quelques occasions ces 18 dernières années : deux funérailles, un mariage et lors de quelques vacances. Elle avait avancé trop d'excuses. Le rouge lui monta aux joues en pensant à quel point elle avait été égoïste de croire que Mamaw serait toujours là, attendant son arrivée. Elle déglutit avec difficulté et prit conscience qu'elle ne serait vraisemblablement même pas venue si ce n'était du fait qu'elle était pauvre et n'avait nulle part d'autre où aller.

Sa respiration se bloqua lorsqu'elle vit la porte d'entrée s'ouvrir. Une femme s'avança sous le porche. Debout dans la lumière dorée, l'allure royale et le dos droit, ses cheveux blancs et fins formaient une auréole autour de sa tête.

Carson descendit de la voiture, les yeux remplis de larmes.

Mamaw agita le bras.

Carson sentit la force du lien alors qu'elle tirait sa valise sur le chemin de gravier qui menait au porche. Plus elle s'approchait de Mamaw, plus les yeux bleus de cette dernière étaient brillants et chaleureux. Carson abandonna son bagage et se précipita en haut des marches, dans les bras de Mamaw. Elle appuya sa joue contre la sienne, se laissa envelopper par son odeur. Elle était soudainement redevenue une petite fille de quatre ans, orpheline et effrayée, les bras serrés autour de la taille de Mamaw.

— Eh bien voilà, commença Mamaw contre sa joue, tu es enfin à la maison. Pourquoi as-tu mis si longtemps ?

CHAPITRE 2

Marietta Muir détestait les anniversaires. Dans quelques jours, elle aurait 80 ans. Elle frémit.

Elle était sur la terrasse en haut du porche de sa maison de plage dominant l'Atlantique. L'océan était calme aujourd'hui, il caressait la côte comme un vieil ami. Combien d'étés avait-elle passés dans l'étreinte de cette étendue d'eau ? pensa-t-elle. Jamais assez.

Marietta tapota la balustrade de ses doigts. Il ne servait à rien de faire des histoires à propos de son anniversaire maintenant. Après tout, elle avait fait elle-même les préparations pour la fête et invité ses petites-filles à Sullivan's Island. Avait-elle vraiment le choix de ne pas faire de son 80e anniversaire un événement ? Combien de fois ces dernières années avait-elle invité ses petites-filles à sa maison sur l'île et combien de fois avaient-elles répondu par des excuses ? Marietta se remémora les lettres qu'elle avait reçues. Chacune était écrite d'une écriture aussi différente du point de vue du style et de la personnalité que l'étaient les filles elles-mêmes. Pourtant, elles contenaient toutes les mêmes excuses. « Oh Mamaw ! Je suis tellement désolée ! J'aimerais tellement venir, mais… » Les points d'exclamation à la fin de chaque phrase donnaient aux excuses un aspect encore moins sincère. Quel autre moyen avait-elle de gronder trois jeunes femmes récalcitrantes pour les amener à traverser tout le pays, jusqu'en Caroline du Sud, afin de lui rendre visite?

Quand elles étaient jeunes, elles adoraient venir à Sea Breeze. Mais dès la fin de l'adolescence, elles avaient été trop absorbées par leurs vies de jeunes adultes. Dora s'était mariée et avait été, pour être honnête, complètement dépassée par les exigences de son mari et de son fils. L'ambition de Carson l'avait poussée à parcourir le globe avec son appareil-photo. Et Harper... qui sait? Elle avait basculé dans le camp de sa mère, ignorant les lettres, envoyant des lettres de remerciements sans saveur lorsqu'elle recevait des cadeaux, sans jamais appeler. La vérité, c'était que depuis que les filles étaient devenues des femmes, elles avaient très peu rendu visite à leur grand-mère.

Les doigts de Marietta coururent le long de la balustrade. Au moins, elles viendraient toutes cette fois, même si c'était sans doute la promesse sous-entendue d'un butin qui les avait appâtées. De vrais petits pirates... Il était bien connu que le père fondateur de la célèbre lignée de capitaines que comptait la longue et illustre histoire familiale était un pirate. On n'en parlait pas en société, mais tout le monde savait que les richesses de la famille étaient le fruit des grains semés par le boucanier.

Ses lèvres minces formèrent une moue inquiète. Ce qu'elle n'avait *pas* mentionné dans sa lettre, c'était qu'elle comptait aussi déterrer de vieux secrets de famille, notamment à propos de leur père. Au cours de sa longue vie, elle avait appris que ces faits sombres et poussiéreux finissaient toujours par percer au jour et empoisonner des vies. Il valait mieux les désamorcer tandis qu'il était encore temps.

Le temps, c'était justement le point essentiel de son invitation. Elle avait invité ses petites-filles à son anniversaire et espérait qu'elles voudraient bien passer l'été ici. Elles *devaient* passer tout l'été ici, pensa-t-elle avec une bouffée d'angoisse. Elle joignit les mains :

— S'il Te plaît, mon Dieu, fais en sorte qu'elles acceptent de rester pour une dernière saison.

Marietta regarda ses mains. L'une d'elles était ornée d'un large diamant de coupe ancienne. *Ah, les ravages du temps*, pensa-t-elle. Il fut un temps où ses mains étaient douces et élégantes, et non ridées comme elles l'étaient aujourd'hui. Elle avait de la peine à voir sa peau parcourue de sillons, parsemée de taches sombres, et ses doigts jadis longs et élégants semblaient agrippés à la balustrade comme les serres d'une vieille chouette. Le troisième âge était une véritable leçon d'humilité.

Mais elle ne se *sentait* pas vieille, ou en tout cas, pas aussi vieille que pouvaient le laisser penser ses 80 ans. C'était un âge encore plus vénérable que ce qu'elle aurait jamais pu imaginer atteindre. Plus âgée encore que sa mère, son père et la plupart de ses amis. Ou qu'Edward, son mari bien-aimé, qui était décédé 10 ans plus tôt. Ou même que son cher fils, Parker. Marietta avait cru mourir quand ce dernier était décédé. Un parent ne devrait jamais voir mourir son enfant. Mais elle *avait* survécu, et pendant longtemps. Dans son esprit, elle n'était pas la *vieille* Marietta ou la *jeune* Marietta. Elle était Marietta, tout simplement.

Mais les douleurs et les peines, elles, étaient bien réelles. Tout comme l'étaient sa vue qui diminuait et sa difficulté à se rappeler les noms. Marietta balaya une dernière fois du regard le spectacle qui s'offrait à ses yeux. Depuis sa terrasse sur le toit de Sea Breeze, Marietta avait une vue plongeante qui portait bien au-delà de la première rangée de maisons de l'île et du rideau épais d'arbustes maritimes qui s'étendait jusqu'à la plage dorée. Quand elle était venue pour la première fois à Sea Breeze (elle était alors jeune mariée), il n'y avait aucune maison entre la sienne et l'océan. Aujourd'hui, deux autres rangées de maisons se serraient sur l'espace étroit qui les séparait de la plage. Mais depuis sa terrasse, Marietta pouvait encore voir l'océan chatoyant par-dessus les toits. L'eau azur reflétait le ciel sans nuage, et les vagues crêtées d'écume roulaient paresseusement jusqu'à la plage, caressant un sable aussi ancien et mystérieux que le temps lui-même.

Elle rit tristement. Aussi ancien qu'elle-même.

— Madame Marietta !

Oh pitié, pensa-t-elle. Lucille était sans doute fâchée de découvrir qu'elle s'était une fois de plus faufilée jusqu'au toit. Marietta s'éloigna de la balustrade et jeta un coup d'œil inquiet vers les marches abruptes. Quand elle était jeune, elle pouvait courir telle une gazelle jusqu'en haut de ces mêmes marches chaque matin, haletante et impatiente de s'informer de l'état de la mer. *Ma pauvre colonne vertébrale*, se dit-elle en agrippant fermement la rampe de l'escalier. Marietta entama avec hésitation, lentement, sa descente dans l'étroite cage d'escalier. À mi-chemin, elle fut rejointe par Lucille. Les yeux sombres et ronds de sa domestique flamboyaient lorsqu'elle regarda Marietta.

— Lucille, tu m'as fait peur ! s'exclama Marietta, resserrant sa prise sur la rampe.

— Je *vous* ai fait peur ? Qu'est-ce qui vous prend de monter et descendre ces marches comme une jeune fille ? Vous pourriez tomber ! Et avec les os que vous avez, ce serait la fin de l'histoire. Quand j'ai découvert où vous vous étiez glissée en douce, j'ai couru jusqu'ici à en perdre le souffle.

Elle monta quelques marches et plaça une main ferme sous le bras de Marietta.

— Je ne peux pas vous laisser seule une minute sans que vous vous attiriez des ennuis.

— Sottises ! se moqua Marietta, tandis qu'elle acceptait le bras salutaire de Lucille. Je monte et descends ces marches depuis plus longtemps que je ne me souvienne.

Lucille grogna.

— Et vos souvenirs remontent à très, très loin. Vous n'êtes plus une petite fille, Madame Marietta, peu importe ce que vous en pensez. Vous avez promis de me prévenir si vous alliez sur le toit. Je dois venir avec vous, pour que vous ne tombiez pas.

— Et que ferais-tu si je tombais? demanda malicieusement Marietta. Tu es aussi vieille que moi. Nous tomberions toutes les deux comme des sacs d'os.

— Je ne suis pas *si* vieille…, maugréa Lucille tandis qu'elles arrivaient sur le palier du porche, puis elle guida Marietta au bas des dernières marches.

Marietta n'aimait pas qu'on la surveille et qu'on la cajole comme une enfant. Elle avait toujours été très fière de son indépendance. Elle se targuait d'avoir des opinions et de ne pas hésiter à les exprimer. Quand elle atteignit le rez-de-chaussée, elle redressa les épaules et se défit de la prise de Lucille. Elle renifla.

— Je sais exactement quel âge tu as. Tu as 69 ans et tu râles tout autant que la vieille grincheuse que je suis.

Lucille gloussa et secoua tristement la tête.

— Je suis comme ça, concéda-t-elle, mais je vais prendre chaque année qu'on me donne, merci beaucoup.

Marietta la regarda fixement. Lucille se tenait debout, les bras croisés sur la poitrine. Elles étaient maintenant face à face, les yeux dans les yeux, se jaugeant du regard. Marietta était aussi grande, élégante et fine qu'une aigrette. Ses cheveux blancs et effilés étaient coupés courts. Quand elle se tenait debout, en silence, à observer comme elle le faisait à cet instant, elle avait le même port altier que cet élégant oiseau des marais.

Lucille, au contraire, était aussi massive et corpulente qu'un poulet des marais bien nourri. Ses cheveux noirs jadis chatoyants étaient devenus blancs, mais ses yeux larges et sombres brillaient encore de l'entêtement et de la ruse propre à cet animal grégaire. Et Dieu sait à quel point son gloussement pouvait être aussi aigu que celui du poulet. Bien que Lucille ait presque atteint les 70 ans, sa peau était aussi douce et lisse que l'ébène. Pendant des années, Marietta s'était secrètement donné pour mission d'amener Lucille à divulguer l'onguent qui lui permettait de garder sa peau aussi souple. Lucille avait été engagée en tant que domestique pour Marietta une cinquantaine d'années plus tôt. Elle s'était occupée avec fidélité de la famille Muir et de leur maison d'East Bay, à Charleston. Quand Marietta avait vendu la grande demeure et déménagé définitivement à Sea Breeze, Lucille l'avait suivie.

Aujourd'hui, Lucille était bien plus qu'une domestique, c'était une compagne de vie. Elle connaissait chaque secret de la vie de Marietta et était devenue une gardienne féroce qui veillait sur le foyer. Marietta se disait parfois que Lucille en savait trop sur elle et sur sa famille. Elle était un peu mal à l'aise qu'une personne puisse être aussi impliquée dans sa vie, une personne qu'elle ne pouvait duper. Seule Lucille était autorisée à émettre des commentaires ironiques qui pouvaient briser toutes les illusions de Marietta, ou à énoncer de cruelles vérités, aussi difficiles soient-elles. Marietta avait une confiance aveugle en Lucille et sa loyauté envers elle était absolue. Elles étaient, pour tout dire, dévouées l'une à l'autre.

Marietta s'éloigna du porche à grandes enjambées, visiblement décidée. L'aile ouest de Sea Breeze avait fait partie de la maison d'origine. C'était un petit labyrinthe constitué de trois pièces : la chambre dans laquelle Edward et elle avaient dormi autrefois, l'ancienne chambre de Parker, et une vaste pièce dotée d'un lambris en cœur de pin, d'étagères chargées de livres et décorée de tableaux représentant des chiens de chasse. Cette pièce avait servi de pièce de repos. Quelques années plus tard, Marietta avait agrandi la maison. Et lorsque les trois filles de Parker venaient chaque été, elles prenaient possession de l'aile ouest en vertu du droit de squatter. Marietta pouvait encore entendre résonner dans sa tête leurs ricanements et leurs couinements. Les pauvres hommes étaient alors chassés de leur repaire, grommelant contre les hormones et les vanités de la jeunesse.

— As-tu sorti les colliers comme je te l'avais demandé ? demanda Marietta pendant qu'elles traversaient la pièce de repos.

— Ils sont dans votre chambre, sur votre lit.

Marietta traversa le salon jusqu'à la chambre principale. La suite des maîtres constituait l'aile est du bâtiment. C'était son sanctuaire. Lorsqu'elle avait quitté Charleston pour déménager de façon permanente sur l'île, Marietta avait restauré Sea Breeze et l'avait rénové de fond en comble. Le pauvre Edward n'avait pas vécu assez longtemps pour profiter de sa retraite. Marietta l'avait découvert affalé contre son ordinateur, 1 an seulement après la mort de Parker. Elle s'était alors retrouvée complètement seule dans sa maison toute refaite.

Elle traversa la moquette et se dirigea vers son lit à baldaquin, fait d'un acajou richement sculpté. Trois sacs de velours noir étaient posés sur le couvre-lit. Trois colliers pour trois petites-filles.

— Il est grand temps que je choisisse un collier pour chaque fille.

Lucille croisa les bras sur sa large poitrine.

— Je croyais que ce serait *elles* qui devraient choisir celui qu'elles préfèrent.

— Non, non, Lucille, répliqua Marietta avec impatience. Ça ne marcherait pas du tout.

Elle marqua une pause, puis tourna la tête pour croiser le regard de Lucille.

— On dit, murmura-t-elle à la manière d'un sage, que les perles absorbent l'essence de celui qui les porte.

Elle hocha la tête, comme si ce mouvement ajoutait du poids à sa déclaration. Elle se remit à marcher.

— J'ai porté ces colliers de perles pendant des décennies. Chaque perle est *imprégnée* positivement de mon essence. Ne comprends-tu pas, s'enquit-elle, comme si c'était une évidence, qu'en donnant ces perles à mes petites-filles, je transmets un peu de moi à chacune d'entre elles?

Cette simple idée avait le don de lui faire plaisir.

— J'ai attendu ce moment pendant des années.

Lucille était habituée au ton théâtral de Marietta. Et elle n'était toujours pas convaincue.

— Elles peuvent s'imprégner de cette essence même si ce sont elles qui choisissent leur collier. Et si elles n'aiment pas le collier que vous leur avez choisi?

— Si elles ne l'aiment pas? Mais qu'est-ce que ça veut dire? Chaque collier a une valeur inestimable!

— Il n'est pas question de leur valeur. Je parle de l'aimer ou non. Vous ne voulez tout de même pas qu'elles passent leur temps à s'épier, pour voir ce que l'autre a eu, non? Il se peut que vous fassiez le mauvais choix. Je n'ai jamais vu des personnes plus différentes l'une de l'autre que ces trois filles. Si vous m'aviez demandé de choisir, eh bien, je n'aurais pas pu. Aucune idée de ce qu'elles préfèrent.

Elle plissa les yeux et hocha la tête de manière saccadée.

— Et vous n'en avez pas non plus.

Marietta leva le menton.

— Bien sûr que je le sais. Je suis leur Mamaw après tout. Je le *sais*.

— Mmh mmh, répliqua Lucille en hochant la tête sans conviction, pendant qu'elles traversaient le salon. C'est comme votre promesse de ne pas manipuler les gens.

— Quoi? Tu crois que je les manipule?

— Tout ce que je dis, c'est que… il me semble vous avoir entendu dire un jour que vous vouliez prendre vos distances et laisser les filles faire leurs propres choix. Pour voir quels sont leurs goûts et pour découvrir quel genre de femme elles sont devenues. Vous avez *dit* que vous vouliez les aider à se rapprocher de nouveau. Comment allez-vous vous y prendre si dès le départ, vous arrangez les choses comme il vous plaît ? Vous n'avez donc rien appris de Parker ?

Marietta regarda ailleurs, troublée par la vérité de l'accusation.

— J'ai consacré ma vie à Parker, dit-elle, la voix tremblante d'émotion.

— Je le sais, répondit gentiment Lucille, et nous savons toutes les deux que c'est ce qui a causé sa perte.

Marietta ferma les yeux pour se calmer. Maintenant que plusieurs années s'étaient écoulées depuis la mort prématurée de son fils, elle pouvait porter un regard lucide sur la vie de Parker, sans se laisser aveugler par sa propre dévotion.

Marietta et Edward avaient voulu des enfants, les avaient attendus. Ils n'en voulaient pas forcément une foule, mais espéraient au moins un héritier et un second. À bien y penser, c'était un miracle que Marietta ait réussi à accoucher d'un enfant. Après la naissance de Parker, elle avait fait plusieurs fausses couches et avait connu le désespoir d'enfanter d'un bébé mort-né. Elle s'était alors entièrement consacrée à Parker… et l'avait trop gâté. Elle n'avait appris que plusieurs années plus tard qu'elle était ce que les médecins appellent un *complice*.

Edward s'était souvent plaint du fait qu'il lui avait coûté une fortune en dons simplement pour permettre au garçon de passer au travers des soirées de débauche organisées par les associations étudiantes et des innombrables jeunes femmes, et enfin décrocher miraculeusement un diplôme. À la fin des études universitaires de Parker, Edward avait voulu «évacuer son fils du budget» et le forcer à «devenir un homme et à savoir ce que voulait dire gagner sa vie». Ce à quoi Marietta avait répondu, ironique :

— Oh ? Tu veux dire, comme tu as dû le faire toi-même ?

Aux yeux de sa mère, Parker ne faisait jamais rien de mal. Marietta était passée maître dans l'art de lui trouver des excuses. S'il était lunatique, elle le disait sensible. Son penchant pour les femmes, même après le mariage, était toujours la faute de ses compagnes, incapables de le satisfaire. Et sa dépendance à la boisson… eh bien, tous les hommes aiment boire, n'est-ce pas ?

Parker était un beau garçon et était devenu en grandissant, personne ne pouvait prétendre le contraire, un jeune homme d'une beauté sans pareil. Il était grand et mince, avait les cheveux blonds et les yeux bleu azur (la couleur des Muir) bordés de cils incroyablement longs. Tout cela était combiné à une prestance héritée de ses ancêtres aristocrates du Sud. Pour Marietta, il était l'incarnation d'Ashley Wilkes. Quand Parker regardait Marietta droit dans les yeux avec son air émouvant, elle était incapable de rester fâchée contre lui pour ses indiscrétions. Son père, lui, avait appris à y résister avec le temps.

Mais les femmes n'avaient jamais pu.

Elles lui couraient après. Marietta aimait regarder secrètement toutes ces filles battre des cils et papillonner autour de lui comme des paons faisant la roue. Elle s'en enorgueillissait et s'en attribuait le mérite. Pourtant, elle n'avait jamais été naïve. C'était précisément parce qu'elle savait que Parker n'avait que faire des conséquences de ses actes qu'elle avait pris sur elle-même de le présenter à sa future épouse.

Cette femme, c'était Winifred Smythe. Raisonnablement séduisante, elle avait grandi dans une famille respectable originaire de Charleston. Mais c'était surtout une femme influençable, bien éduquée et de bonne volonté. Quiconque les voyait ensemble ne pouvait s'empêcher d'y voir un « couple en or ». Leur mariage à l'église St. Philips avait fait la une de la rubrique « société » des journaux. Quand Winnie avait donné naissance à une fille un an plus tard, Marietta l'avait pris comme un triomphe personnel. Parker avait appelé sa fille Dora, en l'honneur de son auteure préférée, originaire de la Caroline du Sud, Eudora Welty.

À la même époque, Parker avait déclaré se consacrer à l'écriture d'un roman. Marietta avait immédiatement adoré l'idée que son fils puisse être un artiste. Edward y avait plutôt vu une excuse pour ne pas se trouver un vrai travail. Parker avait essayé de travailler à la banque, avec son père, mais l'expérience avait duré un peu moins de un an. Parker abhorrait le fait d'être confiné dans une pièce sans fenêtres et détestait par-dessus tous les chiffres et les costumes-cravate. Il prétendait éprouver un besoin d'écrire.

Ses parents l'avaient donc autorisé à se lancer dans l'écriture de son roman. Un roman qui, de l'avis de Parker, lui permettrait de rejoindre les rangs glorieux des auteurs du Sud célèbres. C'était les années 1970. Parker était devenu le stéréotype de l'auteur de romans : il se terrait dans son bureau miteux à la Confederate Home, en compagnie de bouteilles de Jim Beam et de marijuana pour stimuler son inspiration. Il portait des pulls à col roulé, laissait pousser ses cheveux et était généralement complaisant à l'égard de son « art ».

Deux ans plus tard, le roman en question n'était toujours pas fini et on avait découvert qu'il avait une liaison avec la gouvernante de la famille. Marietta avait fait irruption dans la maison qu'elle avait achetée au couple, sur Colonial Lake, à Charleston, et avait demandé à Parker de renvoyer la gouvernante. Elle avait imploré le pardon de la femme de Parker en lui offrant une superbe pièce de joaillerie. À sa plus grande surprise, Parker avait bravé pour la première fois une de ses demandes et refusé d'obtempérer. L'autre femme, une séduisante Française d'à peine 18 ans, était tombée enceinte. Parker entendait demander le divorce à Winnie, afin de se marier avec Sophie Duvall.

Et il l'avait fait. Immédiatement après son divorce, Parker s'était marié à Sophie. Égal à lui-même, Parker avait multiplié les excuses et les cajoleries, et avait persuadé ses parents de venir dans la masure que Sophie et lui louaient à Sullivan's Island. Marietta avait cherché à apitoyer Edward, prétendant que la seule raison pour laquelle la maison tenait encore, c'était que les termites se retenaient d'en finir. Marietta et Edward n'avaient pas assisté à la pantomime de cérémonie de mariage avec le juge de paix. Mais quand leur fils avait trouvé son premier emploi, un poste de gérant dans une librairie indépendante en ville, ils avaient repris espoir. Edward avait été si optimiste en voyant enfin son fils s'engager dans *quelque chose* qu'il avait accepté d'aider le couple financièrement à la naissance de l'enfant, une petite fille. Parker avait poursuivi dans sa logique et nommé sa deuxième fille Carson, comme Carson McCullers, une autre écrivaine originaire de Caroline du Sud.

Pauvre Sophie, pensa Mamaw, se souvenant de cette pauvre femme. Elle avait souffert de dépression postnatale et avait fini par devenir la partenaire de beuverie de Parker. Leur mode de vie de bohème était au final devenu dysfonctionnel. Leur penchant pour l'alcool avait empêché Marietta de dormir pendant bien des nuits. La tragédie qu'elle avait tant redoutée s'était produite quatre ans plus tard. Personne dans la famille n'évoquait cet horrible incendie qui avait entraîné la mort de Sophie. Les circonstances du drame avaient été étouffées et étaient devenues un secret de plus de la famille Muir.

Après la mort tragique de Sophie, Parker avait pris sur lui de finir son roman. Stimulé par un nouvel enthousiasme, il avait décidé de déménager à New York, afin de travailler en tant qu'assistant dans une maison d'édition. Il était déterminé à trouver un éditeur et, Mamaw soupira en y repensant, il avait fini par en trouver un. Malheureusement, cet éditeur n'avait pas publié son livre. Ils s'étaient plutôt mariés.

Georgiana James était une jeune éditrice prometteuse chez Viking. Elle était pleine de volonté, ambitieuse et profitait du soutien généreux de sa riche famille anglaise. Ils s'étaient mariés rapidement, puis avaient divorcé quelques mois plus tard, avant même que leur enfant ne naisse. Une autre petite fille. Georgiana avait accepté de faire une rare concession à Parker, et parce qu'elle approuvait les références littéraires, ils avaient appelé leur fille Harper, en l'honneur de Harper Lee, écrivaine du Sud.

Georgiana s'était révélée une adversaire coriace de tout ce qui touchait de près ou de loin aux Muir. Elle avait fermement refusé toutes les invitations de Marietta à venir à Charleston, et Marietta n'avait jamais été invitée à New York pour voir Harper. Mais Mamaw avait tenu bon, déterminée à ne pas être écartée de la vie de ses petites-filles.

Au cours de ces années pour le moins tumultueuses, Carson était venue s'installer chez Mamaw dans sa maison de South of Broad, à Charleston. La petite Dora venait passer les étés avec elles à Sea Breeze, pour jouer avec Carson. Mamaw eut un sourire nostalgique en pensant à ces belles années, il y avait si longtemps. Les deux filles étaient comme cul et chemise, inséparables. Même lorsque Carson avait déménagé à Los Angeles avec son père, elle était revenue chaque année à Sea Breeze pour revoir Dora. Ce ne fut que quelques années plus tard, lorsque Harper était devenue assez âgée, que cette dernière était venue les rejoindre sur l'île pour y passer l'été.

Ces quelques précieux étés du début des années 1990 avaient été les seuls moments où les trois petites-filles s'étaient retrouvées ensemble à Sea Breeze. Trois années seulement. Des étés magiques. Puis était arrivée l'adolescence. Quand Dora avait atteint les 17 ans, elle n'avait plus envie de gaspiller ses précieuses vacances avec ses petites sœurs. Carson et Harper avaient alors formé un duo. Ainsi, Carson était devenue le lien qui unissait les trois filles, la cadette qui avait passé l'été seule avec chacune des sœurs.

Mamaw posa la main sur son front. Tous ces étés semblaient se confondre dans son esprit, un peu comme l'âge des filles lorsqu'elles jouaient encore ensemble. Ses souvenirs se fragmentaient pour former un kaléidoscope. Autrefois, un lien bien spécial avait uni ses trois petites-filles. Elle était inquiète de voir qu'elles étaient devenues presque des étrangères l'une pour l'autre. Mamaw ne pouvait supporter le terme *demi-sœurs*. Elles étaient des sœurs, liées par le sang. Ces filles étaient dorénavant les seules proches qui lui restaient.

Galvanisée par ces souvenirs, Marietta se tourna vers les sacs de velours. Elle renversa un par un chaque collier de perles sur le couvre-lit de lin rose pâle. Les trois bijoux brillaient dans la lumière naturelle qui filtrait à travers les grandes fenêtres. Pendant qu'elle observait les perles brillantes, elle porta inconsciemment la main à son cou. Jadis, chaque collier en avait orné la courbe élégante, dans le temps où cette partie de son corps avait fait sa gloire. Aujourd'hui, tristement, ces perles l'embarrassaient. Elles étaient toutes de qualité supérieure, pas comme ces pacotilles d'eau douce qui servaient davantage d'accessoires que de véritables trésors de joaillerie. Dans son temps, les perles étaient rares et comptaient parmi les pièces les plus importantes des collections de bijoux des femmes.

Il était coutume d'offrir à une jeune fille qui fêtait ses 16 ans, ou son entrée dans le monde, un collier de perles classique qui reposait juste sous la naissance du cou. Marietta tendit le bras pour attraper le premier collier. Il était composé de trois rangs de perles, avec un fermoir tape-à-l'œil serti de diamant et de rubis. Ses parents lui avaient offert ce collier ras de cou pour le bal des débutantes de St. Cecilia. Son père aimait l'extravagance, et il s'agissait là sans aucun doute d'un choix extravagant. Ce collier lui avait donné l'impression d'être une reine parmi les princesses vêtues élégamment de leurs robes blanches et parées de leurs colliers à un seul rang.

Marietta examina les perles qui pendaient de sa main, réfléchissant à laquelle des trois filles elle pourrait bien l'offrir.

— Je devrais donner celui-ci à Harper, annonça Marietta.

— La silencieuse, commenta Lucille.

— Elle n'est pas tant silencieuse que réservée, la contredit Marietta. Ce doit être son côté anglais, je suppose.

— C'est ce que je pense aussi, acquiesça Lucille. Elle était un peu comme une petite souris, n'est-ce pas ? Toujours cachée, un livre sous les yeux. Facile à surprendre aussi. Dieu que cette fillette était aussi douce qu'un poney du Tupelo !

Lucille se pinça les lèvres, en pleine réflexion, puis secoua la tête.

— Je ne sais pas. C'est un collier bien voyant pour une créature aussi menue.

— C'est exactement ça. Ces perles ressortiront sur elle. Elles lui iront très bien, répondit Marietta en pensant à l'allure fière de Harper. Vois-tu, Harper a à peu près l'âge que j'avais quand j'ai reçu ce collier. Je crois que des perles couleur crème compléteront bien son teint de peau laiteux.

— Laiteux ?

Le gloussement de Marietta gronda doucement dans sa poitrine.

— Elle est sans doute la fille la plus pâle que j'aie jamais vue.

Marietta sourit tellement cette affirmation était vraie. La peau de Harper ne bronzait jamais, elle brûlait, peu importe la quantité de crème solaire appliquée.

— Elle a la peau livide des Anglaises, comme sa mère, Georgiana James, dit-elle avec un reniflement de dégoût à la pensée de cette femme froide, habillée de vêtements haute couture, qui l'avait snobée lorsqu'elles s'étaient parlé la dernière fois.

— Je jurerais qu'elle se maquille avec une truelle. Elle a vraiment le teint cadavéreux ! Et elle prétend avoir du sang royal, se moqua Marietta. Pas une seule goutte de sang royal ne coule dans ses veines. J'oserai même dire que ce sang ne doit pas être bien rouge non plus. Mais Harper a vraiment les yeux les plus émouvants, ne trouves-tu pas ? Elle tient cette couleur des Muir…

Lucille roula des yeux.

Marietta enroula les perles dans la paume de sa main. Son esprit était occupé par la jeune femme qui vivait à New York et gardait ses distances.

— C'est Georgiana qui lui a empoisonné l'esprit et l'a tournée contre nous, déclara-t-elle, en commençant à bouillonner. Cette femme n'a jamais aimé mon fils. Elle l'a utilisé pour profiter de ses beaux airs et de son nom.

Marietta se pencha à l'oreille de Lucille et murmura :

— Il ne valait à ses yeux à peine plus qu'un donneur de sperme.

Lucille claqua la langue, plissa le front et se recula.

— Voilà que ça vous reprend. Vous n'en savez rien !

— Elle a demandé le divorce dès qu'elle est tombée enceinte !

— Vous ne pouvez pas en vouloir à l'enfant.

— Je n'en veux pas à Harper, s'offusqua Marietta. C'est à sa mère, qui croit que les habitants du Sud ne sont qu'une bande de rustres ignorants, que j'en veux.

Elle agita la main avec un air méprisant.

— Nous savons tous que Parker n'était pas le mari le plus facile à vivre, Dieu ait son âme. Mais ne pas le laisser voir son enfant était cruel. Il était déjà tellement perturbé à l'époque.

— Perturbé ? répéta Lucille. C'est comme ça que vous appelez quelqu'un qui est saoul en permanence ?

Marietta voulut défendre son fils, mais retint la réplique cinglante qui lui brûlait les lèvres. Lucille l'avait accompagnée

CHAPITRE 2

à New York lorsqu'elles avaient amené Parker dans la première d'une longue série de cliniques de désintoxication. La dure vérité, c'était que Parker, malgré son charme et son esprit, n'en était pas moins un ivrogne tristement célèbre. C'était ce qui avait eu raison de lui.

Marietta ne voulait pas y penser maintenant. Elle replaça résolument le collier dans un des sacs de velours et se pencha sur le bijou suivant.

Quatre-vingt-dix centimètres de perles brillantes parfaitement assorties ruisselèrent entre ses doigts lorsqu'elle les sortit du sac en velours. Elle laissa échapper un léger soupir. Elle avait porté cette magnifique rangée de perles longueur opéra lors de son mariage et d'occasions plus mondaines. Les perles lui tombaient alors juste au-dessous de la poitrine et accentuaient ses innombrables et glorieuses robes longues.

— Celui-là sera pour Dora, dit-elle.

— La plus autoritaire, fit remarquer Lucille.

Les lèvres de Marietta eurent un mouvement convulsif. Lucille avait vraiment le don de mettre le doigt sur le principal trait de personnalité des filles.

— Elle n'est pas autoritaire. Mais des trois filles, c'est sans doute celle qui a les avis les plus arrêtés, reconnut Marietta.

Dora avait suivi la voie tracée pour la plupart des jeunes filles du Sud. Elle s'était mariée peu après avoir obtenu son diplôme collégial avec Calhoun Tupper, un homme du même cercle social qu'elle. Dora avait plongé tête première dans son rôle de femme qui s'investit auprès de son mari dans sa carrière professionnelle au sein d'une banque, de sa communauté, de son église et, plus tard, de son fils. À l'instar de Marietta, elle avait éprouvé des difficultés à tomber enceinte, et comme elle, elle avait fini par enfanter un fils.

— La longueur du collier allongera sa silhouette, dit Marietta.

— C'est une fille rondelette. Il est vrai qu'un peu de longueur ne lui ferait pas de mal.

— Elle n'est pas rondelette, la défendit Marietta. Elle s'est simplement laissée aller...

— Oh, ce n'était pas une critique. J'aime les femmes qui ont encore un peu de chair. Je ne supporte pas celles qui sont trop minces et à qui on voit les os qui ressortent.

Ce n'était pas tant la silhouette de Dora qui inquiétait Marietta, mais sa tristesse. Elle n'était pas seulement en surpoids, mais également en situation de surcharge émotionnelle. Marietta reposa le long collier dans un sac en velours différent. Puis, elle souleva la dernière parure.

C'était un collier à un rang, chargé de grosses perles noires de Tahiti. Magnifiques avec leur forme baroque, elles brillaient avec des nuances qui passaient de l'argenté au noir foncé, en une succession de teintes irisées. Elle pensa à Carson, à ses cheveux noirs et à sa peau qui prenait une couleur dorée en été, lorsqu'elle passait des heures sur l'océan. Son penchant pour le voyage lui permettrait d'apprécier un joyau aussi exotique.

— Et celui-là sera pour Carson, dit-elle sur un ton catégorique.

— La plus indépendante des trois, ajouta Lucille.

— Oui, convint Marietta d'une voix douce.

Carson était sa petite-fille préférée, mais elle le gardait secret. C'était peut-être parce qu'elle avait passé tant de temps avec cette petite fille qui avait perdu sa mère. Elle était restée pendant de longues périodes en sa compagnie, après avoir été abandonnée sans cérémonie par un père parti on ne sait où. Mais Carson était aussi celle qui ressemblait le plus à Marietta. Passionnée dans la vie, elle n'avait pas peur de relever des défis et prenait ses décisions rapidement. C'était elle aussi une beauté à la longue silhouette, avec une longue histoire d'amants.

— Est-ce que Carson est partie surfer? demanda Marietta.
Carson avait été la première à arriver à Sea Breeze.

— Oh, évidemment, répondit Lucille avec un petit rire.
Cette fille se réveille en même temps que les oiseaux pendant
que le reste d'entre nous est encore au lit. Elle n'est pas pares-
seuse, ça, c'est sûr.

— Elle est plus heureuse lorsqu'elle est sur l'eau.

Marietta regarda de nouveau les couleurs mercurielles,
changeantes, des perles. Carson était elle aussi d'humeur
changeante. Feu et glace. Elle était chaleureuse au plus profond d'elle-même, mais se refroidissait rapidement. Marietta
était inquiète que sa belle petite-fille ne trouve pas d'endroit ni
de mari pour la retenir. Quelque chose de sombre brûlait au
fond de son âme, comme à l'intérieur de ces perles. C'était
dangereux pour le cœur d'une femme. Marietta laissa glisser
doucement les perles dans le dernier des sacs.

Elle regarda les trois sacs de velours posés sur le couvre-lit.
Il était du devoir d'une vieille femme que d'assumer le poids de
ses erreurs. Elle devait reconnaître aujourd'hui que ses péchés
par omission à l'égard de son fils avaient semé les graines des
problèmes qu'il avait vécus dans ses trois mariages. Il était
trop tard maintenant pour s'inquiéter du sort de ses belles-
filles. Mais pour ses Filles de l'été…

Cet été serait sa dernière chance de boucler la boucle, de
reconnaître chacune de ses petites-filles avec lucidité, de com-
bler le fossé qui s'était agrandi entre elles au cours de la dernière décennie, et avec un peu de chance, de rétablir un tant
soit peu de ce lien d'affection qui les avait unies jadis.

Trois petites-filles, trois colliers, trois mois…, pensa-t-elle.
C'était le plan.

CHAPITRE 3

C arson avait toujours été convaincue que de l'eau de mer coulait dans ses veines. Elle ne supportait pas de rester à terre trop longtemps. Pour elle, une journée sans tremper ses orteils au moins une fois dans l'océan était une journée vécue à moitié. Bref, l'océan était toute sa vie.

La journée avait débuté par une matinée de mai typique de Sullivan's Island. Après avoir passé seulement quelques jours à Sea Breeze, Carson avait déjà adopté un rythme agréable. Elle se réveilla au moment où les pâles lueurs de l'aube tamisaient les murs de sa chambre d'un rose nacré. La jeune femme se leva silencieusement du petit lit qui meublait la chambre qu'elle avait toujours faite sienne quand elle venait chez sa grand-mère. Ce matin, sa bouche était sèche comme le coton et elle se sentait un peu apathique, résultats du vin qu'elle avait consommé hier soir. Elle ne comprenait toujours pas comment Mamaw faisait pour s'en tenir à deux verres. Quand apprendrait-elle que consommation excessive d'alcool et réveil matinal ne faisaient pas bon ménage ?

Carson mit son bikini encore froid, trempé, collant et imprégné de sel des suites de sa baignade de la veille. Pendant qu'elle s'étalait une épaisse couche de crème solaire FPS 50 sur le visage, elle jeta un coup d'œil entre les volets, scrutant le ciel mat de l'aube à la recherche de la silhouette sépulcrale de la lune.

Elle sourit en s'imaginant chevaucher une vague au moment où le soleil rouge crèverait l'horizon. C'était son moment préféré de la journée.

Carson se hâta, sauta dans ses tongs et attacha ses longs cheveux brun foncé en un chignon peu soigné à l'aide d'un élastique. Le plancher de pin de la vieille maison craqua lorsqu'elle se faufila dans le couloir étroit qui menait jusqu'à la cuisine. Elle ne voulait surtout pas réveiller Mamaw. Sa grand-mère n'appréciait pas à sa juste valeur le réveil à l'heure de la marée montante.

Exception faite des nouveaux appareils électroménagers, la vieille cuisine, avec ses meubles et son plancher de pin, et ses fenêtres à carreaux multiples, n'avait pas changé. Lucille ne l'aurait pas accepté. Jadis, la cuisine était peinte en jaune, mais avec le temps, la couleur s'était ternie et avait pris une teinte qui, lors des chaleurs de l'été sudiste, évoquait toujours à Carson l'aspect du beurre rance. Mais Carson aimait absolument tout de cette maison, et l'idée que Mamaw envisage de la vendre l'attristait profondément.

Elle ouvrit la porte-moustiquaire et sortit dans la fraîcheur de ce matin plein de promesses. Le silence régnait. La journée était encore fraîche et inaltérée. Elle traversa le porche, coupant à travers le gazon couvert de rosée. Elle balaya du regard le garage, la maison et le cottage pittoresque dans lequel vivait Lucille. Les bâtiments se regroupaient en arc de cercle autour d'un vieux chêne qui déployait de longues traînées de mousse. Dans la lumière du matin, le paysage ressemblait à un dessin au pastel d'Elizabeth Verner représentant le Charleston historique. Mamaw adorait Sea Breeze et s'était toujours assurée que la maison soit soigneusement entretenue. Carson fut frappée de constater que le site semblait à présent aussi fatigué et âgé que sa propriétaire. Carson constata une fois de plus à quel point chaque journée était précieuse.

Elle gardait à côté de sa planche de surf un grand sac en toile contenant des sandales, de la crème solaire, une serviette et une casquette. Elle y ajouta une serviette fraîche et une bouteille d'eau glacée, puis se dirigea vers sa voiture, garée de l'autre côté du jardin. La Bête, c'était ainsi qu'elle l'avait surnommée. La voiture sentait le sel et l'huile de noix de coco. Le sol de la voiture était recouvert de sable et jonché de bouteilles d'eau vides.

Le trajet pour se rendre jusqu'à son endroit préféré, proche d'Isle of Palms, était relativement court. Carson reconnut les quelques voitures déjà garées le long de Palm Boulevard, à côté de la 32e Avenue. De grandes maisons alignées séparaient les routes des dunes telle une haie couleur pastel bloquant la vue de l'océan depuis la rue. Elle marcha le long du chemin qui longeait la plage, ses talons laissant de profondes empreintes dans le sable chaud. Les dunes grouillaient de fleurs sauvages : des primevères jaunes, des pétunias violets et des gaillardes aux couleurs rouge et orange éclatantes. Elle aperçut, à peine visible entre les fleurs, le corps ravagé d'un oiseau mort. Des fourmis faisaient l'aller-retour entre les os creux, tandis que les lambeaux de plumes de l'animal étaient agités par la brise. *Pauvre créature*, pensa Carson. La nature, elle le savait, n'était pas toujours belle à voir.

La planche commençait à peser lourd sur son bras, mais elle ne s'arrêta pas et gravit la dernière dune. Une fois au sommet, elle sentit sur son visage la première bourrasque chargée de sel. Carson posa sa planche dans le sable. Sa bouche se fendit d'un large sourire quand elle fut submergée par le panorama sans pareil qui s'offrait à elle, celui du ciel et d'une mer sombre qui se fondaient dans un horizon sans fin. Elle ferma les yeux et respira à pleins poumons le parfum de son chez-soi.

Carson ne pouvait ignorer la force d'attraction à toute épreuve de la marée. Il y avait quelque chose dans l'odeur de cet endroit, les relents acidulés de la vase mélangés à la senteur du sel, qui faisait renaître en elle une foule de souvenirs. Avec ses vagues écumantes à l'aspect vitreux, le littoral de la Caroline du Sud était plus calme et plus accueillant que les falaises rocheuses et les forts courants de la Californie. Tout dans cet État était réconfortant. Peu importe le nombre de fois où elle avait quitté cette région ou combien elle avait juré ne jamais y revenir, ces profondes racines de marée l'arrimaient à cet endroit.

Quelques hommes et femmes bronzés étaient éparpillés sur la plage et se parlaient tout en fartant leurs planches. La camaraderie entre les surfeurs locaux était profonde et bien ancrée. Ils grandissaient ensemble et se voyaient quotidiennement pendant des années. Ce qui n'était au départ qu'une amitié de circonstance devenait un lien fort qui durait toute une vie. Les échos de leurs rires aigus se confondaient avec le chant des oiseaux. Plus loin sur l'océan, quelques surfeurs étaient déjà sur leurs planches et flottaient en ligne, dans l'attente de la prochaine vague convenable. Elle s'empressa de les rejoindre et repassa un peu de cire là où son pied avait altéré la dernière couche.

Elle ne perdit pas une minute. La houle devait bien monter à près d'un mètre, ce qui est relativement haut, pour les standards de la Caroline du Sud. Elle sentit son enthousiasme qui commençait à bouillir dans ses veines. Puis, elle se tortilla pour mettre sa combinaison

(une combinaison isothermique à manches et à jambes courtes) qui collait à son corps comme une seconde peau. La combinaison était plutôt moulante et elle dut ignorer les regards agaçants de certains des hommes restés sur la plage. Les préparatifs étaient maintenant terminés. Carson souleva sa planche et fit quelques pas dans l'eau fraîche.

Nous y voilà, pensa-t-elle. Elle avança péniblement sur sa planche, ramant frénétiquement dans les eaux froides, jusqu'à l'endroit où s'écrasaient les brisants. Dès qu'elle aperçut le premier mur d'eau bleue s'approcher, elle agrippa les rebords de sa planche, poussa de toutes ses forces, puis rentra la tête pour plonger sous la vague. La planche perça la surface d'eau froide pendant que la vague déferlait au-dessus de Carson. Elle jaillit hors de l'eau, sa longue chevelure à la traîne et des gouttelettes perlant sur son visage à la lumière du soleil, à bout de souffle.

Carson adorait cette première immersion exaltante dans l'océan. Pour elle, c'était un peu comme se faire baptiser. Elle se sentait rafraîchie et propre, lavée de tous ses péchés. C'était ce sentiment qui la poussait à revenir jour après jour. Elle en était dépendante. Elle sourit à pleines dents et continua à battre des mains dans l'eau pour avancer, en attente de la prochaine vague.

Quand elle eut dépassé les brisants, Carson se hissa sur sa planche et attendit, assise, ses longues jambes nues pendant dans les eaux côtières troubles. Elle observa le rivage sablonneux. À cette distance, elle se sentait davantage attachée à la mer qu'à la terre. Lorsqu'elle était si loin dans l'océan, elle était envahie d'un profond sentiment de solitude. C'était dans ces moments qu'on réalisait à quel point un individu était minuscule comparé à l'immensité qui l'entourait. Mais elle, au lieu de se sentir écrasée, avait l'impression de faire partie de quelque chose de plus grand qu'elle. Elle se sentait à la fois puissante et apaisée.

Des camarades surfeurs la rejoignirent, flottant sur leurs planches comme des pélicans dans l'eau, attendant une bonne vague. Le surf était un sport individuel, mais les surfeurs choisissaient leurs sites préférés. Ici, c'était le sien. Elle surfait à cet endroit depuis qu'elle était adolescente et avait rapidement appris à connaître les membres de cette communauté de surfeurs. Il y avait même quelques visages familiers. Bien qu'elle soit de nature solitaire, elle trouvait toujours agréable que quelqu'un surveille ses arrières sur cet océan d'humeur changeante.

Carson barbota dans l'eau pendant un bon moment, car la vague qu'elle attendait ne venait pas. Elle jeta un coup d'œil à la position du soleil levant et remarqua que la marée commençait à redescendre. Carson flottait maintenant beaucoup plus loin de la côte que d'habitude. Derrière elle, un crevettier avait déployé son chalut. La distance entre elle et le bateau était inhabituellement courte. En fait, elle était si proche qu'elle pouvait entendre le cri rauque des mouettes qui planaient au-dessus des filets verts pour voler quelque festin. Des pélicans volaient en cercle et quelques dauphins s'arquèrent en quête d'un morceau de poisson.

Carson fronça les sourcils, agacée. Tous les ingrédients étaient réunis pour qu'un accident se produise. Dès que les poissons se rassemblaient, la faune marine rôdait. Son instinct lui hurlait de s'éloigner, mais au même moment, elle aperçut une vague imposante qui se préparait.

— Enfin, murmura-t-elle en agrippant solidement sa planche.

Ce serait son moyen de transport pour le retour. Soudain, son attention fut attirée par un pélican qui repliait ses longues ailes et plongeait en piqué dans l'océan, à seulement trois mètres de là où elle se trouvait.

— Holà, s'exclama-t-elle lorsqu'elle sentit sous l'eau les ondulations provoquées par l'animal.

Ce dernier avait à peine pénétré dans la mer qu'un énorme requin creva la surface de l'eau au même endroit, le pélican pendant piteusement entre ses mâchoires. Carson en eut le souffle coupé. Elle regarda, figée, le requin qui tournoyait dans les airs tel un missile gris luisant, avant de retomber violemment en éclaboussant partout, à seulement quelques dizaines de centimètres de sa planche. Carson ramena précipitamment ses jambes sur la planche, en état de choc, ballottée au gré de l'onde puissante que le requin avait laissée dans son sillage.

Pendant un instant, ce fut comme si le monde entier avait retenu son souffle. Sur la plage, les gens s'étaient attroupés près de l'eau et pointaient du doigt dans sa direction. Quelques mètres plus loin, un surfeur la regardait, les yeux écarquillés de peur.

— Sors de là tout de suite! cria Danny pendant qu'il ramait frénétiquement vers la plage.

Que dois-je faire? hurla son esprit. Elle avait peur de remettre ses pieds et ses bras dans l'eau. Elle avait raté la vague et le requin pouvait se trouver n'importe où dans ces eaux troubles, même en dessous d'elle. Carson scruta la mer. Le soleil scintillait comme des diamants sur l'eau. Au-dessus de sa tête, les mouettes avaient cessé leurs cris grinçants et volaient toujours au-dessus du crevettier, qui s'éloignait tranquillement. Tout semblait calme. Carson expira et se plaça lentement sur son ventre afin de commencer à ramer.

Puis, elle capta du coin de l'œil un mouvement furtif. Elle se retourna et aperçut l'aileron reconnaissable entre tous du requin qui nageait autour du crevettier.

— Mon Dieu, faites que la bête n'ait pas un appétit trop féroce, pria-t-elle, battant furieusement des mains pour avancer et concentrant son irrésistible montée d'adrénaline sur la tâche qu'elle avait à accomplir : atteindre la plage.

Parmi les cris des oiseaux, elle distingua la voix de ses camarades surfeurs qui lui hurlaient de partir de là. Quelques instants plus tard, une forme massive heurtait brutalement sa jambe droite, quelque chose qui avait la texture du papier de verre mouillé. Carson sentit son estomac se nouer, elle sortit brusquement les jambes de l'eau et les tint bien serrées sur la planche.

— Oh mon Dieu, oh mon Dieu, sanglota-t-elle, la tête entre les genoux.

L'eau de mer lui brûlait les yeux et son corps tout entier tremblait. Elle fouilla du regard la mer sombre. Elle savait pertinemment que sous l'eau, sa planche ressemblait à s'y méprendre à une tortue de mer ou à un phoque, des proies idéales pour un requin. Pour la première fois, Carson se sentit traquée et impuissante dans l'océan.

Elle frissonna et attendit, aux aguets, pendant que de longues minutes s'écoulaient. Tout semblait être redevenu silencieux. Le ciel était passé de la couleur grenat de l'aube à un bleu éclatant, dénué de nuages. Carson plaça sa main en visière au-dessus de ses yeux plissés et balaya du regard l'étendue infinie d'eau bleue. Elle était seule. Les autres surfeurs avaient réussi à atteindre la plage, et le crevettier se dirigeait maintenant vers le nord, paisiblement, en quête de nouvelles zones de pêche. Pendant un instant, Carson reprit espoir. Le requin suivrait certainement le bateau, appâté par les poissons entraînés dans son sillage.

Mais aussitôt, sa planche fit une embardée. Une ombre se glissa dans l'eau, toute proche, aussi longue que sa planche qui mesurait un mètre quatre-vingts. Carson retint un cri lorsque le corps imposant émergea des profondeurs. Puis, elle expira de soulagement en voyant la tête arrondie, le rostre long et le sourire goguenard d'un dauphin.

L'animal tourna autour de sa planche, se cambrant comme on a l'habitude de le voir. Le dauphin fit deux autres tours, puis disparut de nouveau. Carson repoussa ses cheveux et prit une grande inspiration. Elle avait lu quelque part que les dauphins ne nageaient pas près des requins. Elle rassembla son courage et trempa de nouveau les pieds dans l'eau pour nager jusqu'à la côte, en prenant soin de faire le moins d'éclaboussures possible. Elle avait bien progressé, lorsqu'elle aperçut le requin qui décrivait des cercles dans l'eau sur sa gauche. Elle jura entre ses dents et posa vivement les jambes sur sa planche.

CHAPITRE 3

Le requin devait faire environ 3 mètres et peser près de 200 kilogrammes de muscles. C'était un requin-bouledogue, une des espèces les plus agressives et les plus imprévisibles qui rodaient dans des eaux peu profondes. L'être humain ne faisait pas partie de son régime alimentaire, mais les requins-bouledogues étaient connus pour être irritables et avoir asséné des morsures fatales. Et le prédateur semblait manifestement intéressé par Carson. Il se dirigea vers elle en zigzaguant, dans cette approche si caractéristique.

Soudain, le dauphin émergea de nouveau. Il nagea près de la planche et commença à battre furieusement l'eau de la pointe de sa queue, comme s'il battait du tambour en guise d'avertissement. La tactique sembla fonctionner. Le requin vira brusquement de direction et le dauphin replongea. Carson laissa les secondes s'écouler, les bras serrés autour des jambes, pendant que ses dents claquaient frénétiquement. Que se passait-il? Elle avait entendu que les dauphins protégeaient les humains des requins et elle priait pour que ce soit le cas en ce moment.

Mais le requin ne se ferait pas chasser si facilement. Il émergea plus loin, refusant d'abandonner la partie. Le dauphin se retourna et se mit à nager avec agitation dans l'étendue d'eau bleue qui le séparait du requin, avant de disparaître une fois de plus. Carson garda son regard fixé sur le requin. Ce dernier s'orienta alors vers elle et le temps sembla s'arrêter. Elle était paralysée. Tous les sons s'estompèrent, aspirés par le puits sans fond des yeux sans âme du prédateur. La bouche de Carson s'ouvrit lentement, mais seul un cri silencieux en sortit.

Puis, le dauphin surgit de nulle part et fusa à côté d'elle, droit vers le requin. Il était si rapide qu'il glissait à la surface de l'eau à la manière d'une torpille, prêt à percer le flanc de son ennemi. Le corps massif du requin sembla se plier en deux sous la force de l'impact qui avait visé directement ses branchies. Pendant quelques secondes, le requin flotta mollement, suspendu entre deux eaux. Puis, d'un geste réflexe vif comme l'éclair, le monstre balança la tête, exhibant ses dents aiguisées plantées dans des gencives rouge sang. Le dauphin s'esquiva, mais trop tard. Les dents du squale se refermèrent sur sa queue.

— Non ! ne put réprimer Carson tandis que les deux animaux disparaissaient de nouveau sous l'eau.

Tout s'était passé si vite, en l'espace de quelques secondes.

Elle avait le cœur brisé pour le dauphin, mais elle savait que c'était le moment ou jamais de prendre la fuite. Par chance, une vague de hauteur raisonnable commençait à se former. C'était sa meilleure, voire sa seule chance de s'échapper. Elle nagea avec l'énergie du désespoir, d'une brasse profonde, infiniment reconnaissante de sentir enfin dans son dos la poussée familière de l'eau. Elle se cramponna à sa planche, les yeux fixés sur la plage. Elle chevaucha la crête de la vague jusqu'à la rive, les jambes tremblantes.

D'habitude, Carson prenait garde que le courant ne l'amène pas jusque sur la plage, pour ne pas égratigner sa planche. Mais aujourd'hui, elle poursuivit sur sa lancée jusqu'à la fin. Elle avait l'impression que ses jambes étaient en caoutchouc. Elles furent tout égratignées à cause du sable. Ses amis accoururent jusqu'à elle pour l'aider à se relever et à sortir sa planche hors de l'eau.

Pendant que les gens s'assemblaient autour d'elle, Carson demeurait immobile sur la plage, le regard tourné vers l'océan, les bras croisés sur sa poitrine, le corps tremblant violemment malgré les rayons du soleil matinal. Elle avait les yeux hagards et affichait un air de totale incompréhension. Pour une raison qui lui était inconnue, un dauphin venait de lui sauver la vie, probablement au péril de la sienne. Elle avait déjà entendu des histoires semblables de la bouche des surfeurs. Mais cette fois, c'était différent. Ce n'était pas arrivé à quelqu'un d'autre. C'était réel. Ça lui était arrivé, à *elle*.

CHAPITRE 4

L e lendemain, Carson retourna à Isle of Palms. Elle contempla depuis la plage le spectacle familier de l'océan et du ciel bleu. La planche pesait lourd sous son bras, le soleil de fin d'après-midi chauffait ses épaules, mais elle s'attarda pour regarder l'étendue d'eau et les douces vagues qui s'évanouissaient sur la plage. Un seul autre surfeur était de sortie aujourd'hui, flottant paisiblement sur la mer calme, le regard tourné vers l'horizon. Les vagues n'avaient rien d'extraordinaire, à peine de quoi s'y intéresser. Mais ce n'était pas ce qui gardait les pieds de Carson plantés dans le sable.

Elle avait peur. Sa bouche était sèche. Son cœur battait la chamade, pas d'impatience cette fois, mais de terreur. À la vue du vaste océan, les images du requin lui traversèrent l'esprit. Elle revit les yeux sans âme du requin et leur promesse de mort, la bouche retroussée qui laissait apparaître les gencives rouges incrustées de dents aiguisées comme des rasoirs. Carson ressentit la terreur qu'elle avait éprouvée de flotter sans défense sur sa planche pendant qu'une bête féroce à l'appétit insatiable rôdait dans les eaux troubles, juste en dessous d'elle.

Elle n'avait jamais hésité à sauter dans l'eau, pas même lorsqu'elle n'était encore qu'une petite fille, un peu comme une créature marine qui aurait passé trop de temps à terre. L'océan Atlantique était sa mère patrie. Elle savait qu'elle partageait ces eaux avec d'innombrables créatures. Y compris des requins. L'océan était aussi leur maison, une maison qu'elle avait jusqu'alors toujours partagée avec eux. Elle essaya de se convaincre que ce qui s'était passé la veille n'était qu'une coïncidence.

Elle remua les jambes, avala sa salive et expira longuement, le souffle tremblotant.

— Retournes-y. C'est ton milieu. Allez…

Carson roula des épaules, puis avança dans l'eau. Les éclaboussures qu'elle soulevait en marchant étaient froides. Ses talons s'enfonçaient profondément dans le sable mou. Quand elle fut assez loin de la rive, elle empoigna sa planche et la plaça sur l'eau. Elle sentit le picotement du froid sur sa peau nue lorsqu'elle s'allongea sur la planche. Elle étira les bras et commença à nager vers le large. *Pousse, pousse, pousse*, se disait-elle, haletante. Les rayons du soleil sur l'eau étaient aveuglants. Carson était frigorifiée et ses yeux brûlaient sous l'effet de l'eau de mer. La première vague approchait. Elle s'agrippa à sa planche. Rentra la tête. Retint sa respiration et plongea sous le rouleau.

À ce moment, elle abandonna. Elle n'était plus capable de se contenir. Ses muscles étaient contractés et son cœur battait la chamade, pris de panique. Tout ce qu'elle voulait à cet instant, c'était sortir de l'eau, retourner sur la rive. Elle inspira l'air profondément et rama furieusement, comme si sa vie en dépendait. Dès qu'elle atteignit les bas-fonds, elle sauta de sa planche et la tira jusqu'à la plage. Carson s'effondra dans le sable.

Carson s'accroupit sur la plage, le front posé sur ses genoux, le temps que son souffle redevienne régulier. Quand elle en fut capable, elle s'essuya le visage avec ses paumes et contempla l'océan de nouveau, stupéfaite.

Que s'était-il passé? Elle avait paniqué sans raison. Qui était donc cette fille? Elle s'était toujours crue impavide. Mais aujourd'hui, quand son instinct s'était manifesté, quand le choix de fuir ou de combattre s'était présenté, elle ne s'était pas battue. Elle avait fui.

Carson quitta la plage et chargea la planche dans la voiture. Elle retournait à Sea Breeze. Ses mains serraient le volant si fort que ses jointures étaient devenues blanches. Elle tentait de se convaincre encore et encore qu'il était tout à fait normal de paniquer après ce qui s'était passé la veille et que la peur se dissiperait avec le temps, comme la confusion qu'on pouvait ressentir après un cauchemar. Elle devait simplement continuer à essayer.

Mais Carson était profondément ébranlée. Toute sa vie semblait entraînée dans une spirale infernale. Elle était en pleine chute libre, sans parachute. Maintenant, même le surf ne lui donnait plus ce sentiment d'appartenance et d'unité qu'il lui avait toujours procuré par le passé.

Peut-être sa peur n'était-elle pas un échec. Peut-être était-ce plutôt un présage.

～

Il n'y avait pas de secrets pour Mamaw.

Plus tard le soir même, juste après que Carson eut pris une douche et se fut repue d'un festin de croquettes de crabe et de riz rouge, Mamaw et elle allèrent s'asseoir un petit moment sur le balcon arrière. Carson se pelotonna dans une grande chaise noire en osier, un verre de vin à la main. Une chandelle éclairait la scène d'une lueur tremblotante et Carson pouvait entendre au loin, par-delà la noirceur, le martèlement des vagues. Juste en face d'elle, Mamaw était assise dans un fauteuil à bascule, drapée comme une reine dans un châle écarlate.

— Eh bien, jeune fille, dit Mamaw une fois qu'elles furent installées dans leur chaise.

Ses yeux bleus brillaient comme deux pleines lunes à la lueur de la chandelle.

— Tu es arrivée tôt et tu as débarqué comme un membre de la famille Joad, avec ta voiture pleine à craquer. Tu as passé ton temps à bouder, et ce soir, tu as l'air aussi nerveuse qu'un chat.

Elle haussa le sourcil gauche.

— Qu'est-ce qui se passe?

Carson soupira, prit une gorgée de vin frais, puis posa le verre sur la table.

— Je vais bien. Je suis juste un peu paniquée, c'est tout. J'ai failli servir de repas à un requin hier.

Mamaw prit une grande inspiration et porta la main à son collier de perles.

— Quoi? Que s'est-il passé exactement?

— C'était un concours de circonstances bizarre. Je suis allée plus loin que d'habitude. Il y avait un crevettier tout proche de moi, plus près que de coutume. Il y avait aussi tout un tas de mouettes, de pélicans et de dauphins attirés par les appâts.

— Pas vraiment une bonne combinaison.

— Exact. Un vrai buffet.

— Mais un requin...

Mamaw frissonna violemment.

— Ma chérie, je n'aime pas te savoir en plein milieu de l'océan alors que ces bêtes rôdent dans les parages.

— Oh Mamaw, ils sont toujours là de toute façon. C'est leur habitat, ne l'oublie pas. Je veux dire, j'avais déjà vu plein de requins avant. *Beaucoup.*

Le visage de Mamaw prit cet air choqué auquel Carson s'attendait et elle voulut la rassurer.

— D'habitude, les humains ne font pas partie de leur régime alimentaire. Mais celui-là…

Carson prit une pause, ressentant de nouveau son estomac qui se contractait, comme lorsque le requin avait heurté sa jambe. Carson savait pertinemment que la plupart des accidents avec les requins n'étaient que cela : des accidents. Une simple erreur sur l'identité du nageur.

— J'ai simplement pris peur, expliqua-t-elle.

Elle raconta à Mamaw les détails de sa rencontre avec le monstre en terminant son histoire avec le coup porté par le dauphin.

— Si ce dauphin ne m'avait pas défendue, je ne sais pas ce qui serait arrivé.

Elle fit une nouvelle pause, les mains serrées sur son verre de vin.

— Et…

Carson prit une courte inspiration.

— Et Mamaw, je n'arrive plus à aller dans l'eau. J'ai essayé aujourd'hui, mais je n'ai vraiment pas pu le faire… Ça ne m'était jamais arrivé auparavant. Jamais. Tu sais à quel point l'océan est vital pour moi. Je me sens perdue, désespérée, comme si on m'avait supprimé ma dose.

Sa voix trembla.

— Je ne sais plus quoi faire.

Mamaw joignit les paumes et porta les mains à ses lèvres, perplexe.

— Mais cet incident sur l'océan, ce n'est pas la seule chose qui te tracasse, n'est-ce pas ? Quand tu es arrivée ici, tu te sentais déjà un peu perdue non ?

Mamaw regarda Carson avec un air qui la fit se tortiller sur sa chaise. C'était le visage de quelqu'un qui était sur le point de dire quelque chose qu'elle ne voulait pas entendre.

— J'imagine que oui…, admit Carson.

— C'est bien ce que je pensais.

Mamaw s'adossa à son fauteuil à bascule et commença à se bercer. Elle prit tout son temps, se balançant d'avant en arrière comme les vagues qui s'échouaient sur la plage, au loin.

— J'ai de gros problèmes Mamaw, confessa Carson. Je n'ai plus d'emploi, plus d'appartement et plus d'argent.

Carson se prit la tête entre les mains.

— J'ai si honte.

Mamaw s'immobilisa.

— Ma chère petite-fille. Je ne comprends pas.

Mamaw avait une façon de parler qui donnait l'impression qu'elle était à la fois choquée et calme.

— Qu'en est-il de ton émission de télévision ? Ça semblait pourtant un franc succès.

— Ça l'était, concéda Carson après un soupir. La série a duré trois ans, ce qui est déjà long si on considère les normes de l'industrie. La nouvelle que la saison était annulée est sortie de nulle part. Ils ne se sont même pas fatigués à expliquer pourquoi.

Carson tendit le bras pour attraper son verre de vin. Elle but une longue gorgée.

— Mais tu peux sans aucun doute trouver un autre emploi, dit Mamaw avec conviction. Tu travailles dans ce milieu depuis plus de 10 ans. Tu as voyagé autour du monde, travaillé sur plusieurs films. Je me suis vantée de toi à tous ceux qui voulaient bien m'entendre.

Elle secoua la tête, incrédule.

— Carson, je ne comprends pas. Tu as toujours eu tellement de succès.

Carson haussa les épaules. Elle ne voulait pas s'expliquer.

— Je ne sais pas… C'est un marché de l'emploi difficile. Les rues de Los Angeles sont pleines de gens comme moi qui font tout pour trouver un boulot. J'ai essayé, j'ai vraiment tout tenté…

Elle soupira bruyamment. Elle ne pouvait tout de même pas dire à sa grand-mère que les contacts qu'elle avait appelés étaient des hommes avec qui elle avait couché, ou lui raconter qu'elle s'était fait virer d'un boulot parce qu'elle s'était présentée au travail en état d'ivresse. Sa réputation n'était pas aussi brillante que Mamaw l'imaginait.

— C'était humiliant, confessa-t-elle. J'ai tenu aussi longtemps que je le pouvais, mais maintenant, je suis fauchée.

— Tu as mis un peu d'argent de côté pour les mauvais jours non ?

— Je travaillais à mon compte. Il n'y avait pas de quoi mettre de côté.

Elle regarda sa grand-mère d'un air grave.

— Et tu sais que j'en connais un rayon quand il s'agit de vivre avec un budget limité.

Mamaw acquiesça. Elle confirmait que son fils, le père de Carson, avait été au mieux un père peu fiable, au pire un père négligent. Elle savait que Carson avait dû porter le poids de ce mode de vie incertain. Ils avaient déménagé d'un endroit à l'autre, vivant un chèque à la fois en attendant ce fameux scénario qui les enrichirait.

— Il ne me reste rien Mamaw, dit-elle, la voix teintée d'amertume. C'est comme si toutes mes années de travail ne valaient rien.

— Oh ma chérie, je sais que la situation peut te sembler désespérée. Mais c'est dans ces moments-là qu'il faut voir à long terme. Fais-moi confiance. Tu ne sais pas où ce virage peut te mener. Dieu ne ferme jamais une porte sans ouvrir une fenêtre.

Carson se pinça les lèvres. Elle n'osait pas dire à sa grand-mère, une fervente pratiquante, qu'elle ne croyait désormais plus en Dieu.

— Et qu'en est-il de ce jeune homme que tu fréquentais ? Quel était son nom déjà... Todd ? Où se situe-t-il dans toute cette histoire ?

Carson retint un frisson et finit ce qu'il restait de son vin.

— J'ai mis un terme à notre relation l'hiver dernier, résuma-t-elle. Il l'a mal pris, j'en ai peur. Il a dit que je lui avais brisé le cœur, qu'il avait économisé pendant longtemps pour m'acheter une bague.

Mamaw retint son souffle.

— Une bague ?

Carson mit tout de suite fin à ses espoirs.

— C'est pour le mieux. Je ne peux m'empêcher de penser que j'y ai mis fin juste à temps.

Carson se leva rapidement. Elle avait besoin de plus de vin.

— Je reviens tout de suite. Je vais me chercher un autre verre. Tu en veux un ?

Mamaw refusa de la tête.

Carson marcha d'un pas vif à travers le porche et se rendit jusqu'à la cuisine, sa soif s'accentuant. Lucille avait rangé la cuisine et était partie, mais elle avait laissé un plateau de carrés au citron faits maison. Carson remplit son verre, puis se rappelant le tour que prenait la conversation, elle décida d'emporter la bouteille. Elle la coinça sous son bras, et de l'autre, elle attrapa des biscuits. De retour sur la véranda, elle trouva une Mamaw contemplant les ténèbres d'un air pensif.

— Oh, Carson, dit Mamaw en secouant la tête d'un air désolé tandis que Carson se calait au fond de sa chaise, je m'inquiète pour toi. Tu as dépassé la trentaine, ma chérie, et bien que tu sois plus belle que jamais, tu *vieillis*, s'empressa-t-elle d'ajouter. Tu ne devrais peut-être pas refuser de telles propositions aussi facilement.

Les yeux de Carson étincelèrent. Mamaw avait visé juste.

— J'ai seulement 34 ans, répliqua-t-elle. Je ne m'inquiète pas le moins du monde pour ce qui est de me marier. Je ne suis même pas sûre de *vouloir* me marier.

— Ne sois pas vexée.

— Je ne suis pas vexée, se plaignit Carson.

Elle changea de position sur sa chaise. Il était difficile de rester tranquillement assise et d'écouter quelqu'un vous vanter des valeurs vieilles d'une ou deux générations qui n'avaient plus aucune importance. Carson avait été élevée dans le respect de ses aînés, mais cette fois, les affirmations lui restaient en travers de la gorge.

— C'est juste que… Je ne sais pas, c'est un peu insultant de constater que tu crois encore que mon seul espoir dans la vie, c'est de me marier. Franchement, Mamaw, de mon point de vue, cela n'a jamais vraiment fonctionné pour papa. Tu es un peu vieux jeu. Trente-quatre ans aujourd'hui, ce n'est pas si vieux. Les femmes ne se marient plus juste à la fin de l'université. Nous bâtissons nos propres carrières. Je n'attends pas qu'un homme prenne soin de moi, je suis capable de m'en sortir toute seule.

— Oui ma chérie, dit sereinement Mamaw, je vois à quel point cela te réussit.

Carson serra les orteils. Elle commençait à bouillonner.

— Eh bien, je ne compte pas rester avec quelqu'un juste pour me marier. Comme l'a fait Dora.

— Carson, la gronda doucement Mamaw, ce n'est pas bien de dire de telles choses à propos de ta sœur. Surtout pas maintenant.

— Pourquoi, pas maintenant ?

Mamaw la dévisagea avec un air songeur mêlé de regret.

— Pitié, mon enfant, tu ne sais donc pas que Dora est en plein divorce ?

Carson se pencha sur sa chaise et suffoqua.

— Non !

— Oh oui…, acquiesça tranquillement Mamaw. C'est bien triste. Cal les a laissés tomber tous les deux il y a sept mois maintenant. Il prétendait ne plus être capable de vivre avec eux. Dora était anéantie. Et je crois qu'elle l'est toujours, j'en ai peur.

C'étaient des nouvelles bouleversantes pour Carson. Pour elle, Dora incarnait la femme au foyer idéale, la femme du Sud aux valeurs traditionnelles, engagée dans la carrière de son mari, à l'église et dans sa communauté. Chaque année à Noël, elle recevait une carte magnifiquement écrite contenant une photo des membres de la petite famille, souriants, vêtus de leurs pull-overs rouges, debout sous le porche ou assis devant le foyer de la cheminée. Les apparences pouvaient en effet être trompeuses.

— Pauvre Dora, ils étaient mariés depuis quoi... 12 ans? Ça a dû être un coup dur pour elle. Elle n'a jamais laissé penser qu'elle avait des problèmes.

— Elle ne l'aurait jamais laissé paraître, ma chérie. Ce n'est pas son style.

Carson se rappela à quel point sa sœur, depuis toute petite déjà, ne révélait jamais les aspects désagréables. Si Dora gagnait un prix, elle le criait sur les toits. Si elle échouait à un examen, elle aurait emporté ce secret dans la tombe.

— Est-ce qu'elle l'a vu venir?

— J'ai bien peur que quand cela ne concernait pas son fils, Dora ne voyait rien du tout. C'est d'ailleurs sans doute la cause de leur séparation. Elle a consacré sa vie à Nate. Mais une femme ne devrait jamais délaisser son homme. Cal se sentait ignoré et je suppose qu'il l'était.

— Une femme ne devrait pas non plus oublier de prendre soin d'elle, ajouta Carson.

Mamaw leva les yeux.

— Tu as tout à fait raison.

Carson soupira. Elle était sincèrement désolée pour sa sœur.

— Je n'arrive pas à croire qu'elle ne m'ait rien dit.

— Ce n'est pas quelque chose qu'on écrit dans une carte de Noël, ma chérie, répondit Mamaw. Mais ce n'était pas non plus un secret. Je suis chagrinée de constater que vous ne soyez pas restées en contact. Quel dommage!

CHAPITRE 4

— En effet, avoua Carson doucement.

Il était déplorable qu'elles se soient perdues de vue, au point que sa sœur, même si ce n'était en fait que sa demi-sœur, ne lui écrive pas pour lui apprendre qu'elle vivait un divorce. Carson devait accepter sa part de responsabilité. Elle n'avait pas non plus écrit à sa sœur lorsqu'elle avait perdu son emploi et qu'elle était empêtrée dans les difficultés. Peut-être pourraient-elles s'entraider à partir de maintenant.

— Qu'est-ce qui cloche chez nous Mamaw? demanda Carson d'une petite voix. Si une femme comme Dora n'a pu maintenir son mariage, quel espoir y a-t-il pour moi? J'ai rencontré plein d'hommes et eu plein de relations.

Elle renifla.

— Si tant est qu'on puisse les appeler comme ça. Quand je suis seule la nuit, assise dans le noir, un verre à la main, je me demande parfois si je ne suis pas comme papa, s'il me manque le gène de l'amour, si je ne suis pas maudite à échouer pendant toute ma vie chacune des relations que j'entretiens.

— Je ne crois pas, ma chérie. Même si je reconnais que ton père n'était pas un bon exemple. Mais tu es aussi ma petite-fille après tout. Et tu es celle qui me ressemble le plus. J'ai moi aussi eu toute une ribambelle d'amants. Mais n'oublie pas que j'ai été mariée pendant 50 ans. Edward était l'homme de ma vie.

Elle tapota gentiment la main de Carson.

— Tu n'as tout simplement pas encore trouvé le tien.

Carson était sceptique.

— Et Dora?

Mamaw soupira.

— Qui sait? Peut-être Cal n'était-il pas le bon après tout.

Carson s'esclaffa.

— Elle s'est casée.

— Elle a fait une erreur, la corrigea Mamaw, ça arrive.

— Et Harper?

— Mon Dieu, Harper n'est encore qu'une enfant!

— Elle a 28 ans.

— Sans doute, dit Mamaw, un peu surprise. Je crois encore qu'elle est une fillette. En tout cas... N'est-ce pas toi qui me disais à l'instant que tu attends avant de te marier? Que 30 ans, ce n'était pas si vieux?

Carson gloussa.

— L'arroseur arrosé.

Elle se débarrassa de ses sandales d'un coup de pied et blottit ses pieds dans la chaise, en prévision d'une longue séance de potins.

— Que devient Harper? Je dois avouer que je l'ai un peu perdue de vue elle aussi. Est-ce qu'elle vit encore à New York?

— Harper ne communique pas beaucoup avec moi non plus. Je suis certaine que sa mère ne le permet pas de toute façon. Tout ce dont je suis au courant, c'est qu'elle vit toujours à New York. Avec sa mère, bien entendu, ajouta-t-elle, sur un ton désapprobateur. Elle travaille pour la maison d'édition de sa mère. Cette femme tient notre innocente Harper entre ses griffes, c'est moi qui te le dis. Harper est une fille brillante, tu sais. Elle est passée par les meilleures écoles.

— Évidemment, murmura Carson.

Une pointe de vieille jalousie lui titillait le cœur. Elle voyait rouge chaque fois que Mamaw évoquait le fait que Harper avait fréquenté les meilleurs établissements scolaires. Carson aurait donné n'importe quoi pour étudier dans un internat comme Andover, puis une université comme Vassar. Mais elle serait allée au California Institute of the Arts ou au Savannah College of Arts and Design. Elle avait rempli tous les formulaires d'inscription à l'époque. Seulement, il n'y avait jamais d'argent pour elle. Après avoir obtenu son diplôme d'études collégiales, Carson avait travaillé pendant la journée et suivi des cours du soir en photographie dans un collège communautaire local. Tous les succès qu'elle avait obtenus, c'était grâce à son talent et à son travail acharné. Tout ce qu'elle avait hérité de ses parents, c'était son physique attirant.

— Ce doit être bien de tout se faire servir sur un plateau d'argent, dit-elle, décelant l'amertume qui perçait dans sa propre voix.

— Il y a toutes sortes de désavantages à cela. Mais Carson, tu es tout de même allée à l'université, toi aussi.

Carson rougit de colère. Elle s'enflamma :

— Non, je n'y suis pas allée. Pas vraiment. J'ai suivi des cours dans un collège communautaire. Je n'ai jamais eu de diplôme.

Carson haussa les épaules et secoua la tête de dépit.

— Je ne veux plus en parler.

Elle s'enfonça dans les coussins et prit une réconfortante gorgée de vin. Un silence gênant s'ensuivit et perdura pendant que Mamaw se balançait sur sa chaise et que Carson finissait son verre.

— Je suis désolée, dit Carson, un simple murmure dans le noir. Je m'apitoie sur moi-même. Je ne devrais pas être si méchante.

— Tu ne l'es pas, répondit Mamaw, indulgente. Je veux que tu te sentes libre de me dire ce que tu penses quand tu es ici.

— Cet endroit a toujours été ma maison. Mon refuge. J'ai besoin de toi Mamaw. Je suis perdue, confessa Carson avec un trémolo dans la voix. J'ai peur.

Mamaw se pencha immédiatement pour l'entourer de ses longs bras minces. Elle lissa les cheveux de Carson et l'embrassa sur le front.

Carson se détendit, envahie par une sérénité qu'elle n'avait pas éprouvée pendant ces longs mois d'insécurité. Elle ne savait pas ce qu'elle attendait de Mamaw en revenant à Sea Breeze. Peut-être qu'elle lui donne un peu d'argent ou qu'elle la console entre deux verres de vin. Un peu d'indulgence certainement. N'était-ce pas ce que son père avait toujours reçu lorsqu'il traversait de mauvaises passes ? Un peu d'indulgence, voilà ce dont Carson avait besoin en ce moment.

Mamaw se redressa. Elle posa ses mains sur les épaules de Carson et la secoua gentiment. Carson sourit timidement, s'attendant à se faire servir des clichés dont Mamaw avait le secret et qui lui remontaient toujours le moral.

— Maintenant, tu vas m'écouter, jeune fille, dit Mamaw en la fixant droit dans les yeux. Tu vas cesser de te morfondre et de t'apitoyer sur ton sort. Il n'est plus question d'être effrayée à partir de maintenant. Ça ne te ressemble pas. Tu es une Muir, ne l'oublie pas. Je l'admets, ça n'a pas été facile avec ton père. J'ai été indulgente avec Parker dans des moments comme celui-ci et j'ai sûrement commis des erreurs là aussi. Mais je ne ferai pas ces mêmes erreurs avec toi, ma chérie.

Mamaw libéra Carson et s'adossa contre sa chaise.

— Tu ne veux peut-être pas trouver un mari. Soit. Tu es une grande fille maintenant et tu es capable de prendre tes propres décisions. Mais ma grande, tu ne peux rester ici dans ton coin, à te morfondre et à panser tes plaies. Ce n'est pas se battre. Il n'y a pas d'honneur à faire cela. Écoute ta grand-mère. Demain, tu dois te lever tôt et affronter une nouvelle journée. Retourner dans l'eau.

Mamaw fusilla Carson du regard.

— Et tu dois te trouver un emploi !

∿

Le lendemain matin, l'alarme du téléphone de Carson la réveilla avec un bruit de tintement de cloches. Elle étendit rapidement le bras pour l'éteindre avant qu'elle ne réveille quelqu'un d'autre. Quand elle se leva, elle se regarda dans le miroir, vit ses yeux bleus briller dans le reflet et réalisa qu'elle avait l'esprit vif, qu'elle se sentait reposée... et vraiment bien. Elle n'était pas embourbée dans cette lassitude qui suivait généralement ses nuits de beuverie. Elle s'était couchée plus tôt pour récupérer des heures de sommeil, et ce matin, elle avait l'esprit clair, et un picotement d'énergie courait le long de ses veines. Piquée au vif par le conseil de Mamaw, Carson avait décidé de ne plus bouder et de faire le premier petit pas qui la ferait retourner dans l'eau.

Elle sortit de la maison et reçut en plein visage l'air humide et parfumé du matin. Il était plus chaud que la veille. Carson commençait à sentir l'arrivée de l'été tandis qu'on approchait du mois de juin. Bientôt, l'eau serait plus chaude, pensa-t-elle avec un sourire. Dans la maison, tout le monde dormait à poings fermés. Elle se dirigea directement vers le porche situé à l'arrière de la villa, là où se trouvait sa planche à bras. Elle la hissa sous son bras et la porta jusqu'au bout du quai, attentive au craquement du bois sous ses pieds et au clapotis de l'eau contre les rondins. Les lueurs de l'aube brillaient à la surface de l'eau. Carson sourit. Elle ne l'avait pas manquée.

Elle marcha le long du quai en bois, tenant entre ses doigts agités la longue planche. Elle sentait la panique monter lentement en elle à l'idée de se jeter dans la mer. Ce n'était peut-être qu'une crique, et non pas les vagues de l'océan, mais quoi qu'il en soit, ici aussi la vie sauvage se manifestait à l'occasion.

Elle s'éclaircit la gorge et, face à l'océan, elle vida son cœur.

— Je ne sais pas comment combattre cela. Je dépends de toi pour m'aider.

Elle prit une longue inspiration.

— Alors me voici.

Il ne lui restait plus qu'à se mouiller. Carson déposa sa planche sur l'eau, comme elle l'avait fait tant de fois par le passé. Ses mains tremblaient et ses pieds avaient l'air si maladroits sur la planche pourtant familière, mais elle poussa tout de même sur ses jambes. Quand elle finit par trouver le juste équilibre, elle prit une profonde inspiration et abaissa sa pagaie. *Un mouvement à la fois*, se dit-elle pendant qu'elle s'éloignait du quai et atteignait le courant.

Il y avait dans ces escapades en planche à bras une paix et une solitude que l'on retrouvait dans la méditation. Carson n'était en ce moment qu'une autre créature traçant son chemin solitaire le long du cours d'eau. Le niveau de l'eau était bas. Le long des rives herbeuses, des aigrettes blanches se tenaient avec élégance sur leurs pattes noires élancées. Plus loin sur la crique, Carson aperçut un grand héron, majestueux et hautain.

Il était passé 6 h et la plupart des fenêtres des maisons alentour n'étaient pas éclairées. *Les habitants dorment alors que le plus beau spectacle de la journée se prépare*, pensa-t-elle. Mais elle ne regrettait pas cet isolement. C'était une bonne idée d'avoir un ami pour veiller sur ses arrières lorsqu'on faisait du surf. Mais ici, sur le cours d'eau silencieux, Carson se sentait en sécurité avec ses pensées pour seule compagnie. Elle se concentra sur le rythme régulier de ses mouvements et le bruit ondulant que produisaient ses coups de pagaie, gauche, droite, gauche, droite.

Carson avait atteint sa vitesse de croisière, progressant le long de la crique, lorsqu'elle entendit un grand bruit d'éclaboussures sur sa gauche. Son rythme s'interrompit et elle tourna la tête vers l'origine du bruit, juste à temps pour apecevoir le bout d'une nageoire dorsale qui disparaissait sous la surface de l'eau. Elle sentit son cœur s'emballer tandis que le reste de son corps restait paralysé, la pagaie à moitié dans les airs. Puis, elle revit l'aileron gris émerger quelques mètres devant elle.

Carson soupira de soulagement : c'était un dauphin. Elle rit de bon cœur en se moquant de sa nervosité. Les Grands dauphins de l'Atlantique peuplaient ces eaux. Les estuaires étaient leurs habitats naturels. Elle aimait particulièrement ces créatures fantaisistes, encore plus depuis que l'une d'entre elles lui avait sauvé la vie. Carson replongea sa pagaie dans l'eau et poussa avec force, espérant revoir le dauphin. Elle balaya la surface plate de l'eau du regard jusqu'à ce qu'elle aperçoive le dauphin qui émergeait dans un grand *pfooch* afin de respirer. Elle suivit des yeux le nageur élégant qui s'éloignait le long de la crique, puis il la prit par surprise en se retournant et en revenant vers elle.

Carson arrêta de pagayer et laissa le courant l'emporter comme il le ferait avec un morceau de bois. Le dauphin gris et élancé nagea le long de la planche en inclinant cette fois légèrement son corps afin de jeter un coup d'œil vers elle, visiblement curieux. Carson regarda au fond des grands yeux sombres en amande du dauphin et elle eut la nette impression qu'il la dévisageait. Ce n'était pas de la simple curiosité. Elle avait déjà vu nombre de dauphins s'approcher de sa planche. Mais ce moment-ci était surréaliste. Carson sentait, elle en était convaincue, qu'il y avait un *esprit intelligent* derrière ce regard.

— Bien le bonjour, lui dit-elle.

Au son de sa voix, le dauphin secoua la tête vers l'arrière et plongea sous l'eau.

Carson rit : le spécimen était capricieux. Ses yeux étaient si différents de ceux du requin. Dans le regard du dauphin, elle discernait un esprit curieux, pas une promesse de mort. Elle ne pouvait nier que le dauphin avait éveillé sa curiosité au moins autant qu'elle semblait l'intriguer.

Le niveau de l'eau montait progressivement avec l'arrivée de la marée. Le soleil se levait lui aussi. Carson nota qu'elle se rapprochait dangereusement des limites de la crique qui se situait derrière Sullivan's Island. Si elle ne revenait pas sur ses pas tout de suite, la marée l'attirerait dans les eaux agitées de Charleston Harbor. Elle mit toute la force de son dos dans ses coups de pagaie et poussa sa planche à contre-courant, pour retourner à Sea Breeze. C'était un exercice difficile, mais au moins, il avait l'avantage d'entretenir son ventre plat, qui semblait faire l'envie de Dora.

Elle était entièrement concentrée sur sa tâche quand elle aperçut du coin de l'œil le dauphin curieux qui nageait discrètement à ses côtés. Il se propulsa vers l'avant sur quelques mètres avant de faire demi-tour. Carson esquissa un sourire. L'animal était manifestement en train de la suivre. Carson se demanda s'il ne faisait que jouer avec elle ou s'il était au contraire intrigué par la créature désarticulée qui progressait si lentement sur l'eau, alors que lui était si fuselé, si élégant.

Au moment où Carson atteignit le quai, le grondement des moteurs de bateau résonna au loin, mettant fin à sa paisible excursion dans la crique. Elle grimpa sur le quai et récupéra sa planche à bras, frissonnant lorsque les éclaboussures d'eau froide entrèrent en contact avec sa peau. Carson entendit un autre souffle bruyant. Elle s'agenouilla sur le quai flottant, porta sa main en visière et plissa les yeux. Une grosse tête grise émergea de l'eau quelques mètres devant elle. Carson demeura immobile pour ne pas effrayer le dauphin. Ses yeux brillants, espiègles et vigilants l'observèrent pendant quelques minutes. Puis, la créature ouvrit la bouche et émit une série de sons grinçants et brefs.

Le dauphin referma la bouche, puis inclina la tête pour regarder Carson d'un air interrogateur, comme s'il voulait lui demander : « Et maintenant, que faisons-nous ? »

Carson s'esclaffa.

— Tu es si beau, dit-elle au dauphin en tendant la main.

L'animal plongea immédiatement en lançant la queue dans les airs.

Carson retint son souffle et observa les cercles concentriques dans l'eau, là où le dauphin se trouvait quelques secondes auparavant. Il lui manquait un morceau à la nageoire gauche, comme s'il s'était fait mordre. Carson se releva en tremblant, les yeux fixés sur la surface de l'eau, tandis que le souvenir de l'incident avec le requin lui traversait l'esprit. Elle se rappela comment le dauphin s'était jeté à toute vitesse sur le monstre et lui avait percuté le flanc. Le requin semblait s'être recroquevillé pendant un instant, puis subitement, il s'était retourné pour contre-attaquer. Elle avait vu les puissantes mâchoires se refermer sur la queue du dauphin au moment où ce dernier avait voulu s'échapper.

— Oh mon Dieu, suffoqua Carson.

Ce devait être *le* dauphin. Celui qui l'avait sauvée du requin. Était-ce possible ? Il paraissait logique que le cétacé se soit retiré dans l'estuaire relativement calme pour se soigner. Elle repensa à la façon dont le dauphin l'avait dévisagée, étudiée, et au fait qu'il soit revenu pour la regarder de nouveau.

Il l'avait reconnue.

Elle eut un rire bref, sidérée par cette possibilité. Son esprit rationnel lui disait que ça ne pouvait pas être vrai. Mais après tout, pourquoi pas ? Tout comme les humains, les dauphins étaient des êtres conscients de leur propre existence et dotés d'une remarquable intelligence.

Carson scruta l'eau de la crique. Elle entrevit au loin sur l'eau turquoise le dos du dauphin qui se cambrait au-dessus des vagues. Il se dirigeait vers le port. Carson plaça ses mains en porte-voix et cria :

— Merci !

CHAPITRE 5

Mamaw appela une vieille amie et une semaine plus tard, Carson était embauchée comme serveuse au Dunleavy's, un petit pub irlandais de Sullivan's Island. Voilà comment les choses se passaient sur l'île : les contacts de la famille étaient plus importants que tout. Carson avait dû mettre de côté son orgueil, mais en vérité, elle était contente d'avoir ce travail.

Carson n'avait ni économies, ni actions, rien du tout. Sa vie passée dans les équipes de tournage avait toujours été active, changeante, l'amenant à voyager d'une destination exotique à l'autre. Certaines personnes ne pouvaient tenir le rythme, mais vivre dans ses valises lui était venu tout naturellement. Son père ne s'était jamais enraciné bien longtemps à un même endroit et ils avaient sans cesse déménagé d'un appartement à l'autre. Son séjour à Sea Breeze ces dernières semaines lui avait permis de souffler, de ralentir un peu. Elle se réadaptait tranquillement au rythme du Sud.

Et elle devait avouer qu'elle aimait son travail au pub.

Le Dunleavy's était un pub familial situé à Sullivan's Island, dans Middle Street, une rue commerçante très populaire où se trouvaient des restaurants au charme désuet et des petites boutiques. Le pub offrait une grande variété de bières pression, du maïs soufflé frais, le tout dans un décor accueillant. Dehors, il y avait des tables de pique-nique avec des parasols, où les clients aimaient s'asseoir avec leurs chiens. À l'intérieur, les murs étaient décorés de canettes de bière et de plaques minéralogiques, et la porte-moustiquaire claquait quand quelqu'un entrait.

Carson travaillait à l'heure du déjeuner et gagnait un pourboire raisonnable, mais même après deux semaines de travail, elle avait encore beaucoup à apprendre. Elle était en train de porter un plat de trop lorsque sa main glissa et renversa un verre de bière qui explosa par terre. Heureusement, la ruée du midi était terminée et il ne restait que quelques clients assis aux petites tables de bois. Huit têtes se tournèrent vers l'origine du fracas, dont celle de son patron et de sa collègue serveuse, Ashley.

— Attention, s'exclama Brian, derrière le bar. Encore..., ajouta-t-il en secouant la tête d'un air contrit.

Carson serra les dents et sourit à son gérant, puis se pencha pour ramasser les morceaux de verre.

— Qu'est-ce qui ne va pas avec toi aujourd'hui ? demanda Ashley.

Elle accourut avec un balai et une poubelle.

— Recule-toi et ne te coupe pas les doigts. Laisse-moi débarrasser tout ça.

Carson s'accouda à la table. Autour d'eux, les touristes retournèrent à leurs assiettes et le murmure des conversations reprit.

— Je suis la pire serveuse du monde, se lamenta Carson.

Ashley gloussa pendant qu'elle balayait.

— En tout cas, tu n'es pas la meilleure. Mais tu viens à peine de commencer. Ne t'inquiète pas. Tu finiras par t'y habituer. Va donc donner un menu à l'homme qui vient de s'asseoir dans ta section, lui dit-elle en lui indiquant le client d'un signe de la tête.

Carson alla chercher un menu.

— Sers-lui ton plus beau sourire, la taquina Ashley. C'est M. Prévisible.

— Arrête ça, lui répondit-elle avec un sourire suffisant.

— Il s'assoit toujours dans ta section.

— Ça veut simplement dire qu'il aime la fenêtre, pas qu'il m'aime.

— Ouais, tu dis ça parce que tu ne vois pas ses yeux écarquillés te suivre quand tu t'éloignes.

— Vraiment ? demanda Carson, un peu surprise.

Ce n'était pas qu'elle aurait dû l'être, car elle était habituée à sentir le regard des hommes dans son dos. Mais elle avait éteint son radar interne et celui-ci lui avait semble-t-il échappé. Elle tourna la tête pour regarder furtivement en direction de l'homme en question. Il était grand et élancé, le corps un peu trop anguleux, et avait le style légèrement débraillé des gens du coin : t-shirt, short et sandales. Ses cheveux bouclés étaient brun foncé et des mèches dépassaient sous sa casquette. Elle ne pouvait se rappeler la couleur de ses yeux. À vrai dire, elle ne se rappelait pas grand-chose de lui.

— Il n'est pas mon genre.

— Tu veux dire qu'il n'est pas le gars de rêve type hollywoodien super cool avec lesquels tu traînais à Los Angeles ?

Carson avait raconté à Ashley ses histoires avec les hommes qu'elle avait rencontrés à Hollywood, la plupart étant acteurs ou réalisateurs. Elle avait eu un plaisir fou à voir les yeux d'Ashley s'agrandir, impressionnée par le tableau de chasse de Carson. Ces hommes étaient des acteurs très connus soit très beaux, soit particulièrement *cool*. M. Prévisible n'appartenait à aucune de ces deux catégories.

Le visage de Carson se fendit d'un rictus. Elle resserra les cordes de son tablier autour de son uniforme, un t-shirt du Dunleavy's de couleur verte.

— Pourquoi tu ne prendrais pas cette commande? Il est plutôt ton genre en plus… le vieux garçon débraillé.

Ashley poussa un soupir langoureux.

— Il est mignon. Mais j'ai déjà un petit ami. Je ne suis plus sur le marché. En plus — elle porta la main à son cœur avec un air horrifié exagéré —, je ne peux tout simplement pas faire ça au pauvre homme. Il serait tellement déçu de me voir arriver à sa table à ta place.

— En tout cas, il pourra me regarder autant qu'il veut, je ne suis pas à la recherche d'une histoire amoureuse.

— Ma belle, renchérit Ashley avec un rictus avant de s'éloigner d'un pas nonchalant avec son balai et les déchets, on est toujours en quête d'amour.

Quand Carson s'approcha de la table, l'homme aux cheveux sombres quitta la fenêtre des yeux et se tourna vers elle. Cette fois, Carson le regarda dans les yeux. Ils avaient la couleur chaude du chocolat et pouvaient certainement vous faire fondre lorsqu'ils fixaient quelqu'un, comme c'était le cas en ce moment. Elle nota qu'il était en train de la jauger, comme s'il était surpris qu'elle se rende enfin compte de sa présence.

— Salut, dit-elle avec un sourire engageant.

Elle avait eu beaucoup de succès avec ce sourire au fil des ans et elle s'attendait à en voir encore une fois les résultats.

— Contente de voir que vous êtes de retour.

Il haussa un sourcil, amusé.

— Oui, eh bien, j'aime beaucoup l'endroit, dit-il en retenant un sourire. La bouffe est bonne, l'ambiance aussi.

— Mmh, mmh, répondit-elle. Alors qu'est-ce que ce sera? Attendez, laissez-moi deviner. Le burger épicé?

Il lui jeta un coup d'œil par-dessus le menu.

— Vous le saviez?

— Et bien, vous commandez ça tous les jours.

— Pourquoi changer une formule gagnante? rétorqua-t-il en refermant le menu et en le lui tendant.

— Une bière avec ça?

— Du thé glacé, répondirent-ils à l'unisson, et ils s'esclaffèrent.

— Ça s'en vient.

Elle regarda par-dessus son épaule, sourit, puis rit silencieusement. Ashley avait raison. Le regard rêveur de l'homme la suivait. Il méritait bien son surnom de M. Prévisible.

Quelques instants plus tard, elle apportait le burger personnalisé du pub. Il leva les yeux de la liasse de papiers qu'il avait devant lui et la regarda. Il lui adressa un sourire des plus radieux tandis qu'elle approchait. Elle ne voulut pas l'encourager et décida cette fois de ne pas lui retourner son sourire. Carson déposa le plat sur la table sans cérémonie.

— Vous êtes sûr de ne pas vouloir une bière? demanda-t-elle très professionnellement. Nous avons de la Guiness pression.

— Non merci, je ne bois pas d'alcool.

— Oh, répondit-elle.

Elle se sentait gênée de lui avoir de nouveau proposé une bière alors qu'il était peut-être alcoolique.

— Je vous verse un autre verre de thé glacé alors?

Les glaçons s'entrechoquèrent bruyamment lorsqu'elle versa le thé.

— Est-ce que j'ai dit quelque chose de mal? demanda-t-il.

— Non.

Elle changea de position.

— Pas du tout. Je suis juste préoccupée.

— Puis-je faire quelque chose?

— À moins que vous ne connaissiez quelqu'un qui recherche une photographe de plateau, j'ai bien peur que non.

— Alors comme ça vous êtes photographe?

— Oui. Mais pas pour des portraits ou des mariages. Même si en ce moment, je ne refuserais pas d'en faire à titre indépendant, si vous connaissez quelqu'un qui en a besoin. Je travaille à Los Angeles. Dans l'industrie du spectacle.

Une lueur de compréhension s'alluma au fond de ses yeux. Il se cala dans sa chaise.

— Donc c'est vous qui prenez toutes ces photos pour les publicités que l'on voit dans les magazines et sur le Web?

— Non, répondit-elle lentement en réalisant qu'elle allait devoir expliquer pour la millième fois en quoi consistait le travail d'un photographe de plateau. Je m'occupe de tout ce qui est lié de près ou de loin aux photos utilisées pour faire la promotion d'un film. Je prends des photos des tournages, du décor, des coulisses : en somme, tout ce qui est nécessaire pour faire la publicité d'une émission. C'est un peu compliqué, dit-elle pour mettre fin à la conversation.

Elle se rappela qu'elle devrait vérifier ses courriels pour voir si un de ses contacts lui avait fait part d'une possibilité d'emploi.

— Je dois me remettre au travail.

— Oh, bien sûr, répondit-il avec précipitation, prenant conscience qu'il était en train de lui voler son temps.

Elle partit. Sur son chemin, elle s'attarda aux tables pour remplir des verres, prendre des commandes et servir les plats, exécutant une danse maintes et maintes fois répétée par les serveuses. Une demi-heure plus tard, l'homme lisait, toujours assis à la même table. Carson s'arrêta à sa hauteur.

— Un autre verre de thé glacé?

La confusion entre la confiserie et les petits mots tendres était tentante.

Il quitta ses feuilles des yeux et sourit.

— Non merci, dit-il d'une voix traînante. Je voudrais simplement avoir l'addition.

Elle était sur le point de s'en aller pour la chercher, mais se rappelant du pourboire, elle s'arrêta.

— Désolée d'avoir dû partir comme ça tout à l'heure.

— Désolé de vous avoir empêchée de travailler correctement.

Il a tout de même un beau sourire, pensa-t-elle. Lorsque ses lèvres se plissaient à mi-chemin pour former ce sourire si doux et attrayant, ses yeux sombres étincelaient d'une lueur qu'elle savait être celle de la séduction.

— Comment vous appelez-vous au fait?

Il parut faux de le voir comme M. Prévisible.

Son sourire s'étira davantage, découvrant ses dents blanches.

— Blake. Blake Legare.

Ce nom évoquait quelque chose à Carson.

— Êtes-vous un de ces Legare qui habitent sur Johns Island?

— Je plaide coupable.

— Sérieusement? Connaissez-vous Ethan Legare?

— Lequel? Notre famille est grande, elle compte plusieurs Ethan.

— Celui qui travaille à l'aquarium. Il est marié à Toy, qui est responsable de l'hôpital pour tortue de mer.

— Bien sûr que je le connais. L'Ethan dont vous parlez est mon cousin germain.

— Vraiment?

Elle avait oublié que vivre à Charleston, c'était un peu comme vivre dans un village. Mamaw avait toujours insisté sur l'importance de bien s'habiller et de parler poliment, parce qu'il n'y avait pas d'étrangers à Charleston.

— J'allais toujours surfer avec Ethan dans le temps. Je ne l'ai pas vu depuis… et bien depuis de longues années.

— Je crois qu'il n'a pas beaucoup de temps pour aller surfer, maintenant qu'il a deux enfants.

— Ethan a deux enfants?

Elle gloussa en se remémorant le garçon maigrelet qui avait été aussi fougueux sur l'eau qu'elle l'avait été jadis.

— C'est vraiment dur à croire.

— Ce sont des choses qui arrivent, expliqua-t-il, la voix traînante.

— Et vous? lui demanda-t-elle. Êtes-vous marié? Des enfants?

— Moi? dit-il, visiblement amusé. Mon Dieu non. Je veux dire...

Il bafouilla en voyant la réaction choquée de Carson. Il y avait peut-être mis trop d'emphase.

— Je ne suis pas contre le mariage ou quoi que ce soit dans le genre. C'est juste que... Non, je ne suis pas contre en fait.

Il rougissait un peu et Carson trouva sa réaction assez charmante.

— Est-ce que vous surfez? demanda-t-elle pour changer de sujet.

— Je faisais du surf quand j'étais adolescent. Mais je n'en fais plus depuis.

C'était typique des hommes qui grandissaient le long de la côte. La plupart de ceux qu'elle connaissait essayaient de surfer au moins une fois, mais peu d'entre eux persévéraient. *Dommage*, pensa-t-elle.

— Je me suis mis au cerf-volant, ajouta Blake.

L'esprit de Carson vira à 180 degrés.

— Le surf cerf-volant?

— Oui, c'est mieux. Je préfère ce sport. Je vais en faire dès que j'ai un peu de temps libre et qu'il y a du vent.

Carson avisa son corps long et élancé. Elle le voyait autrement maintenant. Blake n'était pas très musclé, c'était de toute façon une apparence qu'elle ne trouvait pas très attirante. Mais elle pouvait voir à travers son t-shirt brun foncé que ses muscles étaient durs et sinueux, comme ceux des nageurs. *Qui l'eut cru*, pensa-t-elle avec un regain d'intérêt. M. Prévisible n'était peut-être pas si prévisible que ça finalement.

Une goutte de condensation glissa le long de la carafe de thé glacé jusque sur son bras. Elle était de plus en plus lourde avec les minutes qui passaient. Elle posa vigoureusement la carafe sur la table et se sécha les mains sur son tablier.

— J'ai toujours voulu essayer le surf cerf-volant, dit-elle pour alimenter la conversation. Mais je n'ai pas vu beaucoup de filles pratiquer ce sport. Je sais qu'il y en a, bien sûr, mais j'ai l'impression qu'il faut beaucoup de force dans le haut du corps pour maîtriser le cerf-volant.

— Pas tant que ça. On se sert de ses bras pour diriger le cerf-volant, mais on est lié à ce dernier par une corde attachée au harnais qu'on porte comme une ceinture. Il faut surtout avoir de la force dans le tronc. Beaucoup de filles commencent à se lancer. Si vous surfez, alors vous ne devriez pas avoir de problème.

Il fit une pause, puis reprit :

— Si vous… Si tu veux, je peux te donner un cours…

Nous y voilà. L'invitation était lancée, comme elle s'y attendait. Et pourtant, ce n'était pas exactement ce qu'elle avait prévu. Aller suivre un cours de surf cerf-volant sur la plage n'était pas exactement ce qu'on pouvait qualifier de rendez-vous galant : pas de vin, pas de chandelles, pas de papotage maladroit. Ce serait une simple leçon à l'extérieur, en plein jour. Si elle ne l'aimait pas, ils se diraient au revoir et ça finirait là.

Elle lui sourit.

— Ce serait super. Où vas-tu d'habitude ?

— Près de la Station 28.

— Oui, je me rappelle avoir vu des cerfs-volants dans le coin. D'accord, peut-être que je pourrais…

Sa réponse fut interrompue par le cri d'une personne qui hurlait son nom.

— Caaaaaaarson Muir ! Est-ce que c'est vraiment toi ?

Elle tourna la tête vers l'origine de la voix. Dans l'encadrement de la porte se tenait un homme au teint bronzé, aux épaules larges et aux cheveux blonds en broussaille. Il portait un polo bleu déguenillé et des shorts en toile. Il écarta les bras et se fraya un chemin jusqu'à elle pour la soulever dans les airs.

— Incroyable, c'est vraiment toi ! s'exclama-t-il en la reposant par terre, le sourire jusqu'aux oreilles.

Carson dégagea les cheveux de son visage, riant aux éclats et troublée à la fois par cet accueil chaleureux et par ses magnifiques yeux bleus.

— Salut Dev ! répondit-elle, à bout de souffle. Ma parole, ça fait si longtemps !

Elle avait ressenti une passion passagère pour Devlin Cassell pendant un été, lorsqu'elle était adolescente. Il sortait avec Dora cette saison-là. Mais Carson se rappelait une belle soirée d'été où Devlin et elle s'étaient échangé de langoureux baisers sur la plage, après que Dora avait été partie pour aller étudier à l'université. Leur liaison s'était arrêtée là.

— Quand es-tu revenue ? demanda-t-il en la dévorant des yeux.

— Il y a quelques semaines.

— Tu vis chez Mamaw ?

— Non, je loue une villa à Wild Dunes.

Ses yeux s'élargirent de surprise.

— Vraiment ?

— Crois-tu vraiment que je travaillerais ici si c'était le cas ? Bien sûr que je vis chez Mamaw.

— Cette bonne vieille Mamaw. Il n'y en a pas deux comme elle. Comment va-t-elle ? Qu'est-ce qu'elle projette de faire ? Elle organise encore des grandes fêtes ?

— Plus vraiment de grosses soirées ces derniers temps. Mais la famille va célébrer son anniversaire cette semaine. Elle va avoir 80 ans.

— Sans blague.

Devlin secoua la tête comme s'il n'y croyait pas.

— Je suis prêt à parier qu'elle n'en fait pas 60.

Carson éclata de rire.

— Mamaw a toujours dit que tu charmerais un serpent.

Il rit de bon cœur et lui murmura à l'oreille.

— Ouais, tu dois avoir raison.

Carson aimait beaucoup le rythme dans la voix des hommes du Sud et elle remarqua à quel point l'intonation lui avait manqué.

— Tu te rappelles Brady et Zack? demanda Devlin.

Il recula d'un pas et tendit le bras pour attirer ses deux amis, qui devaient avoir à peu près le même âge que lui et s'habillaient de façon similaire. Ils enlevèrent leurs casquettes de base-ball, dévoilant leurs visages brûlés par le soleil et leurs cheveux usés par le sel. Elle ne les connaissait pas, mais elle leur adressa un sourire et un geste vague de la main.

— Allez, ma belle, viens avec moi, dit Devlin en posant sa main dans le bas de son dos et l'amenant vers le bar. J'ai la gorge aussi sèche qu'un désert.

À en juger par l'odeur, il devait déjà avoir bu pendant des heures.

— Je travaille, lui dit-elle. Et je suis un client.

Devlin se glissa sur un des tabourets au bar.

— Comment ça va Brian? cria-t-il. Il te reste une Guiness pour moi?

— J'en ai même une avec ton nom dessus, lui répondit Brian.

Devlin était un client régulier toujours le bienvenu au pub.

— Et une autre pour la jeune dame.

Les deux autres hommes commandèrent leurs bières et prirent place au bar sur des tabourets voisins. Carson croisa le regard de Brian. Elle haussa les sourcils, demandant ainsi silencieusement la permission de parler à son ami. Brian acquiesça discrètement et retourna aux robinets à pression.

— Alors Carson, dit Devlin en tournant la tête et en cherchant son visage du regard. Tu restes la plus belle fille que je n'aie jamais vue. Tu es ici pour combien de temps ?

Carson haussa les épaules et éluda le compliment.

— Je ne sais pas. Jusqu'à ce qu'il soit temps de partir, je suppose.

— Tu n'as pas un homme qui t'attend quelque part ? Pas de bague au doigt ?

Carson secoua la tête.

— Dieu m'en garde, répondit-elle.

Et elle se rendit aussitôt compte qu'elle avait servi la même réponse que Blake Legare.

Les yeux de Devlin s'illuminèrent.

— J'ai toujours su que tu étais un de ces poissons qu'aucun homme ne pourrait attraper.

— Et toi ?

Devlin grimaça.

— Attrapé puis relâché. J'ai divorcé l'an dernier.

Brian servit les bières aux hommes et s'en alla, mais elle savait qu'il ne raterait pas un mot de la conversation.

— Ouais, ça a été dur, admit Devlin.

Il but une longue gorgée.

— Mais j'ai eu ma petite Leigh Ann, alors j'imagine que ça valait le coup.

— Tu as aussi un enfant ? J'ai déjà un peu de mal à t'imaginer marié, alors papa…

Il secoua la tête tristement.

— Ma femme aussi apparemment. Mais en toute honnêteté, c'était ma faute. J'ai tout foutu en l'air.

Son visage s'assombrit et il reprit son verre pour boire un coup.

Elle devina qu'il avait trompé sa femme. C'était dommage, mais ce n'était pas non plus une surprise. Devlin n'était pas un Don Juan, mais il adorait s'amuser. Lorsqu'ils étaient jeunes, il était un garçon très populaire aimé de tous. Il était toujours prêt à prêter son bateau ou son surf, à payer des bières froides, et celui qui savait toujours quelle villa côtière de Capers Island serait libre pour la fin de semaine. La plupart des amis de Carson de cette époque vivaient donc encore dans le coin, mais avaient maintenant un travail stable, s'étaient mariés et avaient des enfants. Même Devlin s'était laissé tenter par l'aventure.

Elle avait entendu dire que Devlin était un agent immobilier doué qui avait beaucoup de succès dans les îles. Mais maintenant qu'elle le voyait ici à l'heure du déjeuner, revenant visiblement d'un voyage de pêche avec ses amis, ses soupçons étaient confirmés. Il n'avait manifestement pas été capable de mettre de côté ses jouets et sa liberté pour assumer et être à la hauteur de son rôle de père et de mari.

C'était prévisible, supposa-t-elle.

Prévisible. Elle jeta un coup d'œil à la table de Blake. Son cœur se serra quand elle vit qu'il n'y était plus. Elle s'éloigna de Devlin et s'approcha de la table. Il n'y avait aucun message griffonné sur un bout de papier, aucune carte de visite avec numéro de téléphone. Seul un billet de 20 dollars avait été coincé sous l'assiette. Carson se pencha et le prit. C'était un pourboire très généreux, pourtant elle ne pouvait s'empêcher de se sentir lésée.

CHAPITRE 6

H arper apprit la première bonne nouvelle de la journée lorsque le pilote annonça qu'ils avaient volé par vent arrière sur tout le trajet entre New York et Charleston : ils arriveraient donc en avance. Elle rangea son iPad, en regrettant soudain un peu de ne pas disposer de ces 20 minutes supplémentaires pour terminer son travail.

Elle regarda par le hublot du jet Delta. L'avion perçait les nuages tandis qu'ils amorçaient leur descente sur l'aéroport de Charleston. L'atterrissage déclencha en elle un tourbillon d'émotions. De son point de vue privilégié, elle avait tout le loisir d'observer le paysage typique de l'arrière-pays et la longue côte qui s'étirait le long de l'océan Atlantique. De longs ruisseaux tortueux serpentaient à travers des milliers d'hectares de marais verdâtres, comme s'ils sortaient tout droit d'une sérigraphie de Mary Edna Fraser. C'était un paysage vallonné, charmant et luxuriant. Elle dirait même sensuel. *Pas étonnant que tant d'auteurs célèbres soient originaires de cette région*, se dit-elle. Le paysage à lui seul était une source d'inspiration.

Malheureusement, son père ne les avait jamais rejoints. *Pauvre papa*, pensa-t-elle. Il avait eu des rêves, mais il lui manquait à la fois la discipline et le talent pour les accomplir.

Harper ne ressentait ni amour ni mépris pour son père bio-logique. Elle l'avait à peine connu. Sa mère n'en avait jamais parlé et n'avait pas non plus reconnu leur mariage. C'était à peine si elle avait accepté que sa fille porte son nom, et encore, le sien y était apposé avec un trait d'union. Il n'y avait aucune photo de lui dans l'appartement où elles vivaient. Quand Harper avait été assez grande pour poser des questions à son sujet, Georgiana avait répondu à sa seule enfant qu'elle s'était mariée avec Parker Muir à cause de son charme, de son esprit et de son potentiel. Elle avait divorcé parce qu'elle avait décou-vert qu'elle s'était trompée. Elle avait résumé avec la concision cruelle de l'éditrice en disant que Parker Muir parlait mieux d'écriture qu'il ne savait écrire lui-même.

La seule fois où Harper avait rencontré son père, c'était lors du mariage de Dora. À l'époque, il aurait encore pu pas-ser pour un homme séduisant s'il n'avait pas été aussi maigre et si son visage n'avait pas été aussi ravagé par les effets de l'alcool. Elle frémit et agrippa l'accoudoir. Un dernier vestige de la peur des hauteurs qui l'avait suivie pendant son enfance. L'appareil atterrit dans une douce secousse, puis s'immobilisa sans heurt sur la piste. Elle empoigna immédiatement son téléphone mobile et se mit à taper du pied le temps qu'il se remette en marche. Un vol de deux heures était une véritable éternité lorsqu'on n'était pas connecté.

Juste avant de quitter l'aéroport, elle fit un saut par les toi-lettes des femmes pour vérifier une dernière fois son appa-rence dans le miroir. Elle voulait faire forte impression sur Mamaw et ses demi-sœurs, pour leur montrer que, bien qu'elle soit la plus jeune du groupe, elle n'était plus une enfant. Elle était une adulte, elle avait réussi dans la vie et était mainte-nant une femme d'expérience.

Ses cheveux tombaient comme de la soie couleur tangerine et lui caressaient les épaules. Elle se regardait de ses grands yeux bleus bordés d'épais cils foncés et dont le contour était

mis en relief par une ligne noire fluide, comme ceux d'un chat. Elle avait teint ses cils les plus pâles. Avant de partir, elle se poudra le visage avec du fond de teint pour faire disparaître les taches de rousseur qui lui parsemaient les joues et le nez.

Harper épousseta les peluches qui s'étaient accrochées à sa veste noire en coton faite sur mesure. Elle tira brusquement sur l'ourlet pour le lisser à l'endroit où il épousait la courbe de ses hanches. Elle voulait être parfaite lorsqu'elle arriverait, avoir l'air mature et confiante. Elle portait des jeans noirs serrés et des talons hauts noirs à lanières très séduisants. Ils lui faisaient un mal de chien, mais au moins, ils avaient fière allure. Du haut de son 1 mètre 58, elle ne tenait pas à avoir l'air d'une naine à côté de ses sœurs et de Mamaw.

Je vais ressembler à ma mère, décida Harper. Elle devait faire une entrée remarquée.

Elle passa la bandoulière de son sac haute couture sur son épaule et, après s'être gratifiée d'un sourire satisfait, elle murmura :

— On ne laisse pas bébé dans un coin[1].

Elle empoigna son sac à roulettes et se dirigea d'une démarche de top-modèle jusqu'aux taxis.

Quand Carson s'engagea dans l'allée, elle fut surprise de constater que la place devant le garage où elle avait l'habitude de se garer était déjà occupée par un VUS Lexus. Elle s'extirpa de sa voiture et saisit ses affaires qui traînaient sur le siège passager. Son regard s'attarda sur le VUS. Contrairement à sa Volvo bleue cabossée et rouillée, la Lexus argentée immatriculée en Caroline du Sud n'avait pas une seule égratignure. Même l'intérieur de cuir noir était immaculé. Un livre casse-tête pour enfant et un survêtement rouge traînaient sur la banquette

---

1. N.d.T. : Fait référence à une réplique du film *Dirty Dancing*.

arrière. Il n'y avait qu'une seule explication possible : sa demi-sœur Dora venait d'arriver de Summerville.

Carson soupira, contrariée. Pourquoi arrivait-elle aujourd'hui ? Elle ne devait pas venir avant la fin de semaine. Non pas qu'elle ne voulait pas voir Dora, mais c'était simplement qu'aujourd'hui, elle ne se sentait pas très loquace. Et c'était sans doute un peu égoïste de sa part, mais elle devait avouer qu'elle souhaitait avoir Mamaw pour elle seule encore quelques jours.

Elle retira sa planche du toit de sa voiture et la rangea dans le garage. Une odeur de mousse et de moisissure lui chatouilla les narines. Carson suivit le chemin de graviers qui contournait les hortensias denses jusqu'au porche arrière. Une douche extérieure était cachée derrière un énorme gardénia en fleurs. Elle ouvrit la porte, évita les toiles d'araignée accrochées dans un coin et les mauvaises herbes qui poussaient entre les pierres, et ouvrit le robinet. La douche n'offrait que de l'eau froide, mais pendant l'été, sur l'île, l'eau était toujours tiède. Elle retira son cache-maillot et ne garda que son bikini, respirant à pleins poumons le doux parfum du savon à la lavande et des fleurs de gardénia. Son corps se détendit. Elle se sécha, puis noua grossièrement ses longs cheveux en une tresse. Elle prit sa serviette et son sac en patchwork, et fit le tour de la véranda pour passer par la porte arrière.

Il fut un temps où elle aurait traversé le jardin en courant et franchi la porte à toute allure pour aller accueillir ses sœurs. Elles se seraient répandues en couinements, auraient ri bêtement et auraient échangé sans attendre les dernières nouvelles de l'année. Elles auraient parlé si vite que leurs paroles tenaient plus du déballage effréné de grands titres que d'une véritable conversation, qui elle, se tiendrait plus tard, pour aborder tous les détails.

Il était donc bien triste qu'aujourd'hui, au lieu de courir à la rencontre de Dora, Carson ralentisse le pas pour retarder l'inévitable. Quand Dora avait eu 17 ans, elle avait cessé de passer de longs séjours chez Mamaw. Elle ne passait qu'occasionnellement, avec une amie, pour quelques fins de semaine l'été. Même après toutes ces années, elle se souvenait comment elles murmuraient et gloussaient dans leur coin, et la douleur et la peine de se sentir l'intruse étaient encore vives.

Elle se rappela le mariage de Dora avec Calhoun Tupper. Pour faire plaisir à sa demi-sœur, Carson avait porté une robe de demoiselle d'honneur rose bonbon garnie de froufrous, fort embarrassante, et des chaussures assorties. C'était un mariage grandiose, rassemblant tous les membres de la haute société : le genre de mariage dont Dora avait toujours rêvé. Il avait été le cauchemar de Carson. Mais elle devait admettre que Dora *avait* été une magnifique mariée dans sa robe blanche comme l'écume. Carson avait grimacé à l'idée de voir Dora repartir avec ce mari d'un ennui proverbial.

Elle donna un coup de pied dans un galet, se demandant comment le fossé entre elles avait pu se creuser à ce point. Au mieux, elles auraient peu de choses à se dire. Au pire, chacune jetterait un regard désapprobateur sur la vie de l'autre.

Carson poussa la porte et entra dans la cuisine. Même avec l'air conditionné, la pièce était humide. Mamaw pensait autrefois qu'installer un système de climatisation dans une maison insulaire était ridicule et constituait un gaspillage consternant d'argent. Carson et ses sœurs dormaient alors sur la véranda, les fenêtres grandes ouvertes, sous des moustiquaires. Mais quand Mamaw avait atteint la ménopause, le climat chaud et humide lui était devenu si insupportable qu'elle avait plié sous la pression et consenti à installer un climatiseur lorsqu'elle avait procédé aux rénovations de la villa. Mais Mamaw ne supportait toujours pas qu'il fasse trop frais chez elle. Elle s'assurait de garder une température raisonnable, juste assez fraîche pour ne pas transpirer. Lorsque Lucille cuisinait pendant l'été, le système de climatisation avait du mal à tenir le coup.

Lucille se trouvait d'ailleurs devant le four, une main sur la hanche, l'autre occupée à remuer le contenu d'une grosse casserole bouillonnante. Son dos était à présent courbé comme sous un fardeau trop pesant. Une autre femme au tour de taille presque aussi impressionnant se tenait à côté de la table en bois de la cuisine. Carson mit un moment pour se rendre compte qu'il s'agissait de Dora. Elle était beaucoup plus corpulente que la dernière fois qu'elle l'avait vue et affichait une mauvaise mine. Ses fins cheveux blonds, jadis toujours si bien coiffés, pendaient lamentablement d'un élastique noir attaché grossièrement. Des gouttes de transpiration perlaient sur son cou et son front. *Et qui a bien pu choisir cette robe à pois bleu marine ?* s'interrogea Carson. Elle la faisait paraître encore plus vieille que Mamaw, qui n'aurait jamais osé porter pareil accoutrement.

Dora se servait d'une serviette de papier comme d'un éventail et parlait avec animation à Lucille. Elle jeta un coup d'œil vers l'entrée quand Carson arriva. Elle suspendit son mouvement et ses yeux s'agrandirent lorsqu'elle la reconnut.

— Carson !

— Salut Dora, répondit-elle avec un entrain un peu forcé.

Elle ferma la porte derrière elle pour ne pas laisser s'échapper le peu d'air conditionné qui faisait concurrence à l'air humide ambiant.

— Tu es là !

Carson s'approcha de sa sœur et se pencha vers l'avant pour déposer un baiser sur la joue moite de sueur de Dora.

— C'est bon de te revoir, ça fait si longtemps.

Le sourire de Dora se glaça lorsqu'elle vit le bikini de Carson.

— Et bien, dis-moi, tu as l'air en forme.

Carson sentit un frisson glacé lui raidir la colonne vertébrale. Elle avait soudain l'impression d'être nue comme un ver.

— Je suis allée me baigner dans l'océan. Tu devrais y faire un tour demain, la journée s'annonce chaude.

Dora poussa un soupir exagérément lourd.

— Peut-être... Mais je suis une mère. Je n'ai pas tout le temps dont tu disposes. J'imagine que tu as l'habitude de pouvoir aller te baigner et nager quand tu en as envie.

Elle grimaça.

— Le train de vie des gens riches et célèbres, pas vrai?

Carson la regarda de travers.

— Je ne suis ni riche ni célèbre, mais c'est vrai que j'aime nager.

Dora lissa un cheveu qui tombait devant son visage.

— Alors comme ça, c'est toi qui es arrivée la première, juste à l'heure pour une baignade. Quand es-tu arrivée?

— Ça fait quelque temps déjà, répondit évasivement Carson.

Elle déposa son sac et sa serviette par terre, puis s'approcha de Lucille, qui remuait toujours le gombo sur l'énorme cuisinière Viking. Elle l'embrassa sur la joue.

— Ça sent bon.

Lucille afficha un large sourire, satisfaite.

— Ah, demanda Dora. Quand?

Carson se retourna pour lui faire face.

— Au début du mois.

— Ça fait déjà trois semaines que tu es là? s'enquit Dora.

Sa voix était un mélange de surprise teintée de désapprobation.

— Pourquoi ne m'as-tu pas appelée?

— J'ai eu beaucoup à faire depuis que je suis arrivée et tu sais à quel point le temps passe vite ici. En plus, je savais que tu viendrais à la fête de Mamaw et donc que j'aurais l'occasion de te voir. Et te voilà!

Elle regarda sa sœur droit dans les yeux et sourit de plus belle, déterminée à paraître enjouée et à ignorer les mouvements de plus en plus saccadés que Dora déployait pour s'éventer.

Carson papillonna autour de la table de la cuisine, passant de la sauce piquante, aux épices, aux morceaux de saucisses, puis aux crevettes. Elle aperçut un plat d'okras émincés et tendit le bras pour en prendre.

— Laisse mes okras tranquilles, dit Lucille depuis les fourneaux.

Carson retira sa main d'un air coupable.

— Je te jure, tu as des yeux derrière la tête.

— J'ai besoin de ces okras pour mon plat de gombo. Si tu as faim, prends donc les biscuits salés et le fromage que je t'ai préparés.

Lucille fit un mouvement brusque de l'épaule en direction du buffet.

— Par Dieu, mon enfant, je ne peux pas faire un repas sans que tu vides mes réserves. Ça a toujours été comme ça.

Elle s'interrompit, puis se tourna brusquement, les sourcils froncés, agitant la cuillère vers Carson.

— Ce matin, j'ai ouvert le garde-manger en pensant y trouver un bon biscuit aux figues à manger avec mon café, mais il ne restait que quelques miettes !

— J'avais tellement faim hier soir..., expliqua Carson, embarrassée.

— Tu as mangé tout le sac !

Carson rit piteusement.

— Je sais. Je suis désolée. J'irai en acheter un autre.

Lucille s'adoucit.

— Ne t'embête pas avec ça, répondit-elle, retournant à ses fourneaux. Mais la prochaine fois, rappelle-toi qu'il y a peut-être quelqu'un d'autre dans cette maison qui aimerait en manger.

Lucille secoua la tête en grommelant.

— Je ne comprends pas comment tu peux manger comme un homme et garder cette silhouette.

Elle pointa sa cuillère en direction de Carson.

Cette dernière se mit à rire, mais un regard par-dessus son épaule l'informa que Dora avait plissé les yeux et regardait le ventre plat et tendu que Carson exposait effrontément dans la cuisine. Carson soupira en son for intérieur. Elle récoltait souvent des regards jaloux comme celui-ci, que ce soit de la part de femmes minces ou corpulentes, surtout quand elles la voyaient manger des hamburgers ou se laisser tenter par des sucreries. La jalousie brûlait dans leurs yeux, comme si elles maudissaient Dieu de lui permettre de manger de cette façon alors qu'elles-mêmes devaient suivre des régimes tous les jours de l'année, sans pour autant perdre du poids. Carson ne pouvait tout simplement pas dire à chacune d'entre elles que ce serait probablement son seul repas de la journée, qu'elle venait tout juste de courir une dizaine de kilomètres ou de surfer pendant deux heures sur les eaux glaciales de l'océan.

Carson se déplaça vers le buffet, sur lequel Lucille avait laissé une assiette de brie et des biscuits salés. Elle se servit une épaisse tranche de fromage.

— Tu en veux ? demanda-t-elle à Dora.

Cette dernière prit un air affligé, les yeux rivés sur le fromage. Avec une apparente retenue, elle fit non de la tête.

— Je vais attendre le dîner. Par contre, je prendrais bien un verre. Il est presque 17 h, non ? Il reste du vin dans le frigo ? demanda-t-elle, sans attendre la réponse.

Elle ouvrit le réfrigérateur et le trouva rempli à ras bord d'articles d'épicerie que Lucille avait accumulés en vue de la fête de la fin de semaine. Une bouteille de vin déjà ouverte attendait sagement dans la porte du réfrigérateur. Elle demeura quelques instants devant l'appareil, savourant la fraîcheur qui en sortait, puis referma la porte à contrecœur. Elle prit trois verres posés sur l'étagère et en remplit un pour elle, puis elle leva les yeux d'un air interrogateur. Lucille fit non de la tête et Carson acquiesça avec enthousiasme.

— Qu'est-ce qui t'a décidé à venir si tôt ? demanda Dora en tendant un verre à Carson.

Cette dernière but une longue gorgée. Elle en avait bien besoin pour faire passer l'accueil pour le moins glacial de sa sœur.

— Un tas de raisons. Il y avait bien longtemps que je n'avais pas rendu visite à Mamaw et il se trouve que j'avais enfin du temps libre.

Elle mordit dans son morceau de brie. Elle ne tenait pas à entrer dans les détails. Il était bien loin le temps où elles partageaient leurs secrets.

— Et puis, je ne sais pas, ajouta-t-elle, le ton de sa voix changeant maintenant qu'elle s'apprêtait à parler avec son cœur. À vrai dire, Dora, j'ai été surprise de constater à quel point Mamaw est *vieille*.

— Après tout, elle va avoir 80 ans.

— C'est exactement ce que je veux dire. Elle a toujours été vieille par rapport à moi. Je veux dire, quand j'avais 10 ans, elle devait bien en avoir…

Carson fit une pause, le temps de calculer dans sa tête.

— Cinquante-six ans, ce qui en fait n'est pas bien vieux.

Lucille s'offusqua depuis la cuisinière.

— J'espère bien !

Carson sourit, puis poursuivit.

— Mais pour moi, ça semblait déjà assez âgé. Même chose lorsqu'elle a eu 60, puis 70 ans. Mais de mon point de vue, elle était toujours si vivante, si animée. Comme si le temps n'avait pas d'emprise sur elle.

— Ce n'est pas le père Noël, rétorqua Dora.

Carson fut abasourdie par tant de dérision.

— Non, bien sûr que non, répondit-elle en croisant les bras sur sa poitrine. C'est juste que Mamaw restait toujours la même pour moi. Immortelle. Mais quand je suis arrivée et que je l'ai revue, elle avait non seulement l'air plus âgée, mais aussi plus frêle. Je jurerais qu'elle rapetisse.

Elle fit tournoyer le vin dans son verre.

— Je suppose que c'était la première fois que je comprenais que Mamaw ne serait pas toujours là, à nous attendre. Je ne devrais pas tenir pour acquis qu'elle sera toujours là pour nous aider. Chaque année, chaque jour de plus est un cadeau.

— Je ne tiens pas pour acquis qu'elle sera toujours là, souligna Dora. Je viens la voir dès que j'en ai l'occasion.

— Tu as de la chance de vivre aussi près.

— Pas si près, pour être exacte, clarifia Dora. Quand il y a des embouteillages, ça peut tout de même prendre 45 minutes pour venir jusqu'ici. Je dois quand même planifier en conséquence. Elle n'habite pas dans la rue d'à côté. Mais je fais l'effort.

Carson fut réduite au silence par le sous-entendu qu'elle n'avait pas fait l'effort nécessaire pendant plusieurs années. Mais elle ne pouvait pas se défendre.

Lucille se retourna et dit :

— Tu sais, je ne me rappelle pas la dernière fois où tu es venue rendre visite à Madame Marietta.

— Mais Lucille, tu sais bien que nous venons chaque été, répliqua Dora.

— Mmh mmh, fit Lucille, avant de retourner à sa casserole. Quand il fait assez beau pour venir passer du temps sur la plage.

— Tu sais que Mamaw vient nous rejoindre tous les ans à Noël, à Pâques, et pour l'Action de grâce. Elle vient à chaque occasion spéciale.

S'ensuivit un silence gênant pendant lequel les joues de Dora s'enflammèrent et dont Carson profita pour se servir une autre tranche de fromage. Elle savait que Lucille voulait rééquilibrer la situation en éliminant toutes les fausses accusations et elle lui en était reconnaissante.

— Comment va Nate? demanda Carson, pour changer de sujet.

— Oh Nate! Il va bien, répondit vivement Dora. Tu le verras très bientôt. J'imagine qu'il est en train de s'installer dans sa chambre en ce moment.

Carson s'apprêtait à mordre dans le brie, mais elle suspendit son geste.

— Il est ici?

— Bien sûr qu'il est ici. Où devrait-il être? J'amène toujours Nate avec moi pour qu'il voie sa grand-mère. Et il est temps qu'il voie aussi ses tantes, tu ne crois pas?

— Bien sûr. Je suis ravie. M-mais..., bégaya Carson, je croyais…

— Tu croyais que quoi? demanda Dora, se sentant un peu défiée.

— Je croyais que c'était une fin de semaine juste entre filles.

— Cela briserait le cœur de Mamaw si son unique arrière-petit-fils ne venait pas.

— Où va-t-il dormir?

— Dans la bibliothèque, là où il dort toujours.

— Harper devait dormir dans la bibliothèque. Ça a toujours été la pièce de Harper.

— Maintenant, c'est la chambre de Nate. Elle dormira quelque part ailleurs.

— Il n'y a nulle part où aller, répondit Carson en se retenant de ne pas ajouter «comme tu le sais très bien».

Dora avait toujours été autoritaire, même quand elle était jeune, mais elle n'était jamais déraisonnable.

— Tu peux partager ta chambre avec Nate, il y a deux petits lits.

Dora se frotta les mains.

— Je vais demander à Mamaw, elle saura quoi faire.

Carson leva les mains en signe d'apaisement.

— Ne la tracasse pas avec ça. Elle fait une sieste en ce moment. Écoute Dora, je sais que Mamaw planifiait que Harper dorme dans la bibliothèque parce qu'elle m'a demandé de rafraîchir les pièces et d'y ajouter des fleurs. Si tu ne veux pas que Nate dorme dans ta chambre, alors peut-être qu'il serait préférable de le ramener à la maison. Au moins pendant la fête.

Dora rougit.

— Je ne peux pas, répondit-elle, la voix mêlée de ressentiment et de désarroi. Il n'y a personne d'autre pour prendre soin de lui.

Carson soupira et posa les doigts sur l'arête de son nez. Elle devait se rappeler que Dora pataugeait dans les affres du divorce. Lucille éteignit la cuisinière et posa la cuillère avec fracas, mettant fin à toute discussion. Elle se tourna vers elles, relevant l'ourlet de son tablier blanc en coton, et se mit à essuyer énergiquement ses mains.

— Je vais aller aider le garçon à déplacer ses affaires dans ta chambre, dit-elle à Dora sur un ton qui sous-entendait que l'affaire était réglée. Carson, tu ferais mieux d'aller te changer pour le dîner et d'aller réveiller Mamaw. Dora, dit-elle gentiment, prends donc une minute pour te rafraîchir, après ce long trajet. Le gombo est prêt!

~

Dora se pencha au-dessus du lavabo et s'aspergea le visage. L'eau lui fit tant de bien qu'elle eut envie de se déshabiller et de sauter sous la douche. Il serait tellement bon de plonger dans l'océan comme Carson et de se débarrasser de la poussière, de la transpiration et des souvenirs de cette horrible journée.

Mais bien sûr, elle n'avait pas le temps de prendre une douche, encore moins d'aller se baigner. Nate risquait de faire une crise lorsqu'il apprendrait qu'il devrait changer de pièce et Lucille, que Dieu la bénisse, n'arriverait pas à le maîtriser lorsqu'il se mettrait de mauvaise humeur.

Dora saisit une serviette et commença à se sécher le visage. Elle s'arrêta lorsqu'elle vit son reflet dans le miroir, ce qu'elle n'aimait pas faire d'habitude. Elle reconnut à peine le visage pâle et bouffi qu'elle avait devant elle. Ses yeux bleus, que Cal avait un jour déclarés aussi brillants et bleus qu'une gemme, semblaient éteints. Elle se dit qu'elle devrait arrêter de boire autant… et ne plus manger toutes ces sucreries, mais elle savait qu'elle ne le ferait pas. Elle n'avait plus l'énergie nécessaire pour renoncer au plaisir simple d'un verre de vin ou deux, ou d'une barre de chocolat. Elle arracha l'élastique qui glissait déjà de sa tête, puis détournant le regard du miroir, elle brossa ses cheveux avec des coups secs et efficaces. Son esprit s'éloignait déjà de ses propres préoccupations pour se concentrer sur Nate, et elle commença à se demander ce qu'elle préparerait pour son dîner. Comme s'il envisagerait ne serait-ce qu'un instant la possibilité de toucher au gombo…

— Oh zut, murmura-t-elle, consternée, en s'appuyant contre le lavabo.

Elle avait oublié de passer par l'épicerie à l'aller pour acheter du pain sans gluten. Maintenant, elle serait obligée de ressortir pour trouver une miche de pain quelque part, ou il n'aurait rien à manger au petit déjeuner. Nate était difficile quand il s'agissait de sa nourriture. Elle pensait souvent que peu importe son degré de prévoyance, pour elle, Eudora Muir Tupper, c'était toujours en vain. Elle aimait son fils, voulait être la meilleure mère possible, mais elle était si exténuée à la fin de la journée qu'elle s'endormait souvent en pleurant. Parfois, elle se sentait comme une prisonnière dans ce château en ruines qui lui servait de maison, une maison qu'elle avait jadis pourtant été si impatiente de posséder.

Dora s'allongea sur un des petits lits Jenny Lind, en prenant garde de ne pas poser ses chaussures sur le dessus-de-lit en patchwork. Elle posa son avant-bras sur son front pour bloquer la lumière. Son cerveau lui ordonnait de se lever et d'aller aider Lucille à s'occuper de Nate, mais son corps refusait de bouger du matelas moelleux. C'était comme si elle glissait dans le temps, qu'elle revenait dans le passé, lorsqu'elle n'était encore qu'une jeune fille en vacances chez sa grand-mère et qu'elle pouvait dormir aussi longtemps qu'elle le désirait.

Le silence s'installa et ses muscles se détendirent lentement. Lucille était une femme patiente, se justifia-t-elle, qui avait déjà dû composer avec les crises de Nate, depuis la naissance de ce dernier. Encore quelques minutes et elle se lèverait pour lui donner un coup de main. La journée avait été pénible pour le petit bonhomme. Le garçon n'aimait pas le changement et il avait senti que quelque chose se préparait dès l'instant où il s'était réveillé et avait aperçu les valises dans le couloir.

— Non, non, non, non, non !

Dora grogna quand elle entendit la fureur qui pointait dans la voix de Nate. Lucille n'arriverait pas à gérér ce que Dora savait être une crise de colère en puissance. C'était là la véritable raison pour laquelle elle ne voulait pas déplacer Nate de la bibliothèque. Elle aurait dû expliquer d'emblée à Carson que Nate était atteint d'autisme et que la bibliothèque était la pièce dans laquelle il était habitué à dormir. Ses livres préférés s'y trouvaient, ainsi que la console Nintendo qu'il adorait. Sans compter qu'il avait déjà été très affecté par le déménagement chez Mamaw.

Un bruit soudain de verre cassé la décida à se lever.

∼

Les yeux de Mamaw s'ouvrirent lorsqu'elle entendit le fracas. Elle s'était endormie avec son livre à moitié ouvert sur les genoux. Elle n'arrivait plus à empêcher ses paupières de se fermer progressivement, et ce n'était pas la faute de l'histoire.

Elle était simplement si souvent fatiguée que l'attrait du sommeil et des rêves se révélait beaucoup plus fort qu'elle.

Elle inclina la tête et tendit l'oreille. Les cris d'enfants ne pouvaient être que ceux de Nate. Elle entendit le bruissement de pas dans l'escalier, puis des voix qui s'élevaient par-dessus les cris de Nate. Dieu que cet enfant savait brailler. Mamaw demeura assise dans un silence tendu, écoutant attentivement le tumulte qui s'élevait dans le couloir. Puis, les cris s'apaisèrent peu à peu et Mamaw entendit de nouveau des bruits de pas dans le couloir. On frappa à la porte, puis un rai de lumière apparut quand elle s'ouvrit.

— Mamaw? Es-tu réveillée?

— Carson? Grand Dieu, bien sûr que je suis réveillée. Qui donc pourrait dormir avec tout ce boucan?

Elle entendit le rire rauque de Carson. Sa petite-fille traversa la chambre à grandes enjambées pour aller allumer une petite lampe. Une lumière chaleureuse inonda la chambre, révélant la silhouette de Carson habillée d'une robe aux tons chatoyants jaune-orangé. Carson avait hérité du corps long et élancé de Mamaw. La vieille femme sourit et lui ouvrit grand les bras.

Carson s'approcha et se pencha pour l'embrasser sur la joue.

— Mmh... J'adore ton parfum, dit Carson en fermant les yeux. J'ai l'impression d'avoir toujours connu cette odeur. Elle est un peu musquée. J'ai toujours pensé que ce parfum et toi étiez inséparables.

Mamaw sentit une douleur dans son cœur et elle caressa les longs cheveux de Carson.

— C'est *Bal à Versailles*. En fait, ma chérie, c'était le parfum de ta mère. C'est elle qui m'a offert mon premier flacon et, depuis ce jour-là, j'en mets tout le temps.

Une ombre passa sur le visage bronzé de Carson. Elle pâlit, puis s'agenouilla à côté de la chaise de Mamaw.

— C'était le parfum de ma mère ? demanda-t-elle, songeuse. Comment se fait-il que je ne l'aie jamais su ?

Mamaw haussa légèrement les épaules.

— Je ne pourrais te dire. Nous parlons tellement rarement de Sophie. Elle mettait toujours ce parfum. Elle était Française, bien sûr, ajouta-t-elle, comme si ceci expliquait cela.

— Il y a tellement de choses que je ne sais pas à son propos, déclara doucement Carson.

Mamaw lui tapota la main. *Oh mon enfant*, voulait-elle lui dire. *Il y a tellement, tellement de choses que tu ne sais pas à propos de ta mère.*

— La bouteille est sur le comptoir de la salle de bain. Pourquoi ne l'essaierais-tu pas ? L'odeur de ce parfum est fonction de celui qui s'en asperge. Ce doit être à cause du patchouli ou du musc. Il pourrait avoir une odeur bien différente sur toi. Si tu veux, je te donne la bouteille. Il me plairait que nous ayons le même parfum, *chérie*[2].

Un autre « Non ! » catégorique fendit l'air.

— Quelle est la raison de tout ce chahut ? se plaignit Mamaw.

Carson se releva.

— Nate a piqué une crise parce que nous avons dit à Dora qu'il devrait dormir dans la même chambre qu'elle dans un des petits lits. Il était installé dans la bibliothèque avant.

— Il est prévu que Harper dorme là-bas.

— C'est ce que je lui ai dit.

— Dora en a plein les bras, n'est-ce pas ? Elle devrait être aidée davantage avec Nate, surtout depuis que Cal est parti. Pauvre chérie, elle est exténuée.

— Je l'ai à peine reconnue. Elle a pris un coup de vieux.

— Oui, eh bien, je crois que son poids y est aussi pour quelque chose. Rien ne vieillit plus que de laisser aller son

---

2. N.d.T. : En français dans le texte original.

corps. Peut-être pourrais-tu l'encourager à suivre un régime et à faire plus d'exercice. Tu es sa sœur après tout.

— Oh non, je ne m'occupe pas de ça.

— Tu pourrais essayer au moins, persista Mamaw. C'est cette maison trop grande qui lui rend la vie difficile.

Carson roula des yeux.

— Et Cal…

— Chut maintenant. N'évoque surtout pas le divorce tant qu'elle est ici. Elle est très sensible et a besoin de notre soutien en ce moment, plus que jamais.

Dans le couloir, les cris s'élevèrent en crescendo tel le bruit des moteurs d'un avion supersonique en plein décollage. Le cœur de Mamaw s'arrêta une seconde. Elle leva les bras et dit d'une voix tremblotante :

— Dépêche-toi, va dire à Dora de laisser le pauvre garçon dormir dans la bibliothèque si c'est si important pour lui. Je trouverai bien quelque chose d'autre pour Harper. Je ne supporterai pas d'écouter les cris de cet enfant une minute de plus ! Mon anniversaire risquerait de se transformer en funérailles autrement !

~

Dora traversa le couloir à grandes enjambées et entra dans la bibliothèque. Lucille retenait Nate et lui parlait d'une voix douce pendant qu'il se tortillait dans tous les sens. Il était inconsolable et se débattait de toute la force de ses bras grands ouverts. Avant même que Dora n'arrive à leur hauteur, Nate empoigna le nez de Lucille d'une main. Elle se rétracta, les mains posées sur son visage qui affichait un air choqué. Le visage de Nate n'afficha même pas l'ombre d'un remords ; il ne semblait pas comprendre qu'il venait de faire mal à Lucille. Au contraire, il cherchait sa mère du regard, puis pointa sur elle un doigt accusateur.

— Tu as dit que je dormirais ici, hurla-t-il. Je dors toujours ici quand nous venons à la maison de la plage !

Dora observa les yeux bleus grands ouverts de Nate, plus terrorisée que fâchée. Elle s'approcha lentement de Nate et lui parla d'une voix basse et apaisante. Elle le rassura avec des explications.

— Oui Nate, tu dors à la maison de la plage. Mais ce soir, tu viens dormir dans la chambre de maman, d'accord ? Nous allons apporter le Nintendo dans la chambre de maman. C'est bon ?

— Non ! hurla Nate à pleins poumons.

Par-dessus son épaule, Dora vit que Carson avait rejoint Lucille, les yeux écarquillés de stupeur et d'incompréhension. Dora reporta son attention sur Nate. Elle était soulagée de constater qu'il l'autorisait à le prendre dans ses bras pendant qu'elle poursuivait sa litanie apaisante. Elle savait qu'il réagissait plus au ton de sa voix qu'aux mots qu'elle prononçait. Dora n'avait ni le temps ni l'envie d'expliquer à Carson ce qu'était l'autisme. C'était un peu comme lorsque Nate faisait une crise à l'épicerie. Les gens s'arrêtaient et observaient grossièrement le garçon qui agitait sa tête dans tous les sens en gémissant. Ils la regardaient alors d'un air critique comme si elle était une mauvaise mère, comme si elle avait le pouvoir de le contenir.

Avec le chaos ambiant, personne ne remarqua la petite femme aux cheveux roux qui se tenait d'un air hésitant dans l'encadrement de la porte, les yeux écarquillés de stupeur.

— Bonjour ? émit Harper.

Ce n'était certainement pas l'entrée remarquée qu'elle avait espérée.

CHAPITRE 7

Le dîner ce soir-là dura une éternité. Non pas que le repas n'était pas délicieux ; Lucille s'était pliée en quatre pour préparer un gombo épicé, des beignets de maïs frits et le pudding à la banane préféré de Carson pour le dessert. C'était la tension qui régnait autour de la table que Carson ne pouvait supporter.

Les retrouvailles auraient dû être joyeuses, une occasion de rire et de discuter des dernières nouvelles. Au lieu de cela, Carson sentait éclore une migraine tenace à force de retenir la douzaine de commentaires affligés qui se bousculaient à ses lèvres.

Pour être honnête, la soirée avait bien mal commencé. Ils dînèrent en retard et tout le monde était sur des charbons ardents après la crise de colère de Nate. Dora avait préparé un plat exprès pour lui et le lui avait apporté directement dans sa chambre sur un plateau afin qu'il puisse manger tout en regardant ses émissions préférées à la télévision. Puis, tout le monde fut surpris de voir que Harper ne voulait pas de riz blanc. Et on ne put s'empêcher de l'observer quand elle commença à enlever minutieusement la saucisse de porc du gombo à l'aide de sa fourchette. Lucille se racla bruyamment la gorge, mais toutes les autres tinrent poliment leur langue.

Tout le monde sauf Dora.

— Tu es végétarienne maintenant ? demanda-t-elle sur un ton critique.

— Non, non, répondit allègrement Harper. C'est juste que je n'aime pas trop la viande rouge.

— Le porc est une viande blanche, la corrigea Dora.

Harper la regarda droit dans les yeux et sourit.

— Dans ce cas, je n'aime pas trop la viande tout court, clarifia-t-elle.

Quand on passa autour de la table les beignets frits, Harper refusa également d'en prendre.

— Tu n'aimes plus les beignets non plus ? demanda Dora, visiblement contrariée. Il n'y a pas de viande dedans.

Carson jeta à Dora *le regard*, celui qui lui intimait d'arrêter de harceler Harper au sujet de la nourriture, mais Dora l'ignora royalement. Carson se rappelait que Harper était calme et silencieuse étant enfant. Ce trait de caractère, ainsi que sa petite taille, lui avait valu le surnom de « petite souris ». Dora n'avait jamais pu s'imposer avec Carson comme elle l'avait fait avec Harper. En fait, prendre le parti de Harper était une vieille habitude et un rôle que Carson assumait sans même s'en rendre compte.

— Ce n'est pas que je ne les aime pas, répliqua sèchement Harper. Je ne mange pas les fritures. Ni tout ce qui est blanc d'ailleurs.

— Qu'est-ce que ça veut dire ? insista Dora. Tu ne manges rien de blanc ?

— Farine blanche, riz blanc, nouilles blanches, etc.

Harper haussa les épaules.

— Ce n'est pas aussi bon pour la santé que ce qui est brun.

— Oh je t'en prie, Lucille s'est tuée à la tâche pour préparer ce dîner, tu sais, fulmina Dora. Le moins que tu puisses faire, c'est d'y goûter.

— Dora, ce n'est pas ta fille. Elle peut très bien décider toute seule ce qu'elle doit manger, dit Carson.

Les joues pâles de Harper prirent une teinte rosée. Elle se tourna vers Lucille et lui adressa un sourire aimable.

— Dans ce cas, je vais très certainement essayer un de ces fantastiques beignets, Lucille.

Elle pinça un beignet entre deux doigts et le déposa dans son assiette. Puis, elle tendit le bras pour attraper le plat de choux verts et s'en servit une généreuse portion.

— Une odeur divine. Tu fais le meilleur chou vert, Lucille.

Cette dernière se gonfla d'un orgueil retrouvé.

— Je vais préparer des gaufres de grains entiers pour demain matin, proposa-t-elle.

Puis, elle ajouta discrètement :

— Je vais t'engraisser un peu, crois moi. Tu es tellement maigre que je n'arrive pas à trouver ton ombre.

— Pour ma part, je vais tout manger jusqu'à la dernière miette, déclara Dora en reprenant sa fourchette.

— Je suis prête à parier, murmura Carson, avant de remarquer le regard désapprobateur de Mamaw.

— La quantité de nourriture ingurgitée ne garantit pas son appréciation, dit Mamaw en ramassant à son tour sa fourchette. Harper n'a jamais été bien gourmande si je me rappelle bien. Mais toi, Dora, tu as toujours eu un bon appétit.

Dora se mit à rougir et garda les yeux rivés sur son assiette débordante de nourriture.

La conversation prit une tournure encore plus dramatique lorsque Dora commença à se plaindre des transformations qui avaient affecté l'île, de comment elle regrettait le temps où il faisait bon y vivre et de comment les habitants du Nord, surtout ceux de Manhattan, détruisaient le Sud de nouveau, en utilisant cette fois l'argent et des valeurs dépravées comme armes de destruction.

Divorce ou pas, Carson estima que Dora devait se faire remettre à sa place. Mais Harper, c'était tout à son honneur, semblait avoir sa propre méthode. Elle ignora complètement les commentaires désobligeants de sa sœur, se concentrant plutôt sur ses crevettes et son okra qu'elles coupaient en morceaux de plus en plus petits, ce qui avait le don d'irriter Dora plus qu'aucune répartie ne l'aurait fait.

Dès que le pudding à la banane fut mangé, Mamaw se leva, annonça qu'elle était fatiguée et qu'elle allait se retirer. Elle suggéra aux filles de faire la vaisselle, étant donné que Lucille avait travaillé toute la journée pour préparer le repas. Dora partit immédiatement pour aller voir comment se portait Nate, en promettant de revenir. Harper et Carson entrèrent dans la cuisine. Elles regardèrent, sidérées, la montagne de vaisselle sale, de casseroles et de poêles.

— Bienvenue à la maison! s'exclama Carson en saisissant une serviette sur le comptoir.

Harper eut un large sourire et traversa la pièce pour prendre un tablier pendu à un crochet mural.

— Je ne suis même pas sûre de me rappeler comment on porte ce truc, dit-elle en riant.

Elle passa la boucle par-dessus sa tête. Le tablier était vert pâle avec des volants au niveau des bretelles et des bordures. Harper se débattit avec les lanières qu'elle devait attacher dans le dos.

— Je n'en ai pas porté depuis mes 10 ans. Je crois d'ailleurs que c'est le même tablier...

Carson éclata de rire et se plaça derrière elle. Elle serra les ficelles. Sa sœur avait toujours été petite et elle ne semblait pas avoir beaucoup grandi depuis ses 10 ans.

— Je crois que tu as une taille d'à peine 45 centimètres.

— Scarlett O'Hara et moi, lança-t-elle malicieusement en marchant vers l'évier.

Carson se retroussa les manches et alluma la radio. De la musique country résonna dans toute la cuisine.

— Je vois que Lucille aime toujours ses chansons country, dit Carson. Cette radio jouait toujours sa musique à plein volume… Tu te rappelles ?

— C'était ça ou des parties de base-ball. Je ne crois pas avoir écouté de country depuis la dernière fois que je suis venue ici.

— Moi non plus, dit Carson.

Elle jeta un rapide coup d'œil à sa sœur.

— J'avais oublié à quel point j'aimais ça.

— Moi aussi !

Tout en lavant et en essuyant la montagne de vaisselle, elles se trémoussèrent en traînant les pieds au son de la musique, chantant à tue-tête les refrains qui évoquaient des amours perdues et retrouvées, des regrets et des espoirs, des amourettes et des robes noires séduisantes. Les minutes passèrent et elles se mirent à échanger des épisodes de leurs propres vies, entre deux refrains. La glace de gêne qui s'était formée pendant le dîner commença à fondre comme neige au soleil.

Dès que la dernière casserole fut lavée et rangée, Harper jeta son tablier sur le comptoir et se tourna vers Carson.

— J'ai très envie de sortir boire un verre, lui dit-elle du fond du cœur.

Carson l'aurait embrassée. Elles se dépêchèrent d'aller à la salle de bain de Carson pour refaire leur maquillage et brosser leurs cheveux. Carson savoura ce lien renoué avec sa sœur, tandis qu'elles discutaient de chaussures et de stylistes qu'elles aimaient, en évitant béatement les sujets qui auraient pu fâcher. C'était comme si la diatribe de Dora avait renforcé le lien qui les unissait, aux dépens de leur sœur aînée, malheureusement.

— C'est quoi son problème ?

Les yeux de Harper flamboyaient.

— Bon sang, j'ai du mal à l'avouer, mais… et ne lui dis surtout pas ce que je vais te dire… mais ça m'a fait mal quand Dora a dit toutes ces choses à propos des «nordistes» et des New-Yorkais pendant le dîner. Elle est aussi subtile qu'un camion à benne.

— Et elle est remplie d'autant d'ordures, ajouta Carson. J'espère que tu ne prends pas ses opinions à cœur. Pour ma part, je n'y fais jamais attention. Parfois, elle se montre tellement pimbêche qu'elle ne touche plus le sol!

Harper eut un petit rire.

— Elle a toujours été tellement plus vieille que moi. Je crois que j'ai eu un peu peur d'elle à un certain moment, quand j'étais encore une petite fille.

Elle fit une pause.

— Mais ce n'est plus le cas aujourd'hui, conclut-elle avec plus d'assurance.

— Elle traverse une mauvaise passe. Cal est parti. Ils sont en plein divorce.

Harper prit une minute pour réfléchir.

— Je ne savais pas.

— Je viens tout juste de l'apprendre moi aussi.

— Ça explique beaucoup de choses, dit Harper. Mais quand même, je n'ai pas à en faire les frais.

Carson agita la main d'un air dédaigneux.

— Ne pensons plus à elle pour le moment. Ça commence vraiment à me déprimer. Et puis, c'est ta première soirée ici.

Elle saisit la bouteille de parfum et s'en aspergea dans le cou.

— C'est le parfum de Mamaw! s'exclama Harper en reniflant.

Ses grands yeux bleus s'agrandirent encore un peu plus, le regard dans le vague.

— Comment… Qu'est-ce que c'est? Où l'as-tu trouvé?

— Mamaw m'a donné une bouteille. Je suis censée l'essayer, pour voir quelle odeur ça a sur moi.

Carson en vaporisa quelques gouttes sur son poignet.

— Qu'en penses-tu?

Elle tendit le bras vers Harper, qui se pencha pour renifler. Cette dernière leva les yeux et eut un sourire complice.

— Ça sent vraiment bon sur toi. Comme si le parfum t'appartenait, ajouta-t-elle tristement. Très séduisant.

Elle pouffa de rire en se redressant.

— Ce n'est pas étonnant.

— Pourquoi dis-tu ça?

— Tu es celle qui ressemble le plus à Mamaw.

— Bien sûr que non. Je ne ressemble à personne. Vous êtes toutes blondes et pâles. Je suis brune et grande. Et en plus, j'ai des grands pieds.

Harper éclata de rire et saisit la bouteille de parfum.

— Peut-être pas pour ce qui est de l'apparence.

Elle haussa les épaules.

— Je ne sais pas, c'est difficile à expliquer. Tu es sa préférée, ça, c'est une certitude.

— Pas encore ça, gémit Carson.

— Laisse-moi l'essayer, demanda Harper.

Elle vaporisa quelques gouttes sur son poignet à son tour.

— Qu'est-ce que tu en penses?

Carson se sentit obligée de se pencher. Elle huma une bouffée de parfum, mais se rétracta précipitamment.

— Oh non, fit-elle en agitant la main sous son nez.

Le musc sentait davantage comme une odeur corporelle sur Harper.

— Sérieusement Harper, ce parfum ne te va pas très bien.

Elle gloussa.

— Tu vas devoir te débarrasser de cette odeur si tu veux qu'un homme s'approche de toi dans un rayon de moins de 20 pas.

Harper renifla à son tour et plissa le nez.

— Mon Dieu, tu as raison.

Elle se précipita vers le lavabo et entreprit de se savonner énergiquement le poignet.

— Je crois que je vais garder ma valeur sûre. Merci beaucoup Chanel N° 5. C'est drôle non ? Un parfum peut sentir horriblement mauvais sur moi, mais fabuleusement bon quand c'est toi qui le mets. Comme s'il avait sa propre personnalité, sa propre préférence pour les personnes qui le portent.

— C'est peut-être une question de gènes, dit doucement Carson en regardant l'étiquette de la bouteille qu'elle tenait entre ses doigts.

Elle la porta à son nez et renifla de nouveau, de plus en plus perplexe.

— C'était le parfum de ma mère.

— Vraiment ? demanda Harper en tournant la tête vers Carson. Je ne savais pas. J'ai toujours pensé que c'était celui de Mamaw.

— Je viens de l'apprendre aussi. Ce n'est pas comme si j'avais un quelconque souvenir de ma mère, dit-elle de manière désinvolte.

Au moment même où elle prononçait ces mots, elle sut que c'était un mensonge. Un souvenir inexplicable était associé à ce parfum, un souvenir qui la berçait, lui murmurait des chansons à l'oreille, lui évoquait des paroles d'amour. Cette odeur, qu'elle avait toujours associée à Mamaw, provoquait chez elle un sentiment de sécurité et de réconfort. C'était des émotions liées à Mamaw, bien sûr, mais elle savait maintenant que ces dernières remontaient à plus longtemps. Elles remontaient à sa mère. Maintenant qu'elle en était consciente, Carson se sentait étrangement mal à l'aise, effrayée même lorsqu'elle sentait cette odeur.

— Je… Je ne crois pas qu'il me va bien.

Carson s'approcha du lavabo, et comme Harper, elle savonna son cou et ses poignets.

— Vraiment? Ça sentait vraiment bon pourtant. Je dois avouer que je suis vraiment déçue. J'aurais adoré pouvoir partager quelque chose avec Mamaw.

Carson sécha les gouttes qui perlaient sur son cou à l'aide d'une serviette et réfléchit au commentaire que venait de faire sa sœur.

— J'ai toujours cru que tu n'appréciais aucun aspect de ton héritage sudiste.

Harper finit de sécher ses mains, puis s'appuya contre le comptoir de la salle de bain.

— Ça, c'est un sentiment qui appartient à ma mère. Elle n'a jamais voulu entretenir quelque contact que ce soit avec mon père... *notre* père. Ou sa famille. J'ai grandi en pensant que lui ressembler, ou être attachée d'une manière ou d'une autre à mon père ou à un membre de sa famille était en quelque sorte... mauvais.

Carson fut piquée au vif.

— Quelle salope, éructa-t-elle, avant d'ajouter rapidement : pardon.

Harper secoua la tête.

— Elle peut être une salope en effet. Mais c'est ma mère, alors...

Elle haussa les épaules et se tourna vers le miroir pour lisser ses cheveux.

— Tu sais, quand je suis à New York, je ne pense jamais au côté Muir de la famille. Loin des yeux, loin du cœur.

Elle regarda ses mains. Son annulaire était orné d'un anneau en or frappé du sceau en forme de bouclier de la famille James.

— Je suis fière de ma famille. Je les aime, bien sûr. Mais être une James pèse lourd sur mes épaules. Quand je viens ici, je me sens... Je ne sais pas, plus libre. Plus à l'aise. Il en a toujours été ainsi.

— C'est l'humidité. Quand il commence à faire chaud, tu es obligée de ralentir, la taquina Carson. Ton cerveau se ramollit.

Harper se mit à rire.

— En tout cas, c'est bon pour ma peau. Mais non, je crois que c'est surtout cet endroit. Tiens, en parlant d'odeurs... Ici, l'air est rempli d'odeurs et chacune d'entre elles est liée à un souvenir. Tous ces souvenirs ont commencé à bouillonner en moi dès que j'ai senti l'odeur de la boue des marais du Sud. Des souvenirs de Mamaw nous tressant les cheveux, plongeant sous les vagues avec nous ou lisant des livres pendant que d'énormes porte-conteneurs voguaient sur l'océan, au loin...

Elle ajouta d'une voix douce et chevrotante :

— Et surtout, des souvenirs de toi et moi, Carson.

Carson fut émue en voyant les larmes qui coulaient sur les joues de Harper.

— Je comprends ce que tu veux dire, lui répondit-elle.

— De quoi te souviens-*tu* ? demanda Harper.

Carson prit une grande inspiration, réfléchissant à la question.

— De la plage, bien sûr.

— Tu étais toujours dans l'eau. Un vrai garçon manqué.

— Tu sais de quoi je me souviens aussi ? dit Carson avec une lueur dans les yeux. Je me rappelle quand nous crapahutions sur Sullivan's Island comme des pirates, à la recherche d'un trésor caché.

— Oui, acquiesça Harper, ses yeux s'agrandissant maintenant que le souvenir lui revenait en mémoire.

Elle leva un poing et cria :

— Mort aux dames !

Cette exclamation avait été leur cri de ralliement quand elles étaient jeunes et qu'elles jouaient aux pirates. Elles le criaient à pleins poumons lorsqu'elles étaient dehors et le murmuraient de retour à la maison, lorsque Mamaw les réprimandait pour avoir été si peu distinguées et féminines.

Carson éclata de rire et leva le poing à son tour.

— Mort aux dames !

Le cri avait encore le pouvoir de les unir et elles rirent aux éclats en échangeant des regards complices. Le lien soudain qui les unissait en ce moment effaça comme par magie des années de séparation : elles étaient de nouveau deux jeunes filles, sortant pour jouer aux pirates sur Sullivan's Island, ignorant royalement les affreuses règles de la bienséance féminine, déterminées qu'elles étaient à découvrir les trésors cachés de ce monde.

— Qu'est-ce qui se passe ici ? s'enquit une voix derrière la porte.

Carson leva les yeux et vit que Dora se tenait là, une main agrippée à l'encadrement de la porte. Elle venait de se débarbouiller et son visage brillait de crème hydratante. Ses cheveux blonds cascadaient sur ses épaules. Elle était maintenant vêtue d'une chemise de nuit qui lui donnait des allures de femme âgée. Ses seins et son ventre pendants ressemblaient à des îles dans une mer de couleur mauve.

— Je croyais que tu étais partie te coucher, dit Carson pendant que Harper passait un haut turquoise étincelant par-dessus sa poitrine dénudée.

— Non, Nate a eu du mal à s'endormir. Désolée de ne pas être revenue vous donner un coup de main tout à l'heure. Je ferai la vaisselle demain soir.

— Pas de problème, répondit Carson en se tortillant pour mettre ses jeans.

— Vous sortez ?

— Juste pour boire un verre, déclara Carson, retenant son souffle et remontant la fermeture à glissière.

Harper acheva d'attacher son collier et Carson se retourna pour admirer l'arrangement inhabituel de grosses pierres turquoise bardées d'or qui flamboyaient comme les yeux bleus de Harper. Carson n'arrivait pas à les quitter des yeux.

— Il n'est pas un peu tard ? demanda Dora.

Harper grogna.

— Non.

— Où allez-vous ?

— Est-ce vraiment important pour toi de le savoir ? questionna Harper sur un ton qui se voulait manifestement irrité.

Elle refusait de croiser le regard de Dora et se pencha plutôt au-dessus du lavabo pour s'appliquer du brillant à lèvres.

— Juste au coin de la rue, répondit Carson, espérant ainsi préserver la paix entre l'aînée et la benjamine. Station 22, probablement.

Carson perçut de l'envie dans le regard de Dora et elle fut prise d'un soudain élan de sympathie pour sa sœur. Elle se souvenait de ce que c'était d'être l'intruse du groupe.

Dora coinça une mèche de cheveux derrière son oreille.

— Il y a quelque chose que je voudrais vous dire, à propos de Nate.

— Quoi ? demanda Harper en continuant de se passer du brillant sur les lèvres.

Le ton de sa voix ne laissait pas de doute quant au fait que ça ne l'intéressait pas.

Dora s'éclaircit la gorge nerveusement. Carson se brossait les cheveux et elle regarda Dora dans le miroir, curieuse. Son aînée n'était pas nerveuse de nature.

— Mon fils est atteint d'autisme.

La main de Carson s'immobilisa. Dans le miroir, elle croisa le regard de Harper qui se mettait du rouge aux joues. Elles purent constater que toutes deux partageaient le même sentiment de compréhension et de compassion.

Carson abaissa la main et se retourna pour faire face à Dora. Elle ne savait pas quelle était la réponse appropriée. « Je suis désolée » ne sonnait pas très bien. Elle ressentait en ce moment beaucoup de sympathie pour sa sœur, car il était évident que cette révélation impliquait bon nombre de défis à relever.

Harper rompit le silence.

— Tu es sûre?

Dora sembla irritée par cette question.

— Évidemment que j'en suis sûre. Tu ne crois tout de même pas que j'invente des histoires?

— Non, répondit précipitamment Harper, manifestement embarrassée. Je veux dire... Il a été diagnostiqué?

Dora était toujours exaspérée.

— Oui, nous sommes allés voir un pédiatre et il a passé tous les tests nécessaires. L'autisme englobe toutes sortes de diagnostics. Nate est atteint du syndrome d'Asperger, c'est un autisme de haut niveau de fonctionnement. Mais ne vous méprenez pas. Il est très intelligent. C'est comme s'il était dyslexique quand vient le temps de décoder les signaux sociaux. Des choses comme les expressions faciales, les gestes... toutes ces petites choses qui nous permettent de communiquer.

Elle fit une pause et son regard passa de Carson à Harper.

— Un peu comme le regard que vous avez échangé dans le miroir. Nate ne comprend pas ce genre de choses. Et il ne manifeste pas toujours d'émotions comme on pourrait normalement s'y attendre.

Elle joua avec le diamant qu'elle portait au doigt.

— C'est vraiment un bon garçon. Je ne voulais pas que vous croyiez que c'est un enfant pourri gâté qui pique des crises de colère.

— Oh non, répondit immédiatement Carson, plus par politesse, car en réalité, c'était ce qu'elle avait cru.

— Il y a quelques trucs que vous devriez aussi savoir, continua Dora dans cette tentative de leur faire comprendre qui était son fils.

— Nate n'aime pas qu'on le touche. Alors, s'il vous plaît, ne lui faites pas de câlins ou de bisous. Et il prend vraiment à cœur certaines choses, comme sa nourriture et sa routine. Il s'énerve vite dès qu'il y a un changement. C'est pour ça que je ne voulais pas qu'il s'installe dans une autre chambre.

Elle eut un petit rire triste.

— Vous avez vu ce qui s'est passé. Quand il est dépassé par les événements, il arrive parfois qu'il finisse par craquer.

Carson observa Dora, qui continuait à faire tourner son anneau. La peau en dessous était rouge et irritée.

— J'aurais dû vous le dire tout de suite, ajouta Dora. Mais je suis toujours sur la défensive quand il est question de Nate.

— Ne le sois pas, lança Carson. Je suis contente que tu nous l'aies dit. Ça nous aide à comprendre ce qui se passe. Je suis désolée, aussi, pour ton divorce.

— Je le suis moi aussi. Je suis désolée aussi de ne pas avoir gardé contact avec vous.

Harper intervint.

— Mamaw est au courant pour Nate ?

Dora secoua la tête.

— Seuls ma famille à Charlotte et quelques amis en sont informés. Je lui fais l'école à la maison alors...

Carson regarda Dora, son visage pâle et fatigué, et eut une pensée pour la fille confiante qu'elle avait été, qui rêvait d'un avenir d'épouse heureuse, d'un mari attentionné et de deux ou trois enfants parfaits qui vivraient dans une maison bien entretenue. Son mariage coulait, son fils unique avait des besoins spéciaux et elle était sur le point de vendre sa maison. Quand on parle de se faire couper l'herbe sous le pied...

— Oh, Dora, dit Carson en passant instinctivement les bras autour de sa sœur, ça craint vraiment.

Elle sentit que Dora se tendait, puis cette dernière éclata de ~e. Quand elle se recula, Carson vit qu'une lueur de soulage-
~ brillait dans ses yeux.

116

— En effet, dit Dora, ça craint.

Dora semblait étouffer un rire qui sonnait davantage comme un sanglot.

— Ça craint vraiment, répéta-t-elle.

Lorsque Carson et Harper entendirent cette expression sortir de la bouche de Dora, elles se mirent elles aussi à rire. C'était un peu comme si le couvercle de l'autocuiseur avait sauté, laissant s'échapper toute la vapeur accumulée dans la pièce.

— Hé, Dora, viens avec nous ce soir. Nous allons juste boire un verre. Ce sera amusant, déclara Carson.

— Un autre jour, peut-être, répondit Dora. Nate est encore fâché, je ne peux pas le laisser.

— Tu es certaine? insista Harper.

Carson vit au fond des yeux de Dora qu'elle en avait très envie, mais elle finit par secouer la tête.

— Une prochaine fois.

Harper referma la fermeture à glissière de son sac si rapidement qu'elle émit comme un vrombissement.

— Dans ce cas, nous sommes parties. Ah, et Dora, ajouta-t-elle, je comprends parfaitement que Nate reste dans la bibliothèque. Ça ira très bien comme ça. Mais je vais devoir me fourrer dans le petit lit qu'il reste dans ta chambre. Alors ce soir, n'aie pas peur si tu me vois rentrer dans ta chambre sur la pointe des pieds.

Carson adressa un clin d'œil à Dora en sortant derrière Harper.

— Ne nous attends pas.

∾

Mamaw se dissimula dans l'ombre de la porte de la bibliothèque, un livre serré contre sa poitrine. Elle inclina légèrement la tête pour mieux entendre les paroles de ses petites-filles. Elle n'avait pas réussi à s'endormir et était venue à la bibliothèque trouver un livre à lire. Nate dormait à poings fermés sur le sofa escamotable transformé en lit, complètement exténué, le pauvre.

Oh Dora, pourquoi n'as-tu pas saisi l'occasion de passer un peu de bon temps ? Même d'ici, Mamaw avait pu percevoir l'envie dans la voix de Dora qui lui parvenait depuis le couloir. Elle épia Dora qui se dirigeait jusqu'à sa chambre et en fermait la porte. Puis, elle entendit le cliquetis de talons hauts sur son parquet. Elle demeura immobile jusqu'à ce qu'elle entende claquer la porte d'entrée, puis se précipita pour jeter un coup d'œil par la fenêtre. Elle regarda Harper s'installer dans le siège du passager de la voiture de Carson, entendit le grincement pitoyable de la portière rouillée qui se refermait. Carson fit ronfler le moteur, puis elle entendit les filles s'écrier :

— Mort aux dames !

Mamaw pénétra dans le salon faiblement éclairé et jeta un rapide coup d'œil aux alentours, à la recherche de Lucille. La voie était libre. Elle trotta jusqu'au placard où elle rangeait l'alcool. Elle s'était assurée de bien le remplir en prévision de la fin de semaine. Elle se versa deux doigts de son rhum jamaïcain préféré, ajouta des glaçons et en but une gorgée. Au diable les recommandations de son médecin ! Elle était à la veille de sa 80ᵉ année et avait besoin d'un petit tonique ce soir. La douce chaleur de l'alcool descendit le long de sa gorge et vint réchauffer son ventre. Elle claqua ses lèvres de satisfaction.

Lorsqu'elle fut de retour dans sa chambre, Mamaw alluma sa lampe de chevet et se faufila sous l'ample couverture qui recouvrait son grand lit. Sans Edward pour le partager avec elle, elle se sentait à la dérive dans un océan de draps et de coussins. Elle n'avait toujours pas sommeil et décida de lire peu. Mais après quelques minutes, à cause de l'histoire ardait à démarrer ou de son esprit agité, elle mit le livre de côté. Elle ne tenait tout simplement pas en place ce soir. Son esprit tournait à cent à l'heure, passant en revue chaque geste, chaque commentaire, chaque regard qu'avaient faits ses petites-filles. Elle abandonna l'idée de s'endormir et descendit de son lit. Elle sortit sur la véranda arrière et s'assit dans un fauteuil en osier rembourré.

L'air humide fit son effet, ses os se détendirent. Edward et elle aimaient prendre leurs oreillers et aller dormir sur la véranda lorsque les nuits étaient chaudes, comme l'avaient fait leurs parents et leurs grands-parents avant eux, à l'époque où l'air conditionné n'existait pas encore. Elle avait l'habitude de poser sa tête sur son épaule et ils restaient ainsi en silence, allongés sur le petit lit de fer, enveloppés dans leurs draps blancs et froids, à écouter le murmure des cigales et le chant des criquets, le hululement solitaire et occasionnel d'une chouette et le rire étouffé de leurs petites-filles. Parfois, Edward disait :

— Il est grand temps que les filles dorment.

Alors, elle le retenait, car elle savait l'importance des amitiés qui se nouaient durant l'été.

Mamaw avait espéré entendre le bruit des conversations et des rires ce soir aussi, comme avant. Mais Carson et Harper étaient impatientes de s'échapper, et Dora s'était retirée dans sa chambre. Elle poussa un grand soupir. Elle ne pouvait pas les blâmer. Le dîner avait été un véritable désastre. Elles s'étaient comportées comme des étrangères. Pire que des étrangères. Mamaw reposa son front dans la paume de sa main. Que devait-elle faire ? La fin de semaine ne commençait pas comme elle l'avait envisagé. Harper et Dora avaient clairement indiqué qu'elles ne resteraient que pour la fin de semaine. Mamaw savait qu'elle aurait besoin de tout l'été pour panser les plaies qui les séparaient. Elle soupira et regarda apparaître et s'évanouir la lueur des lucioles qui erraient au hasard dans la nuit.

— S'il Te plaît, mon Dieu, dit Mamaw en fermant les yeux, tout ce que je demande, c'est assez de temps pour voir ces filles découvrir les liens qui les unissent, comprendre qu'elles sont davantage que de simples connaissances. Davantage que des amies. Elles sont des *sœurs*.

Mamaw rouvrit les yeux, joignit les doigts et les posa sur ses lèvres. Elle évaluait les options qui s'offraient à elle. La fête en son honneur se déroulerait demain soir. Ce serait sa dernière chance, la dernière occasion où les filles seraient réunies. Elle soupira de nouveau. Elle n'avait pas d'autre choix : elle devait passer au plan B.

~

Station 22 était le nom d'un populaire restaurant de Sullivan's Island. Carson se sentait comme chez elle dans ce décor chic suranné, avec toutes ces œuvres d'art locales colorées accrochées aux murs. C'était le plus vieux restaurant de l'île, connu notamment pour sa cuisine de fruits de mer hors pair. Et il était rempli. Carson et Harper suivirent l'origine du bruit jusqu'au grand bar au fond de la salle. Des hommes frappés de coups de soleil, casquettes sur la tête et vêtus de chemises hawaïennes y faisaient la conversation à des femmes en talons hauts et vêtues de hauts d'été moulants. Tous avaient des verres dans la main, parlaient et riaient. Carson balaya l'assemblée du regard à la recherche d'un visage familier. Elle sourit lorsqu'elle aperçut Devlin assis à une table de l'autre côté de la salle. Elle l'appela et lui fit un signe de la main. Il leva les yeux, et dès qu'il la vit, il se leva et lui fit signe de se joindre à lui.

Devlin, plus social que jamais, attrapa deux chaises pour ʼeur faire de la place à la table déjà débordante de monde. Il fit ʼne à la serveuse, puis se chargea des présentations. Carson ʼusée de voir les quatre autres hommes fixer la poitrine avenante de Harper tandis que les femmes regardaient plutôt le choix de ses vêtements. Surtout ses escarpins Louboutin. Mais ce qui amusait le plus Carson, c'était que Harper était parfaitement consciente de l'effet qu'elle produisait et qu'elle en profitait. La foule était si dense et si bruyante que Carson devait crier pour se faire entendre. Après quelques tentatives, elle renonça et s'appuya contre l'épaule de Devlin, une bière à la main, observant avec plaisir Harper, qui devenait le centre de l'attention. *Qui aurait pu croire que la petite souris était une fêtarde ?* s'émerveilla-t-elle.

Devlin se pencha et murmura à l'oreille de Carson :

— Ta petite sœur est vraiment jolie fille.

Carson vit dans son regard qu'il aimait ce qu'il voyait.

— Je vois qu'elle a fait une autre conquête.

Son regard abandonna Harper et se posa sur Carson. Ses yeux pâles étaient couverts du voile de la séduction.

— Ce n'est pas cette sœur-là qui m'intéresse.

Carson émit un grognement sceptique.

— D'ailleurs, en parlant de sœurs, où est Dora ? s'enquit Devlin avec un mouvement de recul. Pourquoi n'est-elle pas venue avec vous ?

Carson ignora la piqûre qu'elle ressentit en elle quand elle réalisa qu'elle n'était pas non plus la sœur dont il parlait.

— Elle est coincée à la maison avec Nate. Son fils, expliqua-t-elle quand il secoua la tête en signe d'incompréhension.

Devlin but une longue gorgée de sa bouteille.

— Oui, bien sûr, elle doit être mariée et avoir des enfants maintenant.

— Elle divorce.

Devlin haussa un sourcil, piqué de curiosité.

— Ne retiens pas ton souffle, Roméo. Elle n'est pas du genre à courir les bars.

— Alors, c'est quoi son genre ?

— Le genre qui va à la messe et qui s'occupe du foyer.

— Vraiment?

Il réfléchit quelques instants pendant qu'il buvait sa bière d'un trait.

— Ce n'est pas la Dora dont je me souviens. Tu sais ce qu'on dit des filles réservées.

— Dora, réservée? gloussa Carson. Je crois que tu t'es trompé de sœur. Harper, que tu vois là-bas, c'était elle, la réservée.

Devlin lui lança un regard oblique.

— Tu parles bien de la minette là-bas qui mène le bal? Je crois que c'est plutôt toi qui ne connais pas bien tes sœurs.

Carson finit sa bière et se demanda à quel point Devlin connaissait Dora. Y avait-il une part de vérité dans les rumeurs qui disaient que Dora avait brisé le cœur de Devlin? Elle leva la main pour attirer l'attention de la serveuse et commanda une autre bière.

— Tu aurais dû entendre Dora au dîner, lui dit Carson. *Réservée* et *timide* ne sont pas les adjectifs que j'aurais utilisés pour la décrire quand elle a rabroué Harper. Je ne les aurais pas non plus utilisés quand elle parle — elle compta sur ses doigts — des Nordistes, des New-Yorkais, des homosexuels, des écolos mangeurs de graines et des démocrates.

Devlin éclata de rire et but une longue gorgée de bière.

— Je savais que je l'aimais.

— *Pitié*, dit Carson dans un gloussement découragé.

Elle commençait à ressentir les effets magiques de l'alcool qui relâchaient la tension qu'elle avait en elle.

— Épargne-moi ça. Mamaw n'est pas là pour m'empêcher de te réduire en miettes.

— J'aimerais bien voir ça.

Devlin passa son bras autour des épaules de Carson et s'ap-
⁔a d'elle de nouveau.

si nous oubliions tes sœurs un moment pour aller
on temps?

Carson fronça les sourcils et tourna la tête. Les yeux bleus de Devlin regardaient droit dans les siens, avec une lueur de séduction. Elle ne dirait pas non à une soirée chez Devlin, se dit-elle. Elle n'avait pas été avec un homme depuis bien long-temps et Dieu sait combien elle avait rêvé de sortir avec Devlin à l'époque où elle n'était même pas encore majeure.

— Arrête de me draguer, espèce de chaud lapin. Tu viens juste de me dire que tu as le béguin pour mes sœurs.

— C'est quoi le problème avec les filles Muir? dit-il en sou-riant lentement. Je ne suis qu'un idiot pour vous.

— Tu es un idiot, ça, je te l'accorde, le taquina Carson.

Elle se recula et tenta de se relever, mais le sol se mit à tour-ner. Elle vacilla dangereusement sur ses talons hauts et serra l'épaule de Devlin.

— Il est temps pour moi de partir.

— Je vais te reconduire.

Carson le regarda droit dans les yeux et constata qu'il était encore plus saoul qu'elle.

— Je repars avec Harper.

— Oh, elle se débrouillera sans toi, argumenta Devlin d'un ton persuasif. Je vais demander à Will de la raccompagner. Je crois qu'il en a très envie.

Carson jeta un coup d'œil à l'homme aux larges épaules qui portait un t-shirt noir très à la mode et dont le regard était embué par la bière. Harper avait l'air minuscule à ses côtés, appuyée contre sa large poitrine.

— Il en a peut-être un peu trop envie. Non, je crois que la jeune fille a bu une tequila de trop. Je vais la ramener à la maison.

Devlin avança de quelques centimètres et fit glisser sa main le long de la taille de Carson.

— Tu en es sûre? demanda-t-il d'une voix rauque.

— Non.

Elle soupira et repoussa sa main. *Maudite sois-tu, Harper,* se dit-elle tandis qu'elle s'approchait de sa sœur en titubant légèrement. Elle cria par-dessus le bruit ambiant.

— Harper, nous partons !

Harper tourna la tête, ses cheveux tout ébouriffés. Elle gémit, la tête contre la poitrine de Will.

— Déjà ?

— Oui, allez petite sœur.

Carson saisit son bras et l'aida à se lever en refusant de la tête le concert de propositions des garçons qui tenaient à raccompagner Harper, bien consciente qu'aucun d'entre eux ne la ramènerait directement chez Mamaw. La femme fêtarde et insouciante que Carson avait devant elle ne ressemblait en rien à la petite fille introvertie et timide qu'elle avait connue. Carson, amusée, regarda Harper rire de bon cœur à la plaisanterie que le grand gaillard au t-shirt noir lui chuchota à l'oreille, puis elle adressa un signe d'au revoir évasif au groupe. Carson serra fermement Harper tandis qu'elle traversait la salle en titubant. Une fois dehors, Harper s'aperçut que ses talons hauts pointus ne tiendraient pas sur le gravier et le sable. Elle se pencha pour les retirer, mais se mit à vomir toute la tequila ingurgitée durant la soirée.

Carson retint les cheveux de sa sœur et garda une main ferme sur son épaule jusqu'à ce qu'elle ait terminé. Puis, elle installa Harper dans le siège passager et fit le tour de la voiture pour s'asseoir derrière le volant. Elle était en train de chercher ses clés dans le noir lorsqu'elle fut surprise par une voix d'homme à sa fenêtre.

— Tu es sûre de pouvoir conduire jusqu'à chez toi ?

Au début, Carson crut que c'était Devlin. Elle cligna des yeux, incommodée par les lumières vives du restaurant. C'était M. Prévisible. Elle se creusa la cervelle, encore dans les vapes, tentant de se souvenir du nom de l'individu. Blake, c'était ça.

— S'il te plaît, dit-elle en essayant de prononcer clairement ses paroles malgré sa langue pâteuse. Le jour où je ne serai pas capable de conduire tout droit jusqu'en bas de Middle Street à 40 km/h, tu pourras prendre mes clés.

— Je crois que ce jour est venu, répondit Blake.

Il souriait, mais son regard était résolu.

— Que dirais-tu de me donner tes clés ? Je vais vous reconduire chez vous.

Il ouvrit la portière.

Carson comprit qu'il ne lui demandait pas sa permission. À côté, sur le siège passager, Harper ronflait déjà doucement. Carson ferma les yeux quelques instants et sentit le monde tourner autour d'elle. Elle ne pensait pas être saoule, mais peut-être avait-elle bu un peu plus qu'elle ne le pensait. Lorsqu'elle rouvrit les yeux, Blake était toujours debout devant elle, avec ses jeans et son t-shirt, la main tendue vers elle, paume vers le haut.

— Comment vas-tu revenir à ta voiture ? réussit-elle à lui demander.

— Pas de problème de ce côté-là, je n'ai pas de voiture. Je vais charger mon vélo à l'arrière, dans le coffre.

— Tu n'y arriveras pas. Il est rempli de cochonneries.

— Dans ce cas, je vais devoir marcher un peu.

Il approcha encore un peu plus sa main.

— Les clés.

— Merde, murmura Carson, vaincue.

Elle fouilla dans son sac à main et trouva ses clés accrochées à une grosse chaîne en argent.

— Tu sais, je ne te connais pas vraiment, dit-elle alors.

Elle retint les clés.

— Bien sûr que si. Mais si ça te met mal à l'aise, je peux aussi aller demander à un de tes amis du restaurant qui n'est pas trop saoul de te ramener. Dans tous les cas, Carson, tu ne conduiras pas ce soir.

— Ce ne sont pas mes amis.

Carson fit la moue et enfonça les clés dans sa main. Ses doigts effleurèrent les siens au passage. Elle monta sur la banquette arrière et croisa les bras d'un geste de défi. Elle savait qu'elle se comportait de manière pitoyable, mais elle devait préserver son amour-propre. Tandis qu'il se glissait derrière le tableau de bord, elle remarqua la largeur de ses épaules et ses mains puissantes cramponnées au volant. Il démarra le moteur.

Le trajet faisait à peine plus d'un kilomètre, mais il sembla durer des heures. Ils roulèrent dans le noir, en silence, si ce n'était du léger ronflement de Harper. Des nuages couvraient la lune et les étoiles dans un ciel d'encre. Carson s'appuya contre le coussin du siège et regarda défiler par la fenêtre les lumières des maisons. Elle se demandait par quel miracle Blake se trouvait être dans le terrain de stationnement juste au moment où elles avaient quitté le restaurant. Il semblait qu'il apparaissait chaque fois qu'elle se retournait.

— Je croyais que tu ne buvais pas, dit-elle en tournant la tête vers lui.

Il n'était qu'une sombre silhouette, elle ne pouvait pas discerner son expression faciale.

— Que faisais-tu au bar ?

— C'est aussi un restaurant, répondit-il.

Blake continua à conduire sans un mot. Puis il ajouta :

— Mais je te cherchais.

Carson se sentit soudain mal à l'aise. Ce ne pouvait évidemment pas être une coïncidence, comme elle s'en doutait.

— Tu me cherchais ? Pourquoi ?

— Je voulais te parler, dit-il tout naturellement. Mais après, je t'ai vue partir avec ce gars, celui qui était déjà avec toi la dernière fois au Dunleavy's. Alors j'ai cru que vous étiez ensemble. Je ne voulais pas me mettre en travers.

Elle comprit qu'il était en train de parler de Devlin.

— Je ne suis pas *avec* ce gars, dit Carson. C'est juste un vieil ami. J'ai beaucoup d'amis hommes.

Blake se gratta la mâchoire.

— Oh.

— Alors, que me voulais-tu ? demanda-t-elle, toujours aussi mal à l'aise de savoir qu'il la suivait.

— Nous n'avons pas pu finir notre conversation la dernière fois. Au Dunleavy's. Nous nous apprêtions à fixer une heure de rendez-vous pour que je t'apprenne le surf cerf-volant. Tu es toujours intéressée ?

— Oh. Oui, bien sûr, dit Carson en tentant de rassembler ses idées.

Ça avait du sens. Elle était soulagée qu'il ne la suive pas... ou moyennement, en fait. Elle était en réalité plutôt flattée qu'il soit aussi déterminé.

— Quand veux-tu que nous nous retrouvions ?

Il haussa les épaules.

— Je travaille pendant les journées de la semaine, alors la fin de semaine, ça m'irait. Ou n'importe quel jour après 17 h.

Carson se rappela la fête qui aurait lieu cette fin de semaine. Elle était impatiente d'apprendre et ne voulait pas remettre à plus tard la leçon. Il s'engagea dans l'allée qui menait à Sea Breeze et gara la voiture.

— Lundi ? suggéra-t-elle en se penchant sur son siège.

Il se tourna vers elle pour lui faire face, et dans la faible lumière, elle vit le coin de sa bouche qui s'étirait en un sourire.

— Alors, ce sera lundi. Je t'attendrai à la Station 28, à 17 h.

Blake sortit de la voiture et fit le tour pour ouvrir la portière côté passager pendant que Carson s'extirpait du véhicule. Blake secoua délicatement Harper. Elle se réveilla et poussa un grognement très peu féminin. Blake aida Harper à sortir de la vieille Volvo et la retint au moment où elle fut exposée à l'air frais.

— J'ai la nausée, gémit Harper.

127

Carson recula d'un pas, juste au cas où.

— Nous allons t'aider à aller te coucher, pour que tu digères tout ça en dormant.

Carson et Blake marchèrent à ses côtés et la guidèrent pendant qu'elle titubait jusqu'à la porte d'entrée.

— Veux-tu que je t'aide pour rentrer ? demanda-t-il.

— Non merci, je peux me débrouiller pour le reste.

Carson raffermit sa prise sur la taille de Harper.

— Elle ne pèse pas bien lourd. Et je ne veux pas réveiller Mamaw ou Lucille. Harper ne voudra pas qu'on la voie dans cet état.

— Elle aura du mal à le cacher demain, quand elle aura la gueule de bois.

— Oui, c'est vrai qu'elle ne tient pas bien l'alcool.

— Parce que toi oui ?

— Comme tu peux le constater.

— C'est vrai que tu n'es pas aussi saoule que je le redoutais.

— C'est ce que j'essayais de te dire tout à l'heure.

— Quand même, dit-il plus sérieusement, tu n'es pas en état de conduire.

— C'est discutable.

Harper se lamenta.

— Je veux m'allonger.

— Je ferais mieux de l'aider à rentrer. Merci.

Il lui tendit les clés de la voiture, rentra les doigts dans ses poches arrière et recula de quelques pas.

— Nous nous verrons lundi, à 17 h.

— Allez ma belle, chuchota Carson à une Harper gémissante. Il est temps que le bébé aille dormir.

CHAPITRE 8

C arson était impatiente de se glisser dans son maillot et de se faufiler dans la crique avant le réveil du reste de la maisonnée. Elle se hâta jusqu'au quai sous un ciel gris brumeux et embarqua sur sa planche à bras. Les pagaies soulevaient de légères éclaboussures tandis qu'elle descendait le long de l'anse, balayant la crique du regard. Comme elle s'y attendait, un dauphin émergea juste à côté d'elle en expirant bruyamment par son évent. Carson sentit son cœur sauter un battement. Elle se fendit immédiatement d'un sourire. Elle savait que c'était le même dauphin que la dernière fois sans même voir sa nageoire blessée qui bougeait sous l'eau.

— Tu es revenu! s'exclama Carson à voix haute.

Le dauphin poussa un sifflement aigu que Carson interpréta comme un cri de joie.

L'animal se mit à nager vers l'avant, avant de sauter dans les airs et de revenir vers elle, tout près de la planche à bras. Il regarda Carson de ses yeux impatients, invitant cette dernière à interagir. Il était évident que, cette fois, le dauphin l'avait attendue. Il tentait maintenant de communiquer. Carson voulait lui répondre, mais elle avait à cet instant l'impression d'être sourde et muette.

Une voix ne cessait de se faire entendre dans un coin de son esprit : *Ce n'est que ton imagination. Le dauphin n'essaie pas de communiquer. Ce n'est qu'un animal sauvage.* Mais une autre petite voix lui murmurait d'ignorer ces arguments raisonnables et d'accepter tout simplement ce qu'elle venait de voir. Lorsqu'elle regarda de nouveau dans les yeux du dauphin, elle fut convaincue d'y voir une conscience aiguë. Et cette conscience la mettait au défi.

Carson décida à ce moment-là de chasser tous ses doutes ; elle allait y croire. Et elle devrait le faire davantage avec son cœur qu'avec son esprit.

Carson s'allongea lentement sur sa planche. Elle voulait se retrouver face à face avec le dauphin. Ce dernier ne s'éloigna pas, contrairement à ce qu'elle redoutait. Il resta au même endroit, inclina la tête et la fixa de ses yeux curieux et perçants.

Carson posa sa joue sur ses mains, et pendant quelques minutes, ils s'observèrent tranquillement, dans une joie silencieuse. Ce moment lui rappelait les nuits passées avec ses sœurs, quand elles étaient jeunes et qu'elles se racontaient des histoires avant de s'endormir. Elle s'agita un peu sur sa planche, et des gouttes d'eau salée fraîches lui aspergèrent le visage et formèrent des perles brillantes sur ses cils.

À sa grande surprise, le dauphin s'inclina soudainement sur le côté, sans la quitter des yeux. Carson, enjouée, décida de l'imiter. Le dauphin glissa alors sur son ventre, puis se positionna de nouveau de côté. Une fois de plus, Carson fit de même. Une idée lui traversa alors l'esprit. Elle se retourna complètement cette fois, allongée sur le dos, et retint son souffle. Après une courte pause, le dauphin se coucha à son tour, exposant son ventre blanc et brillant. Carson eut le temps d'apercevoir une fente longue entourée de ce qui ressemblait à des parenthèses. Ils se retournèrent en même temps.

Aha, pensa Carson. *Tu es une femelle. Je m'en doutais.* Carson releva la tête et, regardant les yeux radieux du dauphin, elle prononça le nom qui lui avait brûlé les lèvres.
— Bonjour Delphine.

~

Mamaw se prélassait dans sa robe de chambre sur la véranda arrière, les pieds posés sur l'ottomane, buvant tranquillement son café et lisant le *Post & Courier*. Aujourd'hui, c'était son anniversaire ! Quatre-vingts ans… Qui aurait cru qu'elle vivrait aussi longtemps ? Elle estimait qu'elle avait le droit d'être d'une paresse décadente aujourd'hui. Son passé était derrière elle et elle avait vécu une vie entière. Mamaw n'aimait pas penser que le meilleur était derrière elle, mais elle était réaliste : c'était sans doute le cas. C'était tout de même une bénédiction d'avoir pu vivre assez longtemps pour voir ses enfants grandir, prospérer et procréer, et d'avoir eu la chance de connaître la prochaine génération qui porterait le flambeau. Mais c'était aussi une véritable malédiction d'avoir vu mourir son enfant, son mari, ses amis.

Mais c'était la main qu'on lui avait donnée et elle était heureuse d'être toujours de la partie. Quatre-vingts ans de bonnes résolutions et d'échecs. Huit décennies de rêves et d'espoirs anéantis. Quand elle était jeune, elle notait avec sang-froid les réussites et les échecs de chaque année. Après tout, elle avait encore tant d'années devant elle pour corriger le tir. Ce ne fut que quand elle avait atteint les 60 ans qu'elle avait commencé à porter attention aux années qui passaient, et aujourd'hui, à 80 ans, elle n'osait espérer passer 10 ans de plus sur cette Terre, mais priait pour vivre encore assez longtemps pour voir ces jeunes femmes trouver leur voie. En vérité, elle s'estimerait heureuse si elle passait l'été.

Le grincement d'une porte-moustiquaire se fit entendre depuis l'aile ouest de la maison. Mamaw tourna la tête et vit Nate, vêtu d'un t-shirt et de ses éternels shorts en tissu doux, complétés par des chaussures de tennis. Il avançait, accroupi, et se dandinait comme un crabe. Il traversa rapidement la véranda tel un fantôme et Mamaw le regarda courir sur le quai de bois, enfreignant ainsi l'une des règles strictes édictées par sa mère. Mamaw déposa sa tasse de café dans un tintement, se rendit à la balustrade pour s'y agripper aussi vite que son corps le lui permettait.

Qu'est-ce qu'il complote ? s'interrogea-t-elle. Grand Dieu ! Il se dirigeait tout droit vers le bout du quai. Avait-il vraiment l'intention de sauter ? Savait-il seulement nager ? Mamaw sentit les battements de son cœur s'accélérer. Elle était sur le point de le rappeler à l'ordre.

Soudain, un mouvement dans l'eau attira son attention. Elle comprit alors ce que le garçon était venu regarder, ce qu'il attendait. Carson dirigeait sa planche à bras vers le quai. Elle était trempée dans son bikini corail aux couleurs vives et ses longs cheveux noirs collaient à son corps bronzé et musclé.

Regardez-moi ça, pensa Mamaw, songeuse et fière. Son apparence sombre et son corps athlétique lui donnaient les airs exotiques d'une princesse amazone. Bien qu'on ait un jour considéré Mamaw comme une beauté locale, elle se demandait maintenant si elle avait déjà possédé cette vitalité, cette énergie que dégageait Carson.

Un mouvement à côté de la planche fit tiquer Mamaw. C'était un aileron. Mamaw porta la main sur son cœur. Le souvenir de l'histoire de Carson et du requin lui traversa l'esprit, et elle se pencha sur la balustrade en plissant les yeux. C'était un dauphin ! Elle laissa échapper un petit rire et porta la main à ses lèvres, s'affaissant presque de soulagement. Un dauphin... Nate l'avait sans doute aperçu depuis sa fenêtre. Ce n'était pas étonnant que le garçon soit tout excité.

Mamaw ne les quitta pas des yeux. Carson sauta avec agilité sur le quai flottant et souleva aisément sa planche. Nate se précipita vers le quai inférieur et fixa la surface de l'eau, hypnotisé par le dauphin qui restait là, devant lui. Mamaw entendit le sifflement perçant du dauphin, immédiatement suivi du rire aigu de Nate. Mamaw porta de nouveau la main à son cœur, mais cette fois, c'était le geste d'une agréable surprise. Elle ne se rappelait pas la dernière fois qu'elle avait entendu le rire de Nate.

La porte qui donnait sur la véranda claqua une fois de plus et Mamaw se retourna. Dora apparut, l'air paniqué et les yeux furtifs. Elle s'arrêta au bord de la véranda, plaça sa main en visière au-dessus de ses yeux et aperçut enfin le duo qui se trouvait sur le quai.

— Nate! cria-t-elle.

— Oh, laisse-le tranquille, répliqua Mamaw. Il est avec Carson, il ne peut rien lui arriver.

Dora tourna brusquement la tête, surprise d'entendre la voix de Mamaw. Dora était vêtue d'une élégante jupe bleue en crépon de coton et d'un chemisier en lin brodé. Elle commençait à prendre soin de son apparence, ce qui touchait Mamaw droit au cœur.

— Tu es bien jolie ce matin, lui dit Mamaw.

— Il ne devrait pas être sur le quai, indiqua Dora avec anxiété.

Elle plaça ses mains sur ses hanches.

— Il connaît les règles.

— Oh Dora, laisse ce garçon vivre un peu. Il s'amuse et il est entre de bonnes mains. Carson nage comme un poisson. Elle ne le laissera pas se noyer. De grâce, mon enfant, prends donc un moment pour savourer une tasse de café. Je ne crois pas que tu aies l'occasion de prendre beaucoup de pauses tôt le matin.

Dora détourna le regard pour se tourner vers sa grand-mère. Son visage reflétait le dilemme qui la torturait, visiblement incertaine quant au choix à faire dans cette situation.

— Va donc te verser du café et viens me rejoindre après, pour que nous passions un petit moment ensemble, dit Mamaw en tapotant la chaise à côté d'elle. C'est mon anniversaire. Et j'aimerais bien avoir un peu de compagnie.

Dora jeta un coup d'œil vers le quai, puis se tourna de nouveau vers Mamaw. Son air de résignation se mua progressivement en un sourire hésitant.

— Très bien, dit-elle, et elle retourna à l'intérieur.

Mamaw lança un dernier regard au duo resté près de l'eau et qui était maintenant en grande conversation. *Bien*, se dit-elle. Ce garçon devait passer un peu de temps avec ses tantes. Et Dora devait profiter d'un peu de bon temps.

Quelques instants plus tard, Dora ressortit avec une grande tasse fumante et un sourire sur le visage. Mamaw lui répondit d'un grand sourire. Finalement, peut-être que la fin de semaine ne s'annonçait pas si mal.

∼

Lorsque Carson posa le pied sur le quai, elle fut surprise de trouver Nate assis en tailleur sur le rebord, les yeux rivés sur le dauphin. C'était un garçon tout maigre et il avait une coupe de cheveux horrible. C'était le genre coupe bol des plus démodées, que Dora avait sans doute faite elle-même, pensa Carson en voyant les bords dentelés irréguliers. Lorsque le regard du garçon se posa sur elle, Carson sentit qu'il était nerveux, comme s'il avait peur qu'elle ne s'approche trop près.

— Bonjour Nate, que fais-tu ici ?

— Rien, dit-il en regardant le quai.

Ils pouvaient entendre Dora crier au loin. Le garçon se crispa et gratta une croûte sur son bras, sans répondre.

— Tu n'as pas entendu ta mère t'appeler ?

Nate revêtit un air renfrogné, mais ne dit rien.

— Tu devrais lui répondre. Elle pourrait s'inquiéter.

— Je ne veux pas.

— Pourquoi?

— Je ne veux pas qu'elle vienne, sinon le poisson va s'enfuir.

— Le poisson?

Carson marqua une pause.

— Oh.

Nate voulait sans doute parler du dauphin, qui expliquait aussi sa présence ici.

— Ce n'est pas un poisson Nate. C'est un mammifère. On l'appelle un dauphin. Viens lui dire bonjour.

Nate semblait à la fois en avoir très envie, mais très indécis. Carson lui tendit la main, mais il l'ignora. Il descendit plutôt sur le quai inférieur et s'approcha du bord. Delphine s'éloigna de plusieurs mètres dans l'eau, puis fit demi-tour en émettant de brefs cliquetis, toujours aussi curieuse.

— Le dauphin t'aime bien, dit Nate.

Carson sourit, car elle avait l'intime conviction que c'était la vérité.

— Est-ce que ton dauphin a un nom?

— Ce n'est pas *mon* dauphin. Elle est à l'état sauvage… Mais je l'appelle Delphine.

— Delphine, répéta Nate. C'est un joli nom.

Carson éclata de rire et se pencha pour prendre le garçon dans ses bras, mais Nate la vit venir et se tendit aussitôt. Carson se souvint alors des recommandations de Dora et se retint juste à temps. Elle recula. Nate ne semblait pas s'apercevoir du dilemme auquel elle était confrontée. Il était captivé par les mouvements du dauphin et le cherchait des yeux alors que ce dernier avait émergé, puis disparu sous la surface de l'eau.

— Où est-elle partie?

Carson mit sa main en visière et scruta l'étendue d'eau. Quelques minutes plus tard, elle aperçut Delphine plus loin, de l'autre côté de la crique.

— Elle est là-bas, tout droit, dit Carson en pointant à Nate l'emplacement du doigt. Attends, elle vient juste de replonger.

Nate s'était levé sur la pointe des pieds et plissait les yeux pour mieux voir l'animal. Ils regardèrent Delphine arquer le dos au-dessus de la surface de l'eau et prendre sa respiration avant de nager encore plus loin. Mais après quelques minutes, Carson la perdit de vue.

— Elle est partie, mais ne t'inquiète pas, elle reviendra.

— Mais je veux la voir maintenant.

Carson n'avait pas beaucoup d'expérience avec les enfants, et les plus exigeants d'entre eux lui tapaient sur les nerfs.

— Eh bien, mon bonhomme, tu ne peux pas. C'est un animal sauvage. Elle vient quand elle en a envie. D'ailleurs, il est temps pour nous de partir. Allez.

Elle lui donna un gentil coup de coude et commença à marcher. Une petite main lui tapota doucement le bras. Elle se retourna. Nate regardait toujours la surface de l'eau en se mordant les lèvres.

— Est-ce que je peux revoir le dauphin?

Carson vit dans ses yeux la même ardeur que dans ceux du dauphin. Elle compatit avec son besoin d'entrer en contact avec cette chose que le dauphin avait en lui et qui les rapprochait irrésistiblement, comme par magie.

— Bien sûr, répondit Carson avec un sourire. Si elle revient. Et je crois qu'elle reviendra. Peut-être que plus tard dans la journée, nous pourrons revenir ici tous les deux. Tu ramèneras ton gilet de sauvetage, comme ça nous pourrons faire une petite baignade. Tu sais nager n'est-ce pas?

Nate acquiesça, puis sourit, et ce fut comme si le soleil apparaissait enfin, derrière un sombre nuage.

≈

Plus tard ce matin, l'odeur du bacon flottait dans toute la cuisine. Carson suivit les effluves, l'estomac gargouillant. Il n'y avait personne dans la cuisine, mais sur la table se trouvait une assiette de bacon croustillant et des petits pains préparés par Lucille étaient étalés sous une cloche en verre. Carson s'apprêtait à en prendre un lorsqu'elle entendit des bruits de pas derrière elle. Elle tourna la tête et vit Harper qui approchait. Son visage était pâle et ses yeux vitreux, mais elle avait fait un effort. Elle avait noué ses cheveux en une queue de cheval épaisse et était vêtue de bermudas en madras serrés, d'un polo blanc et de chaussures de tennis d'un blanc immaculé. Carson jeta un coup d'œil à son t-shirt vert et à ses shorts en jeans déchirés. L'accoutrement de Harper conviendrait mieux à un séjour à Nantucket plutôt qu'à une fin de semaine à Sullivan's Island.

— Bonjour, dit Carson. Tu pars en mer ?

Harper secoua la tête d'un air maussade, sans comprendre la blague.

— Tu veux du bacon ? demanda Carson en choisissant un gros morceau bien gras.

Harper pâlit à vue d'œil.

— Beurk, ne me parle pas de nourriture. Il reste du café ?

— Je vais t'en verser une tasse, dit Carson en empilant du bacon dans son assiette maintenant qu'elle savait qu'elle n'aurait pas à en partager avec sa sœur.

Elle ouvrit une armoire et saisit une grosse tasse frappée de l'insigne presque effacé de l'équipe des Gamecocks.

— Un peu trop de tequila hier soir ?

Harper lui fit signe de se taire en lançant des regards furtifs de droite à gauche.

— Parle moins fort, je ne veux pas que Mamaw ou Lucille le sachent.

Elle but lentement une gorgée de café.

— Je ne me rappelle même plus combien de verres j'ai bus. Il y avait toujours quelqu'un pour m'en verser un autre. C'était sans fin…

Elle reprit une gorgée de café, puis se dirigea vers le petit placard et en extirpa un verre. Elle se versa de l'eau et sortit de sa poche deux aspirines.

— Le petit déjeuner des champions, murmura-t-elle, et elle avala les pilules avec un frémissement.

Carson rit gaiement, compatissante.

— Désolé sœurette. Je n'avais pas l'intention que tu aies la gueule de bois. J'aurais dû te surveiller de plus près. Tu es une petite nature.

Carson ne put s'empêcher de ricaner.

— Tu ne tiens pas l'alcool.

— Je n'ai pas besoin que tu me surveilles, merci beaucoup. Je suis capable de tenir le coup d'habitude. C'est juste que c'était une journée de dingue et que je n'avais pas beaucoup mangé.

Elle but encore plus d'eau.

— Laisse-moi deviner, tu supportes l'alcool comme une vraie championne ?

Carson afficha un large sourire et glissa un long morceau de bacon dans sa bouche.

— Je me sens en pleine forme.

— Génial.

— Pendant que tu ronflais, je suis allée en ville acheter des cannes à pêche et des appâts. Aujourd'hui ma grande, enduis-toi de crème solaire, parce que nous allons pêcher.

Harper lui lança un regard de biais sous ses paupières à demi closes.

— Tu n'es pas sérieuse ? Des vers de terre ? Du poisson ? Et moi ? Oublie ça tout de suite.

Nate entra alors dans la pièce, suivi de Dora. Carson ressentit un élan d'affection pour le garçon lorsqu'elle vit ses yeux bleus s'illuminer en la voyant.

— Salut minus, lui dit Carson. Ça te dit d'aller pêcher? lui demanda-t-elle.

— Pêcher? s'enquit Dora, surprise. Ça ne faisait pas partie des plans si je me souviens bien.

— Je ne savais pas qu'il y avait des plans, répliqua Carson.

En tant que sœur aînée, Dora estimait que c'était elle qui devait organiser les sorties en famille, sans compter qu'elle était de nature plutôt autoritaire.

— Bien sûr que nous avons des plans, dit Dora. Il y aura un cocktail sur la véranda à 17 h. Il faudra être habillé sur notre 31, car il est prévu que nous prenions une photo, ajouta-t-elle.

— Une photo? Oh, c'est une bonne idée! Je vais préparer mes appareils.

— Ce n'est pas *toi* qui prendras les photos, insista Dora. Mamaw a engagé un photographe.

Carson se sentit offensée.

— Pourquoi devrait-elle engager quelqu'un? Je suis photographe professionnelle. Dis-lui d'annuler tout.

— Elle veut que tu sois *sur* la photo, pas derrière l'appareil, expliqua Dora.

— N'a-t-elle jamais entendu parler d'un minuteur? Où est-elle? Je dois lui parler.

Harper éleva alors la voix.

— Laisse tomber, dit-elle à Carson. Mamaw a tout organisé. Je suis sûre qu'elle pensait à toi.

— Harper a raison. Mamaw a fait venir un traiteur pour s'occuper du repas, pour que Lucille se repose un peu et reste avec nous. Elle s'est donné beaucoup de mal pour tout planifier.

Dora lança un regard éloquent à Carson.

— Mais on n'a jamais dit qu'il serait question d'aller pêcher aujourd'hui.

À ce moment, Mamaw fit son entrée dans la pièce, les yeux brillants. Elle était accompagnée de Lucille.

— C'était censé être une surprise, Dora. Alors, s'il te plaît, souris et essaie de ne pas la gâcher.

Mamaw brandit alors une canne à pêche rouge dotée d'un moulinet de la même couleur.

— Regardez ce que j'ai trouvé !

Elle caressa doucement l'objet avant de se tourner vers Nate.

— Cette canne appartenait à ton arrière-grand-père Edward. Il en avait plusieurs, bien sûr, car il adorait pêcher. Mais vers la fin, il n'utilisait presque plus que celle-là. C'était de loin sa préférée. Je sais qu'il aurait beaucoup aimé t'apprendre à pêcher. Et puisqu'il n'est plus là, c'est à toi que je la donne, son unique arrière-petit-fils. J'espère que tu attraperas autant de poissons que lui jadis, lorsqu'il pêchait sur ce même quai.

Mamaw lui tendit la canne avec un grand geste théâtral. Carson savait que ce moment était chargé de signification pour sa grand-mère.

À l'inverse, Nate ne démontrait aucune émotion. Il accepta l'objet et le tint dans ses bras en le regardant d'un air indifférent.

Dora vint se placer à côté de lui, un sourire un peu forcé sur les lèvres.

— N'est-ce pas magnifique ? Dis merci à Mamaw, lui dit-elle.

Nate garda les yeux fixés sur la canne à pêche et s'exécuta.

— Merci, lâcha-t-il sans conviction.

— C'est un cadeau charmant, dit Dora avec enthousiasme. Merci beaucoup Mamaw. Il aime vraiment ça.

Le visage de Mamaw se décomposa en voyant la réaction de Nate, mais elle se ressaisit très vite et adressa un sourire en coin à Dora.

— Je lui souhaite d'en faire bon usage.

— Oh il le fera ! s'exclama Dora. N'est-ce pas Nate ?

Ce dernier ne répondit pas. Il abaissa la canne à pêche et se tortilla, gêné d'être le centre d'attention.

Carson nota que Harper, appuyée sur le comptoir, était en train d'étudier silencieusement le garçon. La détermination de Dora à montrer de l'enthousiasme éclipsait l'humeur songeuse de Mamaw, et Carson fut prise d'un élan de sympathie pour sa grand-mère.

— Tu sais, Nate, dit Carson d'une voix neutre, c'est une très bonne canne à pêche. Dès que tu commenceras à l'utiliser, tu vas l'adorer. C'est garanti.

— Je ne sais pas pêcher, répondit-il d'une voix sans émotion. Mon père sait comment pêcher, mais il ne m'a jamais appris. Il a dit que je n'étais pas assez grand encore et que je suis trop maladroit.

Carson jeta un rapide coup d'œil à Dora. Le visage de sa sœur affichait un air chagrin. Carson maudit Cal d'avoir été paresseux et insensible au point de ne pas amener son fils de neuf ans à la pêche.

— Non, tu as l'âge idéal pour apprendre, dit Carson. Savais-tu que lorsque ton arrière-grand-père m'a appris à pêcher, j'étais encore plus jeune que toi ? Nous nous asseyions juste là, sur le quai, et nous pêchions toutes sortes de poissons : du flet, des tambours rouges… Après, nous les nettoyions et nous les donnions à Lucille pour qu'elle les prépare. Elle les servait au beurre, avec du persil et un peu de citron. Tu te rappelles Mamaw ?

Les yeux de Mamaw brillaient au souvenir de ces moments heureux.

— Ton arrière-grand-père est au paradis maintenant Nate. Il revient donc à *nous* de t'apprendre à pêcher.

— Qu'en dis-tu ? demanda Carson.

— En dire ? répondit Nate, qui ne comprenait pas la tournure de phrase.

— Est-ce que tu veux que nous t'apprenions à pêcher ? expliqua Carson.

— Non.

— Oh, fit Carson, découragée.

— Je veux que tu m'apprennes à jouer avec le dauphin.

— Le dauphin, demanda Dora. Quel dauphin ?

Carson grogna intérieurement. Elle n'était pas prête à partager Delphine avec qui que ce soit.

— Le dauphin qui vient près du quai, répondit Nate de ce ton si pragmatique. C'est le dauphin de tante Carson.

Dora regarda la principale intéressée d'un air confus.

— *Ton* dauphin ?

— Bien sûr que non. C'est juste un dauphin qui vient nager de temps en temps près du ponton.

— Son dauphin a un nom, dit Nate. Elle l'appelle Delphine. C'est un très joli nom. Delphine joue avec tante Carson, les informa Nate avec conviction.

Carson regarda autour d'elle et constata alors que tout le monde la regardait. Elle soupira.

— C'est une longue histoire. Si vous voulez que je vous la raconte, venez pêcher tout à l'heure. La pêche est un jeu de patience et nous aurons tout le temps de papoter.

~

L'après-midi fut un franc succès. Mamaw distribua de grands chapeaux souples et de la crème solaire à tout le monde. Lucille prépara un pique-nique constitué de sandwichs au poulet avec du pain de grains entiers, de cornichons, de mandarines et de biscuits à l'avoine faits maison, ainsi qu'une bonne quantité de thé glacé sucré. Dora prépara à Nate son propre pique-nique, avec la nourriture approuvée par le garçon et qu'il mangea sans se plaindre. Les femmes dégustèrent leur festin dans l'ombre projetée par le toit du quai, avant de se lancer dans leur grande aventure de pêche.

Au début, Harper avait été d'humeur un peu terne. Elle avait évoqué toutes sortes d'excuses pour ne pas se joindre au groupe : elle n'aimait pas rester assise au soleil, elle devait se mettre à jour dans son travail, répondre à ses courriels... Mais Mamaw avait réussi à la persuader d'apporter son ordinateur portable avec elle sur le quai et de s'asseoir à l'ombre. Harper obtempéra et s'assit sous le toit du ponton avec son iPad. Pendant ce temps, Mamaw s'affaira à préparer les appâts et montra à Nate et à Dora comment lancer leur ligne depuis le quai.

Carson en profita pour sortir son appareil-photo, ravie de pouvoir enfin prendre ses premières photographies depuis qu'elle avait quitté Los Angeles. Derrière son objectif, Carson parvenait à prendre en gros plans des membres de sa famille, à figer des traits de caractère qui passaient parfois inaperçus à l'œil nu.

Ainsi, elle put constater que Harper était passée maître dans l'art de se rendre invisible. La « petite souris » restait silencieuse dans son coin et les gens autour d'elle finissaient même par en oublier sa présence, ce qui lui permettait de profiter de moments de calme. Ses doigts pianotaient en permanence sur le clavier de son ordinateur ou de son téléphone. Carson se demandait si sa jeune sœur n'était pas en train d'écrire à sa mère toutes sortes d'anecdotes ironiques, du genre « Contes amusants des terres du Sud » ou « Les péquenauds sur la côte ».

Le petit Nate prenait à cœur tout ce qu'il entreprenait. Sur toutes les photos, il avait les sourcils froncés et le regard alerte, tout concentré qu'il était à écouter Mamaw qui lui apprenait à installer les appâts, lancer sa ligne et rembobiner son moulinet. Nate, c'était tout à son honneur, observait silencieusement son arrière-grand-mère pendant qu'elle lui donnait toutes les explications ; et pourtant, Dieu sait qu'avec Mamaw, elles pouvaient être interminables. Quand Nate prit la canne entre ses doigts, ses gestes étaient habiles et assurés.

Dora, elle, restait en retrait. Elle tournait autour de Nate, soit parce qu'elle était inquiète, soit par simple habitude, Carson n'aurait su le dire. Elle tenait mollement sa canne à pêche, appuyée contre la rampe qui courait le long du quai, les yeux perdus dans la mer. Carson prit un gros plan de son visage ; ses merveilleux yeux bleus étaient noyés de larmes.

Au milieu de l'après-midi, le soleil était à son zénith et aucun poisson n'avait encore mordu à l'hameçon. À vrai dire, personne n'en avait cure. Carson avait versé subrepticement un peu de vodka au thé sucré Firefly dans le thé glacé, afin de le rehausser un peu pour que les langues se délient. Le stratagème fonctionna à merveille. Carson mit de côté son appareil-photo et Harper fit de même avec son iPad. Les femmes se mirent à discuter gentiment de sujets sans danger comme les films, les recettes et les souvenirs heureux. Seul Nate restait imperturbable avec sa canne. De temps en temps, Carson se levait d'un bond et l'aidait à relancer sa ligne, ou bien c'était Dora qui se levait pour enduire de crème solaire les bras et le visage de son fils.

Puis, soudainement, Mamaw poussa un cri perçant et tira sur sa canne à pêche.

— J'en ai un !

Un concert de cris accueillit la nouvelle et tous se levèrent pour s'approcher d'elle. Un peu étourdie par tant de chance et, il faut le dire, le pas sans doute moins assuré à cause du « thé », Mamaw se joignit aux exclamations des filles et se prit à hululer tandis qu'elles riaient et sifflaient. Carson saisit son appareil pour immortaliser la bataille comique qui opposait Mamaw à sa prise. La vieille femme tira sur sa canne et remonta au bout du fil le poisson rouge le plus minuscule que Carson ait jamais vu.

Dora rit en voyant le petit invertébré pendre au bout de l'hameçon.

— C'était beaucoup d'effort pour un si petit poisson.

— Hé, fit Carson sur la défensive. C'est notre seule prise de la journée !

— Prends donc une photo de mon trophée, dit Mamaw en tenant fièrement le poisson dans les airs. Avant que je le rejette à l'eau.

Nate ne tenait plus en place à côté de Mamaw. Cette dernière saisit une paire de pinces.

Carson n'était pas certaine que Mamaw soit en état de manier les pinces, elle qui était déjà un peu étourdie, et elle voulut intervenir pour l'aider. Mais sa grand-mère la repoussa avec un air indigné.

— Je pêchais bien avant que tu ne sois même un projet dans la tête de ton père. Maintenant, recule.

Elle attrapa le poisson, retira l'hameçon avec dextérité.

— Nate, mon chéri, me ferais-tu l'honneur de remettre ce *petit* poisson à la mer ?

— Oui, répondit Nate d'une voix enrouée par la peur et l'excitation.

Il eut toutefois le mérite de saisir fermement le poisson à deux mains. Le poisson commença à se débattre, mais Nate ne le lâcha pas. Il marcha jusqu'à l'avant du quai, les bras tendus bien raides devant lui.

Carson le suivit en se croisant les doigts pour que le garçon n'étouffe pas le poisson entre ses doigts avant même de le libérer. Lorsqu'elle regarda par-dessus la balustrade, elle fut surprise de voir Delphine, la bouche ouverte et les yeux fixés sur Nate, qui tenait le poisson au-dessus de l'eau.

— Ne nourris pas le dauphin ! cria Carson.

Trop tard. Nate relâcha le poisson.

En un éclair, Delphine sauta et attrapa habilement au vol le poisson dans sa bouche. Elle le relança dans les airs, le rattrapa, puis replongea, disparaissant avec son butin.

Nate explosa de rire. Il se pencha par-dessus la rampe, sur la pointe des pieds, un grand sourire sur les lèvres guettant le moindre signe du retour de l'animal. Dora se couvrit la bouche avec les mains, les yeux grands ouverts, émerveillée de voir son fils si heureux. C'était la première fois qu'elle voyait Nate sourire depuis le début de la fin de semaine.

Delphine prit position sous le quai et émit une série de sons saccadés et un peu nasillards devant un public émerveillé. Harper s'assit sur le rebord du ponton et trempa ses pieds dans l'eau. Malgré une généreuse couche de crème solaire et son chapeau aux larges bords, sa peau avait pris une teinte légèrement rosée.

— Je crois qu'elle veut plus de poisson !

— Elle quête, dit Carson sur un ton désapprobateur en secouant la tête. Quelqu'un lui a sans doute déjà donné à manger par le passé, ce qui expliquerait pourquoi elle est aussi amicale. Oh arrête donc, cria-t-elle à Delphine. Les dames ne mendient pas !

— Est-ce le même dauphin que celui de ce matin ? demanda Mamaw.

— C'est Delphine, annonça Nate. C'est le dauphin de Carson.

— Ce n'est pas *mon* dauphin, réexpliqua Carson avec la forte impression que c'était un combat perdu d'avance.

Dans l'eau, juste en dessous d'elle, Delphine attendait, ses yeux noirs toujours aussi brillants.

— Tu ne m'aides pas beaucoup toi, lui dit Carson, qui ne put s'empêcher, comme d'habitude, d'esquisser un sourire.

— Comment est-elle arrivée jusqu'ici, demanda Harper. Près de notre quai ?

Carson voulut dédramatiser l'histoire qui avait mené Delphine jusque-là.

— Que veux-tu que je te dise ? Elle m'aime bien.

Mamaw rit de bon cœur, ce qui produisit un son charmant, un trille particulièrement féminin et loin d'être grotesque.

— Tu as toujours été notre petite sirène.

Elle tendit la main et flatta gentiment la tête de Carson. Puis, elle se retourna, se pencha à son tour par-dessus la rampe et jeta un regard impérieux au dauphin qui la regardait d'un air enchanteur.

— Tu es une bien jolie créature, toi ! déclara Mamaw.

Au moment même où elle se redressait, une légère brise souffla, lui arracha du cou son écharpe en soie corail et l'envoya s'envoler dans les airs. Mamaw haleta, et Carson étira le bras pour attraper l'écharpe, mais cette dernière virevolta hors de portée, plana un moment, puis retomba plus loin dans la crique.

— Perdue à tout jamais, soupira Mamaw. Ce n'était qu'une Ferragamo.

Dès que le châle s'était envolé, Delphine l'avait suivi. Elle nagea jusqu'à l'écharpe aux couleurs vives qui flottait sur l'eau. Curieuse, elle se mit à pousser du bout du rostre le tissu comme s'il s'agissait d'un débris, puis le lança dans les airs. Ce petit jeu semblait beaucoup l'amuser, car elle continua de tourner autour de l'écharpe et la relança à plusieurs reprises. Puis, elle l'attrapa et disparut avec sous la surface de l'eau.

— Petite voleuse ! cria Mamaw en direction des ondulations de l'eau qui se propageaient en cercles concentriques.

— Elle est de retour ! dit Harper.

Elle pointa du doigt une silhouette qui émergeait au loin, puis éclata de rire.

— Oh. Mon. Dieu.

Delphine revenait maintenant vers le quai, l'écharpe aux couleurs de corail accrochée à sa nageoire pectorale, à la manière d'une dame qui marcherait sur la promenade.

Tous se mirent à rire, y compris Mamaw. Elle se pencha par-dessus la rampe qui courait le long du ponton. Juste en dessous, Delphine tenait l'écharpe Ferragamo dans sa gueule. Carson abaissa son appareil-photo un instant et contempla le tableau que formait sa famille. Pour Harper, Dora, Mamaw et Nate, ce qu'ils vivaient à cet instant était unique. Tous avaient le sourire aux lèvres, et ce moment charnière n'avait été possible que grâce à l'apparition de cet énigmatique dauphin.

— Au moins, tu fais preuve de bon goût, s'exclama Mamaw de ce ton impérieux dont elle avait le secret. Bienvenue parmi nous Delphine, petite friponne. Je déclare que tu es officiellement une de mes Filles de l'été.

Carson, Harper et Dora rirent aux éclats et applaudirent, se joignant ainsi à Mamaw pour souhaiter la bienvenue au dauphin. L'ambiance était au beau fixe et Delphine continua à parader avec son écharpe dans l'eau.

— Je veux attraper un autre poisson pour Delphine, déclara Nate en allant chercher sa canne à pêche.

— Attends. Non. Nous ne devrions pas, lui rappela Carson. Il existe des lois qui interdisent de nourrir les dauphins. Nous risquons une amende.

— Oh, pourquoi s'en faire ? demanda Dora, transportée par l'enthousiasme de Nate. Qui nous surveille ? Et qu'est-ce que ça peut faire de lui donner à manger un minuscule poisson ? C'est son régime alimentaire naturel après tout. Nate est tellement excité. Je ne l'ai jamais vu s'intéresser à autre chose qu'à ses jeux vidéo. Et regarde, elle en redemande !

Elle courut rejoindre son fils.

Mamaw saisit des appâts et intima à Nate de se rapprocher d'un grand geste de la main.

— Amène ta canne à pêche. Tu as intérêt à te mettre au boulot mon garçon, tu as une cliente qui s'impatiente.

— Ne t'inquiète pas, dit Harper en consolant Carson d'une petite tape sur le bras. Nous avons mis tout l'après-midi pour pêcher ce poisson. Je doute qu'ils réussissent à en attraper un autre.

Carson croisa les bras, inquiète, et son regard se promena de Delphine à sa famille. Mamaw et Nate étaient accroupis face à face, occupés à attacher un appât à l'hameçon. Dora, quant à elle, avait empoigné sa propre canne à pêche et avait déjà lancé sa ligne. Même Harper avait rejoint le groupe et portait la canne à pêche de Carson à Mamaw pour qu'elle y pose un ver. Tous se parlaient, communiquaient.

Delphine était toujours là dans l'eau, à leurs pieds, la tête hors de l'eau et les yeux pleins de curiosités. L'écharpe avait disparu et était très certainement cachée dans un endroit sûr. Carson n'avait ni le cœur ni l'envie de se disputer. Après tout, qui était-elle pour s'interposer ? Delphine n'était-elle pas libre de venir et de partir quand elle le voulait ? Peut-être Dora avait-elle raison. Quel mal y avait-il à donner un petit poisson à manger au dauphin ?

CHAPITRE 9

C'était enfin l'heure de sa fête d'anniversaire. Mamaw se reposait dans la fraîcheur de son boudoir. Elle avait fermé les stores pour empêcher le soleil infatigable de réchauffer la pièce. Mamaw brassait des cartes de ses mains expertes. Elle coupa le paquet en deux et les cartes vrombirent contre la paume de sa main avant de se mettre en place. Elle choisit sept cartes et les fit claquer en les déposant une par une sur le petit bureau, prête à commencer une nouvelle partie de solitaire. Ses mains se figèrent lorsqu'elle entendit cogner doucement à la porte.

— Entrez!

— Prête à vous habiller?

Mamaw se retourna et vit Lucille vêtue d'une robe en taffetas bleu et d'un corsage brodé de perles.

— Ma parole Lucille, tu es magnifique!

— Et comment! J'adore les paillettes, rétorqua Lucille, flattée par le compliment. Je vous remercie pour cette nouvelle robe.

— Elle te va très bien. Tu es rayonnante. Le bleu roi est sans contredit la couleur qui te va le mieux.

— Maintenant, laissez tomber ces cartes. Il est temps de vous faire belle.

— Es-tu sûre que nous n'avons pas le temps de faire une petite partie de rami ?

Lucille rit et s'approcha de Mamaw.

— Je ne connais personne qui aime jouer aux cartes autant que vous.

— À part toi peut-être.

— Même pas moi.

Mamaw poussa un soupir théâtral et déposa les cartes sur la table.

— Savais-tu que ces cartes ont été données à mon grand-père par l'amiral Wood en personne ? Lui-même les tenait de l'amiral Perry. C'est mon paquet porte-bonheur.

Elle embrassa les cartes pour attirer la chance.

— C'est un jour bien spécial n'est-ce pas ?

— Ça, c'est sûr. Allez Madame Marietta. Laissez-moi vous aider à vous lever.

— Très bien, répondit la vieille femme.

Elle se départit de ses cartes à regret.

— Ne repoussons plus ce moment inéluctable que nous passerons, mes petites filles et moi, à jouer aux cartes ce soir.

— En effet, Madame. Vous êtes prête.

— Plus prête que jamais. Tout ce qu'il reste à voir, c'est si je serai capable de rentrer dans ma robe.

— Vous auriez dû vous acheter une nouvelle robe, Madame Marietta, au lieu de payer des choses à tout le monde. C'est votre anniversaire après tout.

Mamaw ouvrit la porte de son imposante salle d'habillage. Lorsqu'elle vit tous ces vêtements, ces chapeaux et ces chaussures, elle fut presque prise de nausée.

— Oh Lucille, je n'ai pas besoin d'une autre robe. Je n'en veux pas. Regarde-moi tous ces vêtements !

Elle les regarda froidement.

CHAPITRE 9

— Cela fait des années que je n'ai pas porté la plupart de ces habits. La plupart ne me vont même plus et je ne sais même pas pourquoi je les garde.

— Il est peut-être temps de faire le tri et de donner ce que vous ne mettez plus à un organisme de charité. Avant de déménager. Vous n'aurez jamais de place pour tout prendre là où vous irez.

— C'est une bonne idée en effet. Je ne pourrai jamais tout emporter avec moi.

Elle afficha un sourire suffisant.

— Vivre dans une maison de retraite, c'est un peu comme une répétition avant le départ définitif hein? Un retranchement? Dieu sait que je suis prête pour ça. Je suis lasse de devoir entretenir cet endroit, je m'inquiète chaque fois qu'un orage approche, je me cloître derrière des rideaux fermés pour échapper aux rayons du soleil… L'argenterie, la porcelaine, les meubles, cela me pèse tellement maintenant. J'ai hâte d'être libérée de toutes ces *choses*. M'amuser de nouveau.

Elle posa la main sur sa joue et regarda les robes qui s'alignaient dans sa garde-robe.

— Ce sera tout de même difficile de se départir de ces robes de soirée. Chacune d'elle est intimement liée à un souvenir.

Mamaw soupira et caressa les soies luxueuses, les taffetas et les brocarts. Dans sa tête, elle n'était pas Mamaw : elle était encore Marietta Muir, la mondaine de Charleston connue pour être l'organisatrice de fêtes somptueuses, pour sa répartie légendaire et ses goûts raffinés.

— Des couleurs et des tissus si charmants. Crois-tu que les filles aimeraient y jeter un coup d'œil pour voir s'il n'y a pas quelque chose qui leur plairait? Carson a à peu près la même taille que j'avais dans le temps. Elles iraient aussi à Harper, si elles étaient raccourcies.

Mamaw pensa alors à Dora et elle estima que cette dernière ne rentrerait dans aucune de ces robes.

— Dora apprécierait sans doute mes chaussures et mes sacs.

— Peut-être…

— Il fut un temps où j'achetais une nouvelle robe pour chaque événement important, dit Mamaw, perdue dans ses pensées. Les yeux d'Edward s'illuminaient lorsqu'il me voyait dans mes plus beaux atours.

Elle s'arrêta et repensa au visage de son mari lorsqu'elle entrait dans le salon et exécutait une pirouette devant lui.

— Cela va peut-être te surprendre, mais mon apparence ne m'importe plus aujourd'hui.

— Ça, c'est un changement, murmura Lucille.

— Tu crois que c'est un signe que je deviens folle? Un genre de démence?

Lucille secoua la tête et fut prise d'un rire qui évoquait à Mamaw le gloussement d'une poule.

— Pitié non! s'exclama Lucille en agitant la main. J'espère simplement que vous vous préoccupez de choses plus importantes que toutes ces fanfreluches.

— Oui, répondit Mamaw avec conviction.

Elle reprit courage.

— Oui évidemment.

— Alors, quelle robe dois-je vous sortir?

— Celle qui est en lin blanc cassé, avec les enluminures noires. Elle devrait m'aller non?

— Il n'y a qu'une façon de le savoir. Tenez-vous à mon bras pendant que je vous ouvre ça. Comme ça vous n'aurez qu'à sauter dedans.

Mamaw tint fermement le bras de Lucille, vacillant tandis qu'elle entrait avec précaution dans la robe. Lucille eut du mal à refermer la fermeture à glissière, qui bloquait au niveau de la taille.

— Pouvez-vous rentrer un peu votre ventre? demanda Lucille.

Mamaw rentra tout ce qu'elle pouvait, mais ses muscles étaient si atrophiés que malgré ses efforts, il ne semblait y avoir aucune différence. Jadis, elle avait eu un ventre si plat; aujourd'hui, c'était semble-t-il l'endroit où s'accumulaient toutes les calories. Lucille réussit enfin à refermer la fermeture à glissière.

Mamaw haleta. La robe la serrait tellement qu'elle avait l'impression d'avoir un boa constrictor au niveau de la taille.

— Mon Dieu, aidez-moi! J'arrive à peine à respirer! Maintenant, je sais ce que mes ancêtres ont ressenti quand elles devaient porter un corset.

Elle marcha jusqu'au miroir de plain-pied sur sa porte avec des pas hésitants, accompagnée par le froissement du tissu. Elle releva les épaules vers l'arrière et gonfla le buste pendant qu'elle examinait avec soin son reflet. Les enluminures noires qui ornaient la taille détournaient le regard de son ventre légèrement rebondi, et la coupe trapèze du vêtement dégringolait jusqu'au sol, ce qui lui donnait une silhouette plus élancée.

— Pas mal, murmura-t-elle en lissant le tissu. Pas mal du tout. Je n'ai pas l'air d'avoir plus de 70 ans avec ça, lança-t-elle malicieusement.

— Les coutures semblent sur le point de craquer, dit Lucille en évaluant la robe du regard, le menton dans la main.

— Oh, laisse-les ainsi, rétorqua Mamaw en s'éventant le visage. Je n'ai qu'à prendre de courtes respirations. J'ai envie d'être belle sur les photos. D'ailleurs, le photographe est-il arrivé?

— Oui, Madame. Ça fait un certain temps qu'il est arrivé. Évidemment, Carson fait des histoires et n'arrête pas de dire qu'elle aurait pu prendre ces photos encore mieux que le photographe, qu'on aurait dû lui demander.

— Mais je veux qu'elle apparaisse *sur* les photos.

— C'est ce que je lui ai dit. Mais je sais ce qu'elle ressent. C'est un peu idiot, vous engagez un traiteur alors que j'aurais pu préparer un repas encore mieux que lui.

— Qu'est-ce que je vais faire de vous deux ? demanda Mamaw, en levant les mains au ciel. J'essaie juste de faire en sorte que quelqu'un *vous* serve pour une fois.

Lucille maugréa quelque chose que Mamaw ne parvint pas à déchiffrer.

— Remercie-moi, c'est tout, la taquina Mamaw. Parlant du traiteur, est-il arrivé lui aussi ?

— Bien sûr. Voilà des heures qu'il prépare son attirail. Les filles sont dans le salon. Tout le monde est déjà là. Nous n'attendons que vous !

— Oh...

Mamaw était soudain très agitée. Elle n'aimait pas être pressée par le temps.

— Eh bien, c'est *ma* fête d'anniversaire. Ils ne peuvent quand même pas commencer sans moi.

Elle se dirigea vers sa commode et sortit un petit coffret de bijoux de l'un des tiroirs. Elle avait minutieusement choisi les parures qu'elle porterait ce soir. Sa robe n'était pas la plus confortable, mais elle lui donnait des allures de reine. Elle aurait tant aimé qu'Edward la voie ainsi. Elle se pencha pour se rapprocher du miroir et accrocher ses boucles d'oreilles : un cadeau que lui avait fait son mari pour leur cinquantième anniversaire de mariage. Mamaw portait à son annulaire une antique bague ornée d'un diamant de taille carrée à coins arrondis. La grosse pierre précieuse reflétait la lumière et brillait comme des millions d'étoiles sur son doigt. Enfin, elle rassembla les trois petits sacs de velours contenant les colliers et les plaça dans son sac à main orné de perles. Il ne restait plus qu'un sac de velours bleu sur le bureau.

Mamaw regarda par-dessus son épaule et appela Lucille.

— Je voulais te donner ceci plus tard, pendant le dessert. Mais je crois que…

Marietta se tourna pour faire face à Lucille.

— Ma chère amie, je crois qu'il vaut mieux que je te le donne maintenant.

Et elle lui tendit le sac.

Lucille accepta l'objet avec des yeux brillants de curiosité.

— Qu'est-ce que c'est? Vous m'avez déjà acheté cette robe.

— Ce cadeau vient avec la robe.

Lucille lui jeta un regard où se mêlaient la moquerie et la méfiance. Puis, elle ouvrit le sac et fit glisser son contenu dans la paume de sa main.

— Mon Dieu, ayez pitié de moi! s'exclama-t-elle quand elle vit la paire de grosses boucles d'oreilles en saphir ceintes de diamants. Mon Dieu, mon Dieu…

Lucille regarda de nouveau Mamaw, avec un air choqué cette fois.

— Ils sont vrais?

— Bien sûr qu'ils le sont.

Mamaw se mit à rire.

— Ces boucles d'oreilles appartenaient à ma mère, mais maintenant elles sont à toi. Elles seront superbes avec ta robe. J'ai hâte de te voir les porter. Allez, mets-les donc.

Mamaw regarda Lucille se placer devant le miroir de Venise tandis qu'elle remplaçait les anneaux en or qu'elle portait aux oreilles par les saphirs et les diamants. Ses mains tremblaient d'excitation et Mamaw fut prise d'un élan de tendresse pour sa domestique : ces mains avaient toujours été les fondations de son monde.

Lucille se redressa. Les boucles d'oreilles brillaient, mais pas autant que ses yeux.

— De quoi j'ai l'air?

Mamaw rougit de plaisir lorsqu'elle constata à quel point les bijoux (des babioles qui avaient traîné dans un coffre-fort) avaient rendu Lucille heureuse.

— Je crois que le mot qui conviendrait le mieux c'est... séduisante, déclara Mamaw, ce qui provoqua chez son amie le rouge aux joues qu'elle espérait.

Mais Mamaw changea complètement de ton lorsqu'elle prit entre ses mains celles de Lucille.

— Ma chère amie, accepte ce cadeau comme gage dérisoire de l'amour que je te porte et que rien ne saurait exprimer.

Lucille se pinça les lèvres, tout aussi incapable d'exprimer ses propres émotions.

— Nous y allons? Il est temps pour moi de dévoiler mon jeu.

Lucille prit le bras de Mamaw et elles partirent, comme deux vieilles amies. Au moment où elles allaient passer la porte de la chambre, Mamaw s'arrêta net et sa main serra celle de Lucille. Elle prit une profonde inspiration.

— Ne soyez pas nerveuse. Tout va très bien se passer, la rassura Lucille d'une voix réconfortante. Vous avez pensé et préparé cet instant depuis longtemps.

— Nerveuse? Il faudrait bien plus que trois sottes jeunes filles pour me rendre nerveuse.

Elle posa sa main sur son ventre et prit une autre grande inspiration.

— Mais l'enjeu est important, n'est-ce pas?

— Elles voudront savoir la vérité maintenant.

Mamaw respira à pleins poumons et lança un regard suppliant à Lucille.

— Les demandes que je vais faire ce soir... serais-je un tantinet dominatrice?

— Vous? Dominatrice?

Lucille gloussa.

— Dieu nous en préserve. Manipulatrice peut-être. Autoritaire, sournoise, calculatrice, péremptoire...

— Oui, oui, je sais... C'est sans doute mon unique défaut, concéda Mamaw avec un rictus. Ce n'est qu'aujourd'hui que je vois que toutes mes manipulations se sont conclues par des échecs pitoyables.

— Pour M. Edward aussi.

Mamaw ne répondit pas. Elle repensait à son mari. Il avait été un homme précieux, mais il l'avait peut-être un peu trop aimée. Son amour pour elle l'avait aveuglé. Elle l'avait su et elle en avait tiré parti chaque fois qu'il était question de leur fils.

— Crois-tu qu'Edward avait laissé tomber... pour Parker ?

— Non. Mais j'ai toujours pensé qu'il aurait dû lui mettre une bonne gifle.

— Peut-être.

Mamaw tripota distraitement le diamant qui ornait son doigt. Ses pensées étaient déjà ailleurs, sur les chemins tortueux de ses souvenirs.

— Peut-être aurait-il dû me gifler, moi aussi. Il me laissait en faire à ma tête bien trop souvent. Oh Lucille, je crains d'avoir affaibli les deux hommes de ma vie.

— Ça, c'était avant, dit Lucille. Mais il faut maintenant penser au moment présent. Dites ce que vous avez à dire et laissez les choses se mettre en place toutes seules.

— Oui, répondit Mamaw.

Elle regarda son diamant.

— Je dois me retenir et taire mes opinions ce soir. Elles régleront tout cela entre elles.

— C'est le plan.

Mamaw ne supportait pas les idiots, et Lucille n'était pas née de la dernière pluie. Elle avait toujours compté sur sa fidèle amie pour séparer le bon grain de l'ivraie et donner clairement et honnêtement son opinion, lorsqu'elle en avait besoin. Mamaw rassembla ses esprits. Lorsqu'elle jouait au bridge, elle aimait déranger ses adversaires en prenant tout son temps pour déterminer la façon dont elle allait jouer ses cartes. Mais une fois qu'elle commençait son tour, elle abattait ses cartes sur la table avec célérité, puisqu'elle avait déjà mûrement réfléchi chacun des gestes qu'elle faisait.

Mamaw respira profondément.

— Je suis prête. Nous y allons ?

Lucille resserra sa prise sur le bras de Mamaw.

— Que la partie commence.

~

Sa fête débuta exactement comme elle l'avait planifié. Dès que le photographe eut fini son travail, Mamaw fit servir son champagne préféré, un brut rosé français, dans des verres de cristal gravés qui avaient été dans la famille depuis des générations. Mamaw préférait de loin les grandes coupes aux flûtes. Les bulles roses lui chatouillaient le nez quand elle prenait une gorgée. Nate fut ravi de pouvoir se précipiter dans sa chambre, là où l'attendait un dîner préparé spécialement pour lui sur un plateau et un bon film. Cette soirée n'était que pour ses filles, et Mamaw voulait qu'elle soit parfaite.

Les cinq femmes s'assirent sous le grand lustre étincelant dans la salle à manger aux murs vert sauge. Mamaw avait retiré la rallonge de la table pour créer une ambiance plus intime. La lumière des chandelles brillait sur l'argenterie et le cristal. De temps en temps, une bouffée du parfum des roses blanches qui décoraient le centre de la table flottait jusqu'aux narines de Mamaw.

Elle s'adossa à sa chaise et fit le tour de la table du regard, pour observer les visages. Les quatre femmes parlaient insouciamment, évoquant des souvenirs partagés d'étés lointains. Quelque part entre l'après-midi de pêche et la dégustation du champagne, même Dora avait abandonné sa gêne et avait rejoint la conversation avec enthousiasme. L'aînée des petites-filles de Mamaw avait une mémoire photographique des événements, ce qui rendait ses histoires d'autant plus vivantes. Elle avait hérité cette qualité de Parker.

Le rire de Carson retentit. Elle avait toujours aimé rire et ne s'en gênait pas. Carson était vive d'esprit et avait le don de rendre une histoire absolument passionnante. Elle n'avait pas peur d'exprimer ses opinions, qu'elle tournait toujours en plaisanterie plutôt que de les exprimer de manière abrupte. Elle aussi était parfaitement capable de ficeler une histoire.

Seule Harper demeurait plutôt réservée. Elle n'était pas timide, mais était aimable et riait aux plaisanteries des autres. Elle apportait rarement sa contribution à la conversation. Mais quand elle faisait un commentaire, il était intelligent et révélait son esprit brillant. Mamaw écoutait tout, regardant par-dessus son verre de vin, émerveillée par ce côté auparavant caché de sa petite-fille.

Elle observa les filles picorer dans chaque plat, goûter les différents vins et commenter avec une sagacité surprenante les assaisonnements ou les produits du vignoble. Mamaw était ravie de voir qu'elles appréciaient cette petite fête, de les regarder claquer des lèvres et rire de bon cœur. L'ambiance était aussi chaleureuse et brillante que la flamme vacillante des bougies. Le gâteau à la noix de coco fut servi et elle souffla les huit bougies. Elle avait insisté pour qu'elles ne soient pas ridicules et qu'elles ne tentent pas de faire tenir 80 bougies sur le gâteau. Puis vint le temps des cadeaux. Mamaw était bien plus excitée de les offrir que de découvrir ce qu'elle pourrait bien recevoir. Elle avait déjà reçu bien des présents de la part de ses amis. La sonnette avait retenti toute la semaine, chaque fois qu'un employé d'UPS ou un facteur venait faire une livraison. La villa de Sea Breeze était pleine de magnifiques bouquets de fleurs, et des boîtes de savons et de bonbons savamment décorées traînaient un peu partout. Il y en avait d'ailleurs plus qu'elle ne pourrait jamais en utiliser.

Dora présenta nerveusement à Mamaw une boîte joliment enrubannée. Lorsqu'elle l'ouvrit, Mamaw découvrit un châle tricoté à la main, fait de la laine mérinos la plus douce et décoré de longs pompons. C'était magnifique et elle fut profondément émue par ce cadeau fait à la main, mais Dora ne cessait de s'excuser pour les prétendus défauts de conception. Mamaw pensa qu'elle devrait vraiment apprendre à Dora à être fière de ses accomplissements.

Harper la surprit en lui offrant une sorte d'engin moderne qu'elle appelait un iPad. Les autres filles se réunirent autour de l'objet, impressionnées, explorant toutes les fonctionnalités qu'il offrait, mais Mamaw n'avait pas la moindre idée de comment l'utiliser. Harper lui promit de l'aider à se «connecter». Peu importe ce que cela voulait dire, Dieu la bénisse.

Enfin, Carson déposa devant Mamaw une boîte enrubannée à la manière japonaise *furoshiki* avec un morceau de tissu violet fleuri. L'emballage amusa Mamaw. Mais rien ne la préparait à ce que contenait la boîte. C'était une photo d'elle, assise dans sa chaise en osier préférée sur la véranda qui surplombait la crique. Carson avait déployé tout son talent pour capturer juste ce qu'il fallait des lueurs rouges dorées du soleil couchant afin d'ajouter une lueur toute particulière à la peau de Mamaw, ce qui lui donnait un aspect éthéré. Elle n'avait pas posé. Carson avait immortalisé un moment spontané et une expression mélancolique plutôt rare sur le visage de Mamaw. Les filles reconnurent dans cet air une grande tendresse qui les émut au plus haut point. Mamaw regarda Carson droit dans les yeux et la remercia du fond du cœur, avec une pensée pour la perspicacité de cette femme qui était capable de capturer un aperçu de l'âme d'une personne.

Lorsque les serveurs eurent fini de laver la vaisselle, Mamaw leur demanda de verser à tout le monde un autre verre de champagne. On en venait enfin au moment qu'elle attendait depuis si longtemps.

— Il est maintenant venu le temps que je vous offre un cadeau à chacune, annonça-t-elle.

— Tu nous offres des cadeaux ? demanda Dora en haussant les sourcils, surprise.

Toutes les filles se redressèrent sur leurs chaises, les yeux maintenant aussi grands que les coupes tandis que Mamaw se baissait pour ramasser le sac noir orné de perles à côté de sa chaise. Elle en sortit les trois pochettes de velours une par une, et les tendit à leurs propriétaires respectives. Il y eut une soudaine agitation et des pépiements aigus. La pièce résonna du concert de « ooh » et de « aah ». Les filles se levèrent d'un bond et déposèrent un baiser sur les joues de leur grand-mère, qui ne savait plus où donner de la tête, submergée par les déclarations d'amour et les remerciements. Mamaw sourit jusqu'aux oreilles. Ses petites-filles ressemblaient à des papillons dans son jardin, passant d'une fleur à l'autre, virevoltant gaiement pour aller aider leurs sœurs à mettre leurs colliers de perles. Puis, dans un véritable tourbillon de gloussements, elles se précipitèrent devant le miroir de la salle de bain pour admirer leur nouvelle parure.

Mamaw et Lucille restèrent à la table, souriantes, en levant leur verre de champagne pour porter un toast à leur réussite. Les filles revinrent s'asseoir, le visage rayonnant de bonheur. Mamaw les observa attentivement pour tenter de discerner un signe de déception ou un possible échange de collier. À son plus grand soulagement, chaque fille semblait heureuse du collier qui avait été choisi pour elle.

Mamaw et Lucille échangèrent un sourire complice. Puis, cette dernière se leva précipitamment, s'excusa poliment et laissa là les petites-filles et leur grand-mère tandis qu'elle allait régler les derniers préparatifs de départ des serveurs. Le regard de Mamaw courut autour de la table, s'attardant sur chacune des filles, radieuses avec leurs colliers : Dora avec son collier de perles roses qui pendaient sur sa poitrine, Carson et ses perles noires de Tahiti, et Harper auréolée de son collier ras de cou couleur crème. Chacune de ses petites-filles était devenue en grandissant une beauté à part entière. Elle n'aurait pu les aimer plus qu'à cet instant. Maintenant, elle devait prier pour avoir la force de les affronter. Mamaw leva sa cuillère en argent et tapota son verre de cristal pour attirer l'attention des filles. Les conversations cessèrent immédiatement et trois visages se tournèrent vers elle.

— Mes très chères enfants, commença-t-elle.

Elle était encore surprise par cette nervosité qui l'envahissait. Elle s'éclaircit la gorge et continua.

— Il y avait bien longtemps que nous n'avions eu la chance de passer du temps ensemble à Sea Breeze. J'espère que vous avez toutes senti que cette maison était la vôtre, un endroit où vous seriez toujours les bienvenues.

Toutes les trois l'assurèrent gracieusement qu'elles l'avaient compris.

— Mais le temps passe, et comme vous le savez, je ne rajeunis pas. Je suis aux portes des ruines de Rome et j'ai fini par me résigner au fait qu'il était temps pour moi de partir dans une maison de retraite. Là-bas, je vivrai parmi nombre de mes amis et, plus important encore, je pourrai profiter de toutes ces commodités qui rendent la vie bien plus facile lorsqu'on atteint un certain âge.

Dora, qui était assise juste à côté d'elle, tendit le bras et lui tapota la main.

— Tu seras toujours jeune à nos yeux Mamaw.

— Merci ma chérie. Toutefois, je ne m'enrichis pas non plus, j'en ai peur. Ce qui m'amène au point central dont je voulais vous parler. Toutes les trois, vous avez construit votre vie de votre côté, aux quatre coins du pays. Vous êtes toutes très occupées, vous voulez voyager ailleurs et vous avez d'autres endroits que Sea Breeze où aller lorsque vous partez en vacances. Je comprends cela et je dois voir la réalité en face : vos visites ici sont moins nombreuses et de plus en plus espacées. Je ne suis pas du tout en train de vous critiquer. Cependant, j'ai toujours été une femme réaliste.

Elle écarta ses mains.

— Je vais vendre Sea Breeze, dit-elle avec un sourire mi-figue mi-raisin.

Les visages de ses petites-filles se muèrent en expressions de choc et de tristesse.

Dora parla la première.

— Mais cette villa appartient à la famille depuis des générations.

— Oui, en effet. Et je ressens tout le poids de ce fardeau. J'ai fait tout ce que j'ai pu mes chéries.

— N'existe-t-il pas un moyen de la garder ? demanda Carson.

Elle semblait particulièrement affligée.

— Je ne crois pas, malheureusement.

— M-mais, bégaya Dora, je... je croyais...

Elle secoua la tête.

— Je ne sais pas ce que je croyais.

Elle eut un rire nerveux, visiblement embarrassée.

— Je croyais que tu avais des coffres remplis à ras bord de pièces d'or, j'imagine.

Mamaw lui adressa un sourire indulgent.

— Nous étions aisés, sans aucun doute. Mais notre fortune a considérablement diminué. Nous avons fait de mauvais investissements, sans parler des hauts et des bas des marchés, de l'augmentation du coût de la vie et des dépenses liées à la maladie ou à la vieillesse. Quand votre grand-père a pris sa retraite, nous avons vécu grâce à notre pécule. Nous n'avions plus d'entrées d'argent, alors que les dépenses ne faisaient qu'augmenter. Si vous saviez combien il m'en coûte pour entretenir cet endroit aujourd'hui, vous en pleureriez !

Elle fit une pause, le temps de choisir prudemment ses mots.

— C'était sans compter les dépenses de Parker. La vérité, c'est que mon fils, votre père, a compté pour beaucoup dans la diminution de mes économies durant sa vie. C'était ma décision de le soutenir financièrement et j'ai ma part de responsabilité dans la façon dont les choses se sont déroulées. Mais voilà où nous en sommes.

Il y eut un grand silence. Les filles tentaient de digérer ce qu'elles venaient d'entendre.

— Il a quoi ? explosa Dora, brisant la chape de plomb qui pesait sur la pièce.

Harper parla à son tour, plus doucement.

— Je ne comprends pas, que veux-tu dire par « il a compté pour beaucoup dans la diminution de mes économies » ?

Mamaw jeta un coup d'œil à Carson. Elle était rigide, les dents serrées, et ses yeux bleus brillaient comme des torches d'acétylène.

— Parker n'a jamais trouvé sa voie, dit Mamaw en tentant de formuler sa pensée avec des termes plus compatissants. Dieu le bénisse, il s'est lancé dans différents projets et il avait tellement de potentiel. Malheureusement, ce dernier ne s'est jamais pleinement développé. Il avait besoin de...

Elle marqua une pause et chercha le mot qui convenait, à la fois honnête et juste.

— De *soutien* pendant toutes ces années. Et Edward et moi le lui avons donné.

Carson ne pouvait se contenir plus longtemps.

— De soutien ? Il dépendait totalement de l'argent que lui concédait Mamaw.

— Attends, lança Harper, qui tentait toujours de comprendre. Tu veux dire qu'il ne gagnait pas du tout d'argent ? Que c'était simplement Mamaw qui lui en donnait ?

— C'est ce que je dis, rétorqua Carson.

— Mais, et ses livres alors ?

Mamaw se couvrit les yeux avec sa main lorsque Carson donna libre cours à une cascade de rires désobligeants.

— Ses livres ? demanda Carson, incrédule. Tu es sérieuse ?

— Oui, tout à fait, répliqua Harper sans broncher. J'ai toujours cru que mon père était un écrivain.

Un sourire cruel peu habituel apparut sur le visage de Carson.

— Vraiment ? Non Harper. *Notre* père n'était pas écrivain. Il rêvait de l'être, c'est tout, répondit-elle. Ou plutôt, ce n'est pas tant écrivain qu'il voulait devenir, mais célèbre. C'est différent.

— Tu n'as pas à être si cruelle, l'admonesta Harper en regardant Carson droit dans les yeux.

Carson haussa les épaules.

— Moi, cruelle ? Tu sais que son grand roman américain n'a jamais été publié, n'est-ce pas ? Tu dois le savoir. Ta mère a été la première éditrice à le rejeter.

Il y avait une pointe d'accusation dans le ton de sa voix.

— Oui, répondit fermement Harper en restant stoïque.

Elle poursuivit.

— Maman a été très claire en ce qui concerne son talent, ou plutôt son absence de talent. Mais j'ai toujours cru que son jugement était obscurci par son mépris général à son égard.

Carson semblait légèrement apaisée.

— Elle n'était pas la seule à penser ça de lui. Il aurait pu tapisser sa chambre avec les manuscrits qui ont été refusés.

— Qu'en est-il de ses scénarios ? persista Harper. N'est-ce pas pour ça qu'il a déménagé en Californie ?

— Oh mon Dieu, gémit Carson en secouant la tête entre ses mains.

Puis, elle regarda sa sœur du coin de l'œil.

— Tu n'es vraiment au courant de rien, n'est-ce pas?

Dora prit la parole à son tour.

— Apparemment, moi non plus, je ne sais rien du tout. J'ai toujours cru que papa vivait de l'écriture de scénarios.

Carson laissa retomber ses mains et tourna la tête pour fixer Mamaw d'un regard accusateur.

— Elles ne sont au courant de rien?

Mamaw releva le menton.

— C'était le problème de Parker et de personne d'autre.

— Ainsi donc, le mythe de Parker Muir, l'artiste, l'auteur, l'entrepreneur et le fils bien-aimé du remarquable clan Muir est bien vivant, ironisa Carson. Bien joué Mamaw.

Dora joignit les mains sur la table.

— Je crois que c'est aussi *notre* problème Mamaw. Nous ne sommes plus des enfants. Il était notre père, même s'il n'a pas été très présent dans nos vies. Et apparemment, il a creusé un énorme trou dans la fortune familiale. Tu viens tout juste de nous annoncer que tu comptais vendre Sea Breeze à cause de ses dettes. Cela affecte chacune d'entre nous. Nous sommes tes héritières légitimes tout de même. Après nos mères bien sûr.

Mamaw se redressa dans sa chaise.

— Vos mères? dit-elle, méprisante, en haussant le ton. Mes belles-filles ne sont rien de plus que des déceptions à mes yeux. Mon fils a peut-être eu trois femmes, mais il faut être deux pour danser.

Carson se leva brusquement et étira le bras pour attraper la bouteille de champagne. Elle se versa un verre, puis fit le tour de la table pour remplir ceux de ses sœurs.

Mamaw regrettait déjà son commentaire et garda les yeux fixés sur le centre de table. Les roses avaient un aspect spectral sous la lumière vacillante des bougies. Ses pensées dérivèrent vers des dîners festifs plus heureux, des années plus tôt, lorsque Parker était encore jeune et plein de promesses. Son veston de cérémonie lui allait à ravir, et avec son esprit vif, ses manières élégantes et son air fringant, il était éblouissant. Elle aurait tant aimé que ses filles l'aient connu à cette époque.

Harper s'adressa à Mamaw calmement.

— Mamaw, je n'ai pas connu mon père. À part les quelques histoires que tu m'as racontées et les morceaux choisis par ma mère, c'est un parfait étranger pour moi. Tu m'as appris que c'était un écrivain, un artiste avide de créer et un personnage très romantique. Maman m'a plutôt dit que c'était un ivrogne, un écrivain sans talent qui pensait de façon exagérée que tout lui revenait de droit. J'ai même entendu de sa bouche que c'était un coureur de jupons.

— Je crois que ta mère a vu juste.

Carson saisit son verre de champagne et le leva pour porter un toast plein de sarcasme.

— À notre bon vieux papa.

— Ça suffit, Carson, dit Mamaw, profondément heurtée.

Elle regarda sa petite-fille et se demanda quelle pouvait bien être la source de son profond ressentiment.

Carson prit un air renfrogné et abaissa son verre.

— Tu n'as toujours pas répondu à la question de Harper, dit Dora pour en revenir au point de discorde. Comment papa a-t-il gagné sa vie quand il vivait en Californie pendant toutes ces années ?

Carson pivota lentement sur sa chaise pour faire face à Mamaw, tripotant entre ses doigts le pied de son verre, attendant la réponse avec un air de défi. Mamaw ne répondit pas. Carson posa son verre sur la table et le fixa du regard.

— La gentille maman envoyait à son petit garçon son argent de poche mensuel, leur dit Carson. Ça a toujours été la grosse affaire à la maison : papa qui attendait son chèque.

Elle regarda au fond de son verre vide et dit sur un autre ton :

— Je sais que tu voulais l'aider.

— Pas seulement lui, lança Mamaw. Je voulais t'aider, *toi* aussi.

Carson saisit une nouvelle fois le champagne et remplit son verre.

— Au début, ce n'était pas trop mal. Nous avions un bel appartement. Mamaw et grand-père lui donnaient une rondelette somme d'argent pour qu'il puisse se lancer dans une autre aventure hasardeuse. J'étais très jeune. Je ne sais plus trop de quoi il en retournait.

— C'était pour l'investir dans la création d'un film, dit Mamaw.

Carson lui adressa un long regard.

— Non, je ne crois pas que c'était ça.

— Je le sais, répondit Mamaw. Je m'en rappelle très bien. Il écrivait le scénario et avait même trouvé un producteur.

Elle fit un geste vague de la main.

— Je... Je ne me souviens plus du titre.

— J'aurais tant aimé que nous puissions le voir, intervint Dora. Un film avec papa pour scénariste. C'est quelque chose n'est-ce pas ? s'exclama-t-elle sur le ton enjoué d'une meneuse de claque, comme si elle voulait encourager ses sœurs à être fières de leur père.

Mamaw tint sa langue. Edward avait toujours été méfiant à l'égard de ce projet, mais elle l'avait poussé dans ses retranchements pour qu'ils apportent à leur fils un soutien financier. Elle avait cru Parker lorsqu'il disait que s'il arrivait à produire son premier film, alors plusieurs suivraient. C'était un investissement considérable et elle avait tant prié pour que cette œuvre marque enfin le lancement de sa carrière. Quand il avait fini le film, Edward et elle s'étaient déplacés à Atlanta pour le voir. Mamaw avait revêtu une nouvelle robe pour l'occasion et avait voulu organiser une petite fête, mais étrangement, Parker s'y était opposé. Il avait prétexté qu'il ne voulait pas en faire une fanfare et leur avait également recommandé de ne pas aller voir le film. La projection s'était faite dans une salle de cinéma glauque située dans un endroit reculé de la ville. Cela aurait dû leur mettre la puce à l'oreille. Mamaw avait été choquée par le film et Edward si outré qu'ils s'étaient levés et avaient quitté la salle après seulement une quinzaine de minutes. Pendant tout le trajet de retour vers Charleston, Edward avait déblatéré sur le film et expliqué à Mamaw ce qu'était un film à sexualité simulée.

— Où est le film? J'aimerais bien le voir, dit Harper.

— Je n'en ai aucune idée, répondit Mamaw d'un air absent. Il a sans doute été détruit. Ou perdu.

— Le film n'a pas été conservé, car il n'a jamais eu de succès et n'a jamais eu de suite. Fin de l'histoire, déclara tout bonnement Carson en se retournant.

Elle regarda Mamaw. Cette dernière vit dans ses yeux qu'elle lui intimait d'en finir avec cette histoire. Mamaw comprit immédiatement que Carson savait tout et qu'elle ne voulait pas en discuter. Le sujet la mettait mal à l'aise et elle voulait certainement préserver la réputation de son père et peut-être celle de Mamaw.

— À partir de ce moment-là, tout est allé de mal en pis, continua Carson. Nous nous sommes fait expulser de nos appartements plus de fois que je ne peux m'en souvenir, et chaque nouveau logement était plus miteux que le précédent. Mais papa était un pro pour une chose, dit-elle avec un rire amer. Il était passé maître dans l'art d'éviter les percepteurs. Attendez, ajouta-t-elle en levant le doigt, il était excellent aussi pour raconter des bonnes histoires, reconnut-elle. C'est simplement dommage qu'il n'ait jamais réussi à les retranscrire sur le papier. Ses seuls spectateurs étaient ses amis du bar.

Elle but le contenu de son verre.

— Il est mort seul dans un bar, saviez-vous ça ?

Elle regarda ses sœurs tour à tour, avant que ses yeux ne s'attardent finalement sur Mamaw.

— La police m'a appelée pour que j'identifie le corps.

Elle fit une pause, tripotant toujours le pied de son verre de champagne.

— Ce n'est certainement pas mon plus heureux souvenir, dit-elle d'un air morose.

Mamaw porta la main à sa gorge, qui s'était resserrée. Elle n'avait jamais su ce que Carson avait vécu. Au moment où cette dernière lui avait téléphoné, le corps avait déjà été envoyé à la morgue. Edward avait pris le premier vol pour Los Angeles pour rapatrier le corps et ramener Carson en Caroline du Sud. Mamaw avait toujours cru que c'était Edward qui avait identifié le corps et il ne lui avait d'ailleurs rien dit à ce sujet, sans doute pour la protéger. Un tel geste lui ressemblait tellement.

— Je croyais…, commença Dora, confuse, avant de s'arrêter et de prendre une grande inspiration. Mon Dieu, je croyais que les choses étaient si différentes, dit-elle lentement.

Elle leva les yeux vers Carson.

— Pendant toutes ces années que tu as passées en Californie, je croyais que tu vivais une vie de rêve dans un appartement luxueux avec vue sur l'océan, entourée de vedettes du grand écran et baignant dans un environnement prestigieux. J'étais jalouse de toi, Carson. J'ai toujours pensé que tu étais la fille chanceuse de la famille.

— Une vie de rêve ? déclara Carson avec un rire amer. Pas vraiment, non.

— Au moins, tu savais qu'il t'aimait, dit Dora d'un air stoïque. J'ai toujours su qu'il ne m'avait jamais aimée. Ma mère me l'a dit assez souvent. Elle me disait que je n'étais pour lui qu'un fardeau ennuyeux, à qui il devait envoyer un cadeau d'anniversaire ou de Noël de temps à autre, s'il s'en souvenait. Ce qui n'arrivait pas souvent d'ailleurs.

Dora se croisa les bras et regarda ailleurs.

— Oh Dora, murmura Mamaw.

À cet instant, elle aurait été prête à étrangler Winnie de ses propres mains pour son insensibilité. Quelle horrible femme ! Comment une mère pouvait-elle dire de telles choses à sa fille ? Dora se retourna et regarda Carson par-dessus la tête de Mamaw.

— Et tu sais ce qui est le pire dans tout ça ? Ce n'est même pas *lui* que je détestais. Je *te* détestais parce que c'était toi que papa aimait le plus. Il te gardait avec lui et nous laissait toutes seules, Harper et moi.

— M'aimer ? Non, il me traînait avec lui simplement pour que je m'occupe de lui.

— Carson, l'interrompit sèchement Mamaw. Ce n'est pas vrai. Il voulait que tu sois avec lui. Tu n'avais pas de mère pour s'occuper de toi, contrairement à tes sœurs.

— Je t'avais, toi, dit-elle d'une voix étouffée. Je voulais rester avec *toi*. Je t'ai suppliée de me garder, mais tu n'as pas voulu.

Mamaw haleta lorsqu'elle discerna le déchirement dans l'accusation de Carson.

— J'aurais adoré te garder avec moi. Je le voulais... Mais que pouvais-je faire ? pleura-t-elle. Tu étais sa fille !

— Non ! cria Carson. Ce n'est pas pour ça que tu m'as laissée partir. Tu n'as jamais été capable de lui dire non.

La jeune femme semblait sur le point de pleurer.

— Même pour moi tu n'as jamais pu.

Mamaw se prit le visage entre les mains.

— Tu ne peux pas croire ce que tu dis ! Parker... t'aimait, insista-t-elle en hésitant sur chaque mot. Il vous aimait toutes les trois.

— Vraiment ?

Carson haussa les épaules, renifla et sécha les larmes qui coulaient sur ses joues. Elle secoua la tête misérablement.

— Peut-être. Je ne sais pas. Il a essayé. Mais sais-tu quoi ? Je m'en fiche. C'était un mauvais père. Un bon à rien, un paresseux...

— Carson, tais-toi, dit Dora d'un ton brusque. Papa n'était pas comme ça.

— Comment pourrais-tu le savoir ? rétorqua immédiatement Carson. Tu ne le voyais jamais, sauf quand il est revenu à la maison pour donner ta main à Cal.

Elle se pencha en avant et fusilla Dora du regard.

— Tu ne te rappelles plus ? Tu m'avais confié que tu ne voulais pas qu'il donne ta main tellement tu avais peur qu'il soit saoul au point de tomber sur son cul ! Il le savait d'ailleurs, tu sais. Et ça l'a blessé.

Dora pâlit à ce souvenir.

Mamaw eut l'impression de se flétrir à l'intérieur. Elle avait du mal à respirer.

À ce moment, Harper décida d'intervenir.

— La seule fois que je l'ai vu, c'était au mariage de Dora. Je n'avais que 14 ans. Je me rappelle que j'étais à la fois nerveuse et très contente d'enfin le rencontrer. Mais quand il a fait son entrée dans l'église, même moi, je voyais qu'il était saoul. Exactement comme ma mère l'avait prévu. Je me souviens que grand-père était furieux. Je devais le rencontrer plus tard cette soirée-là. Après tout, c'était quand même mon père. Alors, je l'ai épié en cachette. Je l'ai trouvé adossé contre le mur du fond de la grande salle de réception. Mais il m'a vue et s'est avancé vers moi, le sourire aux lèvres. J'avais des papillons dans l'estomac, parce que j'avais souvent rêvé de ce moment, rêvé qu'il me prendrait dans ses bras en me disant à quel point il m'aimait. Mais quand il a été assez près, il est resté là, debout devant moi, vacillant légèrement sur ses jambes tandis que je souriais tellement fort que mes joues me faisaient mal. Puis, il a ricané et m'a dit : « Tu ressembles beaucoup à ta mère. »

Harper fit une pause. Son visage reflétait tout le chagrin que lui évoquait ce douloureux souvenir.

— Je n'oublierai jamais la façon dont il a craché ces mots comme du venin. C'était comme si c'était la pire chose qu'il pouvait me dire, comme s'il s'agissait d'une malédiction, comme si le simple fait de me voir le répugnait. Et il est parti. Je ne l'ai jamais revu.

Elle essuya les larmes sur ses joues du bout de ses doigts tremblants.

— Pas vraiment le sentiment qu'une fille souhaite entendre de son père.

Pendant que les jeunes femmes discutaient et ressassaient des souvenirs douloureux, Mamaw posa sa main sur sa poitrine. Elle sentait peser sur elle le poids des années. Elle était blessée de les entendre parler des erreurs commises par Parker sans mâcher leurs mots et avec tant de rancœur. Les yeux fixés sur les chandelles qui fondaient à vue d'œil, elle tenta de stabiliser sa respiration. La cire coulait le long des cierges courbés et se répandait sur le cristal et le lin. Comment allait-elle pouvoir arranger tout ça? Mamaw agrippa les accoudoirs de sa chaise et se leva d'un geste mal assuré.

— J'ai besoin d'air, dit-elle faiblement.

Une fraction de seconde plus tard, Carson et Dora étaient debout à ses côtés et la tenaient par les bras. Mamaw ne voulait pas les regarder : elle était trop bouleversée.

— Je dois enlever cette robe.

CHAPITRE 10

Mamaw se pelotonna dans les épais coussins de la chaise en osier noire qui trônait sur la véranda. Elle leva les yeux, et la vue rassurante du croissant de lune typique dans le ciel de la Caroline du Sud la réconforta. Juste à côté de l'astre lumineux, Vénus brillait de tous ses feux, tandis que tout autour, à perte de vue, des étoiles scintillaient comme des lucioles, créant une nuit magique. Lucille l'avait aidée à se débarrasser de sa robe ridiculement serrée. Elle fut choquée de constater que les attaches avaient laissé des marques qui auraient tôt fait de se transformer en ecchymoses.

Maintenant au moins, avec la robe qu'elle venait de mettre, elle pouvait respirer à son aise. Elle aurait été plus avisée de ne pas tenter de se glisser dans une robe qu'elle portait à l'époque où elle avait encore une taille de guêpe. Sa vanité avait toujours été un fardeau. Elle contempla l'étendue noire devant elle et tenta de se rappeler à quel moment la conversation du dîner avait pris une tournure si dramatique. Les émotions avaient crépité avec beaucoup plus d'intensité qu'elle ne l'avait prévu et le feu s'était répandu comme une traînée de poudre...

Des bruits de pas sur le plancher de bois grinçant l'informèrent que quelqu'un s'approchait. Elle regarda par-dessus son épaule et vit la silhouette d'une femme qui tenait dans ses mains une bouteille et deux verres.

— Veux-tu encore un peu de vin ? lui demanda Carson tandis qu'elle s'approchait.

— Grand Dieu non, mon enfant, répondit Mamaw, qui était encore étourdie. Je ne peux plus boire une seule goutte. Faire la fête toute la nuit, ce n'est plus de mon âge. Je dois davantage m'assurer de ne pas me déshydrater.

Carson posa la bouteille et les deux verres sur la table et tira la chaise à côté de Mamaw. Elle tendit le bras et lui saisit la main.

— Mamaw, je suis désolée de m'être emportée ainsi tout à l'heure. Ce n'était pas correct et très malpoli. J'ai été mieux élevée que ça.

— Ne t'excuse pas. C'est moi qui devrais le faire. J'aurais dû être plus alerte, plus attentive. Quand je pense à ce que tu as vécu ce soir-là, lorsque ton père est mort…

Carson ferma les yeux.

— Tu as fait de ton mieux.

— J'ose croire que nous avons tous fait de notre mieux, répondit Mamaw.

Le visage de Carson traduisait l'immense gratitude de voir sa grand-mère si compréhensive.

— Mais tant de colère ! Je ne savais pas que tu portais un tel fardeau.

— C'est sorti d'un coup aujourd'hui, dit Carson. Je n'avais pas l'intention que cela se produise. Je ne voulais pas gâcher ta réception.

Mamaw balaya ce commentaire d'un geste de la main.

— Une réception… Nous sommes entre nous, en famille. Ne t'inquiète pas pour cela.

— Mais je m'inquiète quand même. Je n'arrivais pas à m'arrêter. Je ne sais pas si ça a quelque chose à voir avec ma situation personnelle catastrophique ou si c'est parce que je voulais que mes sœurs sachent la vérité sur ce que c'était de vivre là-bas, avec lui, en Californie. Je ne pouvais pas laisser Dora penser que nous vivions la vie des gens riches et célèbres. Je devais absolument déchirer le voile et leur montrer la réalité de cette sombre histoire.

— J'aurais aimé que tu me dises bien avant à quel point ta situation était devenue dramatique. Je t'aurais ramenée à la maison, ici.

— Il est trop tard de toute façon, dit Carson, fataliste. Ma vie n'est plus ici Mamaw. Ma maison, c'est la Californie maintenant.

— Vraiment? demanda Mamaw.

— C'est là-bas que je travaille.

— Vraiment? répéta Mamaw.

Carson secoua tout simplement la tête.

— Je l'aimais, chuchota-t-elle. Je l'aimais vraiment, malgré tout ce qui s'est passé.

Le cœur de Mamaw était sur le point de se briser.

— Je sais, répondit-elle d'une voix tremblante. Moi aussi, je l'aimais.

La porte-moustiquaire s'ouvrit à la volée et deux autres femmes vinrent les rejoindre sur la véranda. Mamaw se redressa sur sa chaise et en profita pour rassembler ses esprits pendant que Carson séchait ses larmes du revers de la main. Elle saisit la bouteille de vin posée sur la table et remplit son verre à ras bord.

Harper tendit un verre à Mamaw.

— Plus de vin pour moi, s'exclama Mamaw.

— Pour moi non plus, renchérit Harper. C'est de l'eau.

— Dieu te bénisse, répondit Mamaw.

Elle but une longue gorgée, puis attendit patiemment pendant que Dora et Harper tiraient deux chaises noires en osier et se rapprochaient pour refermer le cercle. Mamaw sourit lorsqu'elle vit que les filles avaient revêtu leurs pyjamas, mais avaient gardé les colliers de perles. Ce qui était étonnant, c'était que même leurs pyjamas étaient différents, tel un reflet de la personnalité de chacune des sœurs. Harper était mince et élégante dans sa robe de nuit en soie grise, avec son collier à trois rangs au ras du cou. Les perles longueur opéra de Dora tombaient sur sa poitrine, drapant la longue robe de grand-mère mauve dont elle était vêtue. Enfin (mais Mamaw n'en était pas certaine avec la faible lumière de la lune), Carson semblait avoir mis son collier de perles noires par-dessus un caraco, complété de pantalons de yoga.

Dora se pencha pour allumer la grande bougie posée au centre de la table.

— Nous devons donner l'impression d'être en plein sabbat, indiqua-t-elle.

— Les trois sorcières, ajouta Harper avec ironie.

Mamaw était soulagée de voir qu'elles semblaient toutes vouloir alléger l'atmosphère après l'effusion d'émotions qui s'était produite plus tôt. Mais une tension latente subsistait dans l'air.

— Mamaw, commença Carson, assise juste à côté.

Elle tendit le bras pour prendre la main de sa grand-mère.

— Comment te sens-tu ? Tu veux aller te coucher ?

— Non, répondit-elle.

Elle venait de se rendre compte que cette petite réunion était une seconde chance pour elle.

— Je suis un peu fatiguée, mais je suis vieille : c'est normal. Il y a eu beaucoup d'excitation aujourd'hui. Et sans doute un peu trop d'alcool aussi.

— Tu veux encore un peu d'eau ? questionna Harper en changeant de position sur sa chaise, prête à se lever.

— Non, non, reste donc assise. Je n'ai besoin de rien. Vraiment mes chéries, je me sens beaucoup mieux depuis que j'ai enlevé cette robe. Mais n'oubliez surtout pas de boire beaucoup d'eau tant que vous êtes ici. Hydratez-vous autant que possible ou ce sont les traits de votre visage qui vont en prendre un coup.

Les filles éclatèrent de rire, et même si c'était à ses dépens, Mamaw n'en avait que faire cette fois.

— Ne riez pas ! les réprimanda-t-elle. Un jour, vous vous regarderez dans le miroir et quand vous verrez toutes ces rides et ces crevasses, vous regretterez de ne pas avoir écouté les conseils de votre grand-mère bien-aimée.

— Nous écoutons, nous écoutons ! l'assura Carson avec un gloussement.

Mamaw se pencha et chuchota de façon peu naturelle.

— Si l'une d'entre vous découvre la recette secrète de Lucille pour garder sa peau aussi lisse, sachez que je serais prête à vous récompenser généreusement !

— C'est noté, répliqua Carson.

— Je ne sais pas, ça ne va pas être facile, ajouta Dora d'un air dubitatif. Elle garde jalousement ses petits secrets. Voilà des années que j'essaie de lui soutirer la recette de son gombo.

— La vieille chipie, compléta Mamaw en reposant son dos contre le coussin de la chaise.

Les quatre femmes rirent doucement. Puis, Harper poursuivit la discussion sur un ton plus songeur.

— Mamaw, loin de moi l'intention de me mêler de tes affaires, mais… nous en parlions dans la cuisine un peu plus tôt et nous nous demandions : est-ce que tout va bien financièrement ? As-tu besoin de notre aide ?

— Oh, mes chères filles, vous êtes bien gentilles. Vous avez déjà tant de choses qui vous préoccupent et vous pensez encore à moi ? C'est très touchant, mais ce n'est vraiment pas nécessaire. Ma plus grande fierté, c'est que je ne serai pas un fardeau de plus pour vous. Je ne suis pas particulièrement douée pour les chiffres, mais j'ai de bons conseillers qui m'ont aidée à planifier ma succession. Et puis, Edward était lui aussi très consciencieux quand il était question de finances. J'ai réglé toutes mes affaires de façon à pouvoir m'installer dans une maison de retraite. Et quand j'y serai — elle eut un petit rire —, eh bien, je n'en sortirai pas avant que le Bon Dieu ne me rappelle à Lui.

— Nous prions pour que ce ne soit pas avant un bon moment, dit Dora.

— Continuez à prier pour moi, répondit Mamaw. Mais je ne voulais pas vous inquiéter. J'essaie simplement de vous expliquer, pas très bien je le crains, pourquoi je vends Sea Breeze.

Elle fit une pause, car elle s'apprêtait à attaquer le sujet dont elle voulait à tout prix parler.

— J'aimerais pouvoir vous la laisser, mais...

Mamaw regarda tour à tour chacune des sœurs.

— Bien sûr, si vous voulez acheter la villa, je ferai tout ce qu'il faut pour que cela soit possible.

Elle s'arrêta de nouveau, mais aucun commentaire ne vint l'interrompre, comme elle s'y attendait. Aucune des sœurs n'avait les moyens financiers de se permettre d'acheter une maison, encore moins une villa comme Sea Breeze qui valait un prix exorbitant.

— Maintenant que je vous ai consultées, je vais essayer de contacter des membres de la famille élargie. Mais avec les taxes qui augmentent et les primes d'assurance qui grimpent en flèche...

Elle soupira.

— Je doute que qui que ce soit l'achète ou veuille même s'y risquer. Bien sûr, j'aimerais garder cette demeure dans la famille. Mais si personne ne démontre d'intérêt à en faire l'acquisition, je n'aurai d'autre choix que de prendre contact avec un agent immobilier et revendre la propriété à des étrangers.

Elle soupira une fois de plus et claqua les mains sur ses genoux.

— Je n'ai vraiment pas le choix.

— Quand? demanda Carson, visiblement affligée.

— Sans doute à l'automne, j'imagine.

Personne ne prit la parole, alors Mamaw continua :

— Ce qui m'amène au prochain sujet. Étant donné que la maison sera vendue, je dois me départir de certains objets importants de la famille. Voilà ce que je vous propose.

Elle balaya l'assemblée du regard et constata que tous les yeux tournés vers elle brillaient d'intérêt.

— Je voudrais que chacune d'entre vous choisisse un objet que vous voudriez garder. Celui que vous voudriez absolument emporter, plus que tout autre. Je veux m'assurer que vous gardiez quelque chose de cette maison que vous aimez.

— Il y a tellement de belles choses, dit Dora avec impatience. Je ne saurais même pas par où commencer.

— Tu as déjà commencé! la taquina Carson. Je t'ai surprise à fouiner dans la maison. Tu passais en revue toutes sortes de pièces de collection.

Les joues de Dora prirent une teinte écarlate.

— C'est faux, je n'ai rien fait de tel Mamaw! bredouilla-t-elle.

— Oh, arrête donc, Dora, rajouta Harper. Je t'ai même vue regarder sous les porcelaines pour en connaître la provenance.

— Il n'y a pas de mal à s'éduquer, fanfaronna Dora. Et toi alors? renchérit-elle.

— S'il te plaît…, répondit Harper sur un ton condescendant.

— Ne la joue pas «aristocratie anglaise» avec moi. Tu es toujours sur ton ordinateur. Tu recherches sur Google des informations à propos du mobilier américain du début du siècle dernier, hummm?

Harper laissa échapper un rire qui ressemblait à un aboiement.

— Pas vraiment. Mais maintenant que j'y pense…

Elle avait dans les yeux une lueur d'hilarité. Elle se tourna vers Carson et pointa vers elle un doigt accusateur.

— Je suis certaine de t'avoir vue chercher les prix des vieilles Cadillac !

Carson en resta bouche bée.

— C'est parce que je compte acheter la voiture de Mamaw. C'est une transaction tout à fait commerciale. Je dois connaître la valeur actuelle du véhicule.

— Oui, oui, dit Harper en roulant des yeux. Oui, bien sûr.

— Et toi, Harper, tes yeux ne te sont-ils pas presque sortis de leurs orbites quand tu as vu les boucles d'oreilles en diamant de Mamaw ? demanda Dora.

Harper eut l'élégance d'en rire.

— Touché. Elles sont *géniales*. Il est vrai que j'adore les bijoux rétro qui reviennent à la mode.

Elle regarda Mamaw avec des yeux pénétrants.

— L'anneau que tu portais au doigt ce soir a attiré mon attention. Est-ce que ta proposition tient pour lui aussi ?

— Non !

Dora s'était redressée et avait presque crié le mot.

— C'est un bijou de famille ! Il a toujours été transmis aux fils de la famille Muir pour qu'ils l'offrent à leur femme. En vertu de cette loi, cet anneau doit revenir à Nate. Il est le seul héritier mâle.

— À ce jour, riposta Carson. Qu'est-ce qui te fait croire que nous n'allons pas avoir de fils ?

— Eh bien, dit sagement Dora, tu as 34 ans et tu n'as même pas de petit copain.

— Mais mes ovules sont en très bonne santé, ne t'inquiète pas pour moi, répondit gravement Carson.

— Calmez-vous, sœurettes, exigea Harper d'un ton suffisant. Je n'ai que 28 ans et plein d'amants. Mais cet anneau est le premier sur ma liste.

— Tu ne peux pas le prendre ! fulmina Dora. Il a été offert à ma mère et elle a eu la décence de le rendre à Mamaw quand elle a divorcé. C'est donc à mon fils d'en hériter : c'est un juste retour des choses.

— Dora, commença Mamaw sur un ton qui les calma toutes immédiatement. Ta mère a touché une jolie somme d'argent après le divorce en échange de cet anneau. Alors je ne veux plus entendre parler de ses prétendues bonnes intentions. Quant aux autres femmes...

Elle se tortilla sur sa chaise comme si elle était assise sur une bardane.

— Je n'entends pas manquer de respect aux morts — elle regarda Carson —, mais aucune des deux autres femmes ne méritait ce bijou, et cela, je l'avais dit à Parker. Cette bague m'appartient. Et il se trouve que je l'aime bien. Peu importe la décision que je prendrai, cet anneau m'appartiendra, à moi seule. Est-ce que c'est clair ?

Quelques acquiescements hésitants accueillirent sa tirade.

Mamaw poursuivit d'un ton ferme.

— Mes chéries, vous ne devez pas vous inquiéter pour moi. Je me suis toujours débrouillée pour prendre soin de moi toute seule. Chacune d'entre vous devra faire de même si vous voulez trouver votre chemin dans ce monde. Je dois cependant vous donner un conseil : les amis, ça part, ça vient. Mais contre vents et marées, pour le meilleur et pour le pire, ce n'est que sur les membres de votre famille que vous pourrez toujours compter.

Mamaw prit une respiration. Elle était de nouveau en contrôle de la situation.

— Voilà ce qui est fondamental : *la famille*.

Elle scruta leur visage, satisfaite de constater qu'elle avait leur pleine attention.

— Ce qui m'amène au prochain point.

— Encore ? murmura Harper.

— Oui, ma chère Harper, insista Mamaw. Je n'ai pas encore tout à fait fini. J'y ai beaucoup réfléchi, alors j'espère que vous ne considérerez pas ce qui suit comme les élucubrations d'une vieille femme excentrique. Je m'inquiète, beaucoup même, du fait que nous, les dernières des Muir, ne sommes pas aussi proches que nous l'avons été par le passé, ou du moins, pas aussi proches que nous l'avons été durant nos étés ici, à Sea Breeze. Nous sommes devenues des étrangères. J'ai pensé à ce que je pouvais faire pour raviver la flamme de l'esprit de famille qui brûle encore en nous avant que je ne vende Sea Breeze et que vous repartiez aux quatre coins du globe.

— Ce n'est pas Sea Breeze qui m'a poussée à revenir à Sullivan's Island, dit Harper. Très franchement, je ne suis pas une grande amoureuse de cette villa. C'est très charmant, comprends-moi bien. Mais c'est toujours pour toi que je revenais Mamaw. Je venais te voir. Et voir mes sœurs.

Elle sourit timidement.

Mamaw s'enfonça dans sa chaise, un peu surprise par cette réponse. Elle jeta un coup d'œil à Carson et Dora, et leur expression lui confirma qu'elles étaient d'accord avec leur benjamine.

— Je suis très heureuse de l'apprendre, commença-t-elle lentement. Mais je crains plus que jamais que lorsque je ne serai plus là, les liens du sang qui unissent les membres de la famille Muir ne se dissipent totalement.

— Je ne veux pas penser à ta mort, dit Carson.

— Je ne suis pas éternelle, répondit Mamaw en riant doucement. Personne ne l'est. Mais lorsque je ne serai plus de ce monde, qu'adviendra-t-il de ma famille ? C'est ce qui me tient éveillée la nuit. Alors !

Elle tapa sur ses cuisses.

— J'ai un plan. Je vous demande de rester à Sea Breeze tout l'été. Notre dernier été. Qu'en dites-vous ?

Carson eut un mouvement de recul et haussa les épaules.

— Tu connais déjà ma réponse.

Dora avança de quelques centimètres sur son siège.

— Je viens toujours passer deux semaines ici en juillet. Je peux sans doute allonger mon séjour d'une semaine ou deux si tu le veux.

— Je suis désolée Mamaw. Je ne peux tout simplement pas rester ici tout un mois, encore moins pendant tout un été, dit Harper, incrédule. Je n'ai même jamais eu un mois complet de vacances. Je suis désolée Mamaw. J'apprécie l'invitation, vraiment. Mais je ne peux me libérer que cette fin de semaine. Et crois-moi, c'était déjà bien assez difficile. Mais nous avons encore toute la fin de semaine n'est-ce pas? ajouta-t-elle finalement en essayant d'imprimer dans sa voix une note positive.

Mamaw recula lentement, s'adossa contre sa chaise, puis joignit les mains.

— Je crois que je n'ai pas été assez claire. Je croyais que vous seriez toutes les trois très heureuses d'accepter mon invitation à passer l'été ici. Mais il semblerait que ce n'est pas le cas, alors je dois vous dire que cette invitation ne tient plus vraiment. En fait, cette proposition de passer l'été à Sea Breeze est — elle tapota le bout de ses doigts les uns contre les autres — plutôt une clause.

Elle suspendit son geste.

— Une clause de quoi? demanda Dora.

Mamaw respira un grand coup.

— Restez tout l'été ou je vous exclus de mon testament.

— Quoi? explosa Harper en bondissant sur ses pieds.

— C'est du chantage! souffla Dora en s'avançant sur le bout de son siège. Est-ce que tu es en train de dire que chacune d'entre nous doit rester ici tout l'été et que dans le cas contraire tu nous effaceras de tes dernières volontés?

Mamaw releva les yeux. Un sourire séducteur lui étira les lèvres, un sourire qui aurait fait la fierté de son ancêtre pirate.

— J'y vois plutôt une mesure incitative à ne pas manquer, répliqua-t-elle. Vraiment. Pensez-y ! Des vacances, toutes ensemble, une occasion unique de renouer les liens. Considérez cela comme un cadeau de ma part.

Mamaw attendit patiemment. Un silence de plomb s'était installé tandis que les filles tentaient de digérer l'ultimatum.

Dora finit elle aussi par se reculer dans sa chaise, apparemment résignée.

— Très bien Mamaw. Si c'est si important pour toi, alors je m'arrangerai de mon côté. En plus, il y *aura* tous ces ouvriers chez moi, ajouta-t-elle, découragée. De toute façon, plus personne ne m'attend à la maison. Je devrai sûrement faire quelques allers-retours entre ici et Summerville, mais je suppose que je vais réussir à jongler avec tout ça...

Sa voix s'estompa maintenant que son esprit était occupé par d'autres pensées.

— Merci ma chérie. J'espérais vraiment que tu puisses te libérer, dit Mamaw.

— Mais Nate devra rester avec moi, ajouta Dora.

— Bien sûr.

— Je suis de la partie, dit Carson tout sourire en ramenant ses genoux contre sa poitrine.

Mamaw regarda alors vers Harper, qui faisait les 100 pas sur le patio. Elle finit par se retourner et se diriger vers le groupe. Elle alla se placer dans la chaise située en face de Mamaw. Son visage avait légèrement rougi.

— C'est ridicule, déclara Harper d'un ton neutre.

Dora, qui était maintenant assise juste à côté d'elle, tourna la tête pour regarder sa benjamine.

— En fait, Dora, ce n'est pas du chantage, c'est de la corruption, poursuivit Harper. Je vois que le sang de pirate est encore bien présent dans la famille Muir.

— Mort aux dames ! hurla Carson en levant le poing.

Elle tentait désespérément de réchauffer l'ambiance, mais ses efforts tombèrent à plat. Harper ne l'entendait pas du tout de cette oreille. Elle demeura raide comme un piquet, les mâchoires crispées. Elle n'avait pas l'air de se rendre compte à quel point elle ressemblait à sa mère à cet instant précis.

— Tu sais, Mamaw, dit-elle avec incrédulité, c'est vraiment ridicule que tu t'attendes à ce que nous laissions tout tomber pour revenir en courant passer nos vacances ici, comme si nous étions encore de petites filles. Nous ne sommes plus des gamines ! Nous sommes des femmes adultes ! Nous avons un travail. En tout cas, moi, j'ai un travail. Et puis, même si nous pouvions rester un mois. Mais deux mois, trois ?

— Ce ne sont pas de simples vacances, implora Mamaw. C'est notre dernière chance de passer du bon temps ensemble.

— Que crois-tu qu'il va se passer ? demanda Harper. Que nous allons soudainement nous rapprocher ? *Des sœurs* ? Il est bien trop tard pour cela. Tu aurais dû y penser beaucoup plus tôt.

— Mais elle y a pensé, la coupa Carson.

Elle jeta un regard sérieux à ses sœurs.

— Elle nous a invitées chaque été.

— Eh bien désolée, répliqua Harper, mais je ne pouvais pas venir. Et je ne pourrai pas non plus rester cet été.

Elle tripota le fermoir de son collier de perles.

Carson se pencha alors pour poser sa main sur la jambe de Harper.

— Harpo, dit-elle, utilisant son vieux surnom. Qu'est-ce que tu fais ?

La benjamine ne répondit pas. Elle fit glisser les perles dans la paume de sa main, marcha jusqu'à sa grand-mère et lui tendit le bijou.

— Reprends-le, s'il te plaît. Je n'en veux pas.

Mamaw tendit la main à son tour, juste à temps pour attraper le collier que Harper laissait glisser entre ses doigts.

— Bonne nuit.

Harper tourna les talons et s'en alla.

— Harper ! cria Carson.

— Laisse-la, indiqua sombrement Dora.

Mamaw se força à garder le silence et referma les doigts autour des perles. Elle ramena son poing fermé contre son cœur battant.

— Je ferais mieux d'aller voir Harper, dit Carson.

Elle se leva d'un bond et trotta jusqu'à la maison.

— Eh bien, souffla Dora. Je n'ai jamais entendu une chose pareille de toute ma vie. Te parler sur ce ton. Rendre les perles. Elle est peut-être de sang royal, mais aucune dame digne de ce nom ne parlerait à sa grand-mère sur ce ton. Laisse-la repartir à New York.

Mais Mamaw n'écoutait plus. Elle contemplait les ténèbres, perdue dans ses propres pensées. Cette soirée ne s'était pas du tout déroulée comme elle l'avait prévu. La maisonnée était en plein tumulte et les sœurs étaient plus éloignées que jamais.

— Mamaw ? dit Dora en lui donnant un petit coup de coude.

La vieille femme secoua la tête et revint à la réalité. Dora s'était rapprochée à côté d'elle et la regardait maintenant d'un air inquiet.

— Veux-tu bien aller voir si Lucille est réveillée ma chérie ? Tu es une gentille fille. Mais si elle dort, laisse-la. Et aide-moi donc à me lever, je suis si fatiguée. Je dois aller dans ma chambre.

Mamaw s'éventa de la main.

— Mon cœur bat aussi vite que celui d'un lapin. Je suis épuisée.

∼

— Maman ? C'est moi.

Harper s'assit sur le lit de la chambre qu'elle partageait avec Dora. L'oreiller était plat, le matelas était dur et le vieux dessus-de-lit en patchwork rose et bleu était effiloché. On était bien loin des chambres richement décorées de la maison de sa mère dans les Hamptons. Soudain, Harper se sentit très seule. Elle avait hâte d'être de retour sur la côte est, loin du Sud, loin de toutes ces personnes ici qui réussissaient à percer la coquille qu'elle avait formée autour d'elle. Harper jeta un coup d'œil à l'écran de son ordinateur portable, si réconfortant avec sa connexion stable à un monde vaste et impersonnel.

— J'ai vu que tu as essayé de m'appeler.

— Oui, confirma Georgiana depuis New York. Je t'ai appelée deux fois en fait. Une chose terrible s'est produite.

Harper se raidit immédiatement.

— Quoi ?

— Mère est tombée et s'est cassé la hanche.

Harper ouvrit grand les yeux et bascula sur le côté.

— Oh non. Je suis désolée de l'apprendre. Quand cela est-il arrivé ?

— Hier. Elle est à l'hôpital en ce moment. Elle est terriblement mal en point.

— Pauvre grand-maman. Comment ça s'est produit ?

— Elle s'apprêtait à venir dans les Hamptons et elle est tombée dans l'escalier. Je suppose que nous avons de la chance que la situation ne soit pas encore plus grave.

— J'imagine qu'elle ne viendra donc pas dans les Hamptons.

— Évidemment qu'elle ne pourra pas venir.

Harper rougit et ferma les yeux très fort.

— Bien sûr, c'était stupide de ma part. Je voulais juste dire…

Elle ne savait pas ce qu'elle avait voulu dire. C'était simplement un de ces commentaires stupides que pouvaient faire les gens dans des moments de grande tension. Mais sa mère ne tolérait pas les imbéciles et l'imbécillité.

— Il faudra que quelqu'un reste avec elle à la maison quand elle sortira de l'hôpital, poursuivit Georgiana. Alors, ma chérie, je voudrais que tu ailles en Angleterre dès que tu le pourras.

— En Angleterre? s'exclama Harper, profondément cho-quée par la suggestion.

— Oui, répondit impatiemment sa mère. Mère aura besoin que quelqu'un veille sur elle. Un membre de la famille.

— Ne serait-ce pas plutôt toi qui devrais y aller? Elle pré-férerait sans doute que ce soit toi qui ailles la voir.

— J'aimerais bien, oui. Mais je dois absolument aller dans les Hamptons. J'ai tellement de rendez-vous que je ne peux tout simplement tout annuler.

— Mais mon travail...

Le ton de voix de Georgiana commençait à laisser transpa-raître sa frustration grandissante. Harper se l'imaginait très bien devant son bureau, malgré l'heure tardive, ses cheveux tirés vers l'arrière et ses lunettes bifocales sur le bout du nez. Elle était certainement pressée et voulait régler cette affaire au plus vite, sans tergiversation.

— Dois-je te rappeler que tu travailles pour moi? Ton tra-vail, c'est de faire ce que je te demande. Et je te demande d'al-ler en Angleterre.

Harper éloigna le combiné de son oreille. «Ton travail, c'est de faire ce que je te demande.» Peu importe ce qu'elle s'était imaginé, il était vrai que c'était bien sa description de tâches.

— Et qu'en est-il des projets sur lesquels je travaille? demanda Harper.

Elle avait été vraiment emballée par le travail de rédaction dont elle avait dressé les grandes lignes cet été.

— Nina s'en occupera.

— Nina? répliqua Harper, immédiatement sur la défen-sive. Elle ne s'occupe pas de rédaction.

— C'est le bon moment pour lui donner une promotion et elle fera très bien ce travail. Voilà un certain temps que je l'ai à l'œil. Ce sera une belle occasion pour elle de se faire valoir.

Nina était une femme brillante et séduisante qui avait à peu près le même âge que Harper. Elle ne cachait pas du tout son ambition de devenir éditrice et saisissait chaque occasion de se rapprocher de son but. Harper était déjà jalouse du nombre de projets de révision que sa mère avait délégués à Nina dernièrement, alors même que Harper en réclamait davantage. Cette dernière en avait assez d'être reléguée à des tâches qui correspondaient plus à ses fonctions d'assistante personnelle à l'éditrice en chef : faire des courses, fixer des rendez-vous et rédiger des lettres.

— Pourquoi n'envoies-tu pas Nina servir de gouvernante à grand-mère ?

— Ne fais pas ta maligne, la railla Georgiana. Je vois que quelques jours à peine en mauvaise compagnie t'ont rendue rustre. Je déteste l'effet qu'ils ont sur toi là-bas. Tu es toujours revenue de Sullivan's Island avec un air suffisant et des manières stupides. À chaque fois, il m'a fallu des semaines avant que je ne réussisse à te faire retrouver ton état normal.

— Ce n'est pas vrai, protesta Harper, mais au plus profond de son cœur, elle devait admettre qu'elle s'était souvent sentie un peu plus téméraire après un séjour chez Mamaw.

Sa tête était alors pleine de souvenirs de courses effrénées dans les bois de Sullivan's Island, à jouer les pirates, à s'inventer des histoires, à poursuivre les animaux sauvages, sans bien sûr oublier les journées entières passées à la mer. C'étaient des étés d'insouciance pendant lesquels des genoux écorchés passaient inaperçus et où il n'y avait pas d'horaire, si bien qu'elles pouvaient parler très tard le soir jusqu'à ce qu'elles s'endorment épuisées.

— Je crois qu'un bon séjour chez ta grand-mère James en Angleterre te fera le plus grand bien, souligna Georgiana.

— Je ne suis plus une enfant, maman, répondit Harper, irritée. Je n'ai pas besoin qu'on m'apprenne les bonnes manières.

— Ça reste à voir, rétorqua Georgiana. Mais je n'ai pas le temps pour cela. Je veux que tu réserves une place sur un vol qui partira directement de Charleston. Appelle mon agent de voyage. Ne t'inquiète pas pour ce qui est de tes vêtements, tu prendras ce qui est nécessaire une fois à Londres. Le retour de mère à la maison est prévu après-demain.

Harper déglutit.

— Non.

Il y eut un silence.

— Pardon?

Harper sentit le sang se glacer dans ses veines. Elle prit une grande inspiration, puis répéta.

— Non. Je n'irai pas en Angleterre. J'estime que c'est toi qui devrais y aller. C'est ta mère.

Il y eut un autre silence, plus long cette fois.

— Harper, je veux que tu sois à bord du premier vol qui décolle pour Londres demain, est-ce que c'est clair?

— Non.

Harper se sentait une fois de plus comme la petite fille rebelle qu'elle avait déjà été, les bras croisés et une moue déformant sa bouche. Seulement, aujourd'hui, elle n'était plus une enfant et les enjeux étaient beaucoup plus élevés.

— Tu es ridicule. Je ne le tolérerai pas. Je suis ton employeuse et ceci est un ordre.

Les mots flottèrent dans l'air quelques instants dans le gouffre qui se creusait progressivement entre elles, posant une multitude de questions qui ne trouvèrent pas de réponses. Harper prit un instant pour les absorber, les digérer et les laisser reposer. Elle abaissa l'écran de son ordinateur portable. Quand elle parla, sa voix était étonnamment calme.

— Peut-être que tu ne devrais pas être mon employeuse. Peut-être qu'il serait préférable que tu ne sois que ma mère.

Il y eut un autre long silence.

— Tu peux donner mon poste à Nina, dit Harper. Elle se débrouillera très bien.

— Tu démissionnes ?

— En tant qu'assistante personnelle, oui, répondit Harper avec un petit rire. Pas en tant que fille.

— Je ne trouve pas cela amusant du tout.

Harper aurait davantage été surprise si sa mère avait pu déceler l'aspect tristement comique de la situation.

— N'espère surtout pas pouvoir revenir dans mon appartement et tourner en rond à ne rien faire, déclara Georgiana dans un trait d'humeur.

— Eh bien, dans ce cas, je pourrais tout simplement vivre dans les Hamptons.

— Non, tu ne peux pas. La demeure est louée pour tout l'été.

— Je vois, répondit Harper.

Et elle comprenait parfaitement en effet. Enfin.

Carson n'avait aucune idée de l'heure qu'il était. Il était tard, c'était la seule chose dont elle était certaine. La position du croissant de lune dans le ciel ne laissait aucun doute. Elle était assise sur le rebord du quai, les pieds dans l'eau.

— Bien joué, Mamaw, murmura-t-elle.

À l'intérieur, dans la villa, Harper jurait comme un charretier, lançant tous les vêtements qui lui passaient sous la main dans sa valise hors de prix, en répétant sans cesse qu'elle ne remettrait plus jamais les pieds dans ce roman de Faulkner.

Carson ne savait pas où se trouvait Dora, et Mamaw s'était réfugiée dans sa chambre. Elle leva la bouteille de vodka qu'elle avait prise dans le petit bar de Mamaw et la leva en pointant la lune.

— Mort aux… Non.

Elle secoua la tête et y pensa de nouveau.

— Au diable les dames !

Elle vacilla et tomba presque dans l'eau.

Quelque part dans l'eau sombre, le son caractéristique du jet d'eau puissant expiré par un dauphin retentit. Le bruit semblait proche. Carson sourit immédiatement et leva la tête jusqu'alors posée sur ses bras croisés pour scruter l'étendue d'eau. La grosse tête de Delphine émergea, auréolée de reflets argentés dans la lumière de la lune.

Carson tendit lentement la main et tourna sa paume vers le ciel à quelques centimètres du dauphin en un geste de supplication. Delphine poussa gracieusement la main de la jeune femme lorsqu'elle passa tout près. C'était un à peine un frôlement, mais le mouvement suffisait pour en faire un intense moment de communion que Carson savait qu'elles ressentaient comme tel toutes les deux.

Carson entendit dans son dos des bruits de pas qui s'approchaient sur le quai. Delphine disparut aussitôt, ne laissant derrière elle que d'infimes ondulations à la surface de l'eau comme seule trace de sa présence.

— Encore en train de parler à ton dauphin ? s'enquit Harper depuis le quai.

Elle descendit sur le ponton flottant et s'assit à côté de Carson. Elle se pencha légèrement pour regarder le visage de sa sœur.

— Est-ce que tu pleures ? demanda alors Harper plus tendrement.

— Non, laissa échapper Carson.

Elle aurait préféré que Harper s'en aille et la laisse ruminer ses sombres pensées en paix. Harper s'approcha de Carson, glissa ses pieds dans l'eau et les balança paresseusement pendant un certain temps.

— Et tu bois encore, observa-t-elle gentiment, maintenant qu'elle ressentait la détresse de sa sœur.

— Et alors ?

— Et alors rien du tout. Je me disais juste que nous avons toutes dit des choses assez émotives ce soir. Et voilà que je te retrouve ici toute seule avec une bouteille de vodka. Alors je me demande bien quel démon te tracasse.

— Qu'est-ce que ça peut te faire ? Tu t'en vas de toute façon.

Carson leva la bouteille et l'inclina pour faire couler le liquide dans sa bouche. Elle regarda sa sœur d'un air de défi.

— Tout le monde s'en va, compléta-t-elle.

Harper ne répondit pas. Elle plongea le bout de ses doigts minces dans l'eau. Le quai flottant se mit à grincer lorsque les rondins de bois s'entrechoquèrent et de l'eau de mer éclaboussa la jetée.

— Souffres-tu de la maladie familiale ? demanda Harper.

Carson sentit ses muscles se raidir.

— Maladie ? De quelle maladie tu parles ?

Harper sourit tristement.

— Le miracle de la génétique. Je crois que nous portons tous le gène de l'alcoolisme. C'est un peu comme le pistolet chargé dans une roulette russe. L'un ne l'a pas, l'autre oui. Est-ce que tu l'as ?

— Non, réfuta Carson avec un geste vague de la main. Et toi ? demanda-t-elle plus par colère que par curiosité.

— Je ne crois pas, répondit honnêtement Harper.

Elle semblait sincèrement être prête à en discuter ouvertement, sans porter de jugement. Sa bonne volonté changea l'attitude de Carson.

— Je ne crois pas que j'en souffre moi non plus, déclara-t-elle en haussant une épaule. J'aime bien boire un verre de temps en temps. C'est une activité purement sociale.

Harper pointa la bouteille de vodka du doigt.

— Depuis quand boire toute seule dans le noir est considéré comme une activité de socialisation?

Carson se pinça les lèvres.

— Ce soir, c'est différent, s'opposa-t-elle d'un ton maussade. Beaucoup trop de mauvais souvenirs ont refait surface aujourd'hui.

— Ouais, convint Harper en appuyant sur le mot.

Carson examina le fond de sa bouteille comme si elle pouvait y trouver une trace de son destin.

— Je suis désolée d'avoir évoqué toutes ces sottises à propos de papa, dit Carson. Être de retour avec vous tous ici à Sea Breeze et tout le reste…

Elle esquissa un geste futile de la main

— Il y a *quelque chose* qui bouillonne en moi que je n'arrive pas refréner. Je suis désolée, ajouta-t-elle enfin.

— Tu n'as pas à l'être. Ce n'était pas juste que tu aies à porter seule le fardeau de la vie débridée de papa pendant tout ce temps, lui expliqua Harper.

Le quai flottant grinça et bougea sous elles.

— Si seulement je l'avais su, termina Harper.

Carson secoua la tête en repensant à la fierté qu'avait son père pour son héritage familial. Malgré ses déboires financiers, il avait porté toute sa vie son droit de naissance comme une distinction honorifique.

— Papa n'aurait jamais voulu s'humilier devant ta mère.

— Pourquoi? Tu crois que ton père est meilleur que le mien? lança malicieusement Harper.

Carson émit un rire bref. Elle aimait vraiment la vivacité d'esprit de sa sœur.

— Pourquoi le protèges-tu tout le temps? la poussa Harper.

— Question d'habitude.

Harper la regarda alors comme si elle le faisait pour la première fois.

— Je peux comprendre.

— J'ai pris soin de lui. Ce n'est pas quelque chose que je faisais consciemment. J'étais jeune, nous devions survivre. Et puis, il avait aussi un bon côté. Comme Mamaw l'a dit, il pouvait être tellement charmant, tellement drôle, attentionné même. Je l'aimais, tu sais. Beaucoup. Même lorsque je suis partie de chez lui, c'était plus pour survivre que par accès de colère. C'était un chiot malade. Personne ne peut détester un chiot.

— Mais, et toi alors? demanda de nouveau Harper en lissant vers l'arrière les cheveux sombres de Carson qui collaient à ses joues humides de larmes. As-tu la maladie?

Carson entendit la question cette fois, et au lieu de la rejeter furieusement, elle s'aventura à y réfléchir. Elle fixa des yeux l'eau glauque et sentit tourbillonner en elle ses vieux démons qui l'entraînaient dans un gouffre sans fond.

— Je ne sais pas, répondit Carson d'une voix si faible que Harper dut se pencher pour mieux l'entendre. Il est possible que...

Elle ne put dévoiler le fond de sa pensée.

Harper se mit à quatre pattes et rampa derrière Carson jusqu'à la bouteille de vodka. Elle ôta le bouchon, puis entreprit d'en déverser le contenu dans l'eau.

— Mamaw ne va pas du tout apprécier, l'avertit Carson.

Harper agita la bouteille pour faire tomber les dernières gouttes, puis replaça le bouchon.

— Qu'est-ce que ça va te prendre pour que tu arrêtes de boire? demanda Harper.

— Qui a dit que je comptais arrêter? Toi, arrête.

— Très bien. Je vais arrêter. Dès maintenant d'ailleurs.

Harper lança un regard de défi à sa sœur. Carson avança sa mâchoire inférieure en une grimace agressive.

— Grand bien te fasse.

— Essaie donc une semaine, la pressa Harper. Je le fais de temps en temps simplement pour m'assurer que je suis capable d'arrêter. Comme je te l'ai dit, c'est dans nos gènes. Si tu ne peux pas t'empêcher de boire pendant une semaine, alors tu devras admettre que tu as un problème.

— Tu oublies que je travaille dans un pub.

— Démissionne!

— J'ai besoin de cet argent,

— Allons donc, s'opposa Harper. Combien gagnes-tu à travailler comme serveuse sur l'heure du midi? Tu n'as pas besoin de ce boulot.

Carson se passa les mains sur le visage. Les sensations lui revenaient tranquillement au fur et à mesure que son ivresse se dissipait.

— D'abord, je tiens à mentionner que je n'ai pas de fonds fiduciaire qui attend bien au chaud comme dans ton cas. Quand je dis que je suis fauchée, c'est que je suis vraiment fauchée. Ensuite, ajouta-t-elle, hésitante, je n'ai pas été totalement honnête avec toi.

— Je ne suis pas sûre de pouvoir digérer d'autres secrets pour aujourd'hui, maugréa Harper.

— Quand je t'ai dit que je prenais congé pour passer du temps avec Mamaw…

Carson inspira et réalisa qu'il n'était plus temps d'user d'échappatoires. Il était temps de dire la vérité.

— En vérité, je n'ai plus de boulot. Ma série télévisée a été annulée, et juste avant, j'ai été congédiée de mon travail à cause de mon penchant pour l'alcool. C'était la seule fois que ça m'était arrivé, ajouta-t-elle précipitamment. Mais j'ai peur qu'ils se soient passé le mot dans le milieu et que je sois sur la liste noire des employeurs ou quelque chose du genre, parce que je n'ai toujours pas trouvé d'autre travail.

Elle détourna le regard et se remémora les fêtes bien arrosées qu'ils organisaient avec toute l'équipe après avoir terminé un tournage.

— Je reste ici parce que je n'ai nulle part où aller. C'est un peu pathétique à mon âge hein ?

Harper changea de position et coinça ses jambes sous son corps pour s'asseoir en tailleur.

— Pour rester dans le ton de la transparence, commença-t-elle avec un hochement de la tête en signe de compréhension, je dois avouer que moi non plus je n'ai pas été tout à fait honnête.

Carson lui était reconnaissante de faire en sorte qu'elle ne soit pas la seule à dévoiler sa face cachée ce soir.

— Dis-moi donc, ma sœur, dit Carson. La famille royale des James serait-elle en fait — elle fit la grimace — sans le sou ? Ne seriez-vous pas en vérité des indigents et non des princes comme vous le prétendez ?

Harper gloussa et secoua la tête.

— Non, je crains que non. Pas d'inquiétudes à avoir de ce côté. En fait, c'est ma mère…

Elle leva la bouteille de vodka et l'agita. Son visage prit un air consterné quand elle constata qu'elle était complètement vide.

— Je commence à regretter de l'avoir vidée.

— Alors, qu'est-ce qu'elle a, ta mère ?

— As-tu déjà regardé le film *Le diable s'habille en Prada* ?

Carson acquiesça.

— Te souviens-tu de l'éditrice jouée par Meryl Streep ? Eh bien, c'est un peu à cela que ressemble ma mère.

— Ce qui fait de toi la jeune secrétaire ?

— Plus maintenant. J'ai démissionné.

Cette dernière déclaration fut accueillie par un lourd silence.

— Attends une minute… Je ne comprends pas, reconnut lentement Carson. Tu viens de dire à Mamaw que tu rentrais chez toi.

— Oui, mais ça, c'était avant que je démissionne. Je reste ici, si elle le veut bien. Mais d'abord, je dois m'excuser auprès d'elle, dit Harper en rentrant la tête. Je dois *absolument* le faire.

— Et l'ultimatum alors ?

— Tu veux parler de sa tentative de corruption ? répondit Harper avec un rire bref.

— Mais oui, toute cette histoire à propos du testament, lança Carson, qui sentait le besoin de défendre sa grand-mère. Ce n'était pas tant une tentative de corruption qu'un acte désespéré. Elle voulait simplement faire en sorte que nous restions toutes. Elle est vieille et il ne lui reste plus beaucoup de temps devant elle. Nous sommes tout ce qu'elle laissera derrière une fois qu'elle aura quitté ce monde.

— J'y ai pensé ce soir, commenta sombrement Harper. Je crois que j'ai compris la différence entre un ultimatum formulé par amour et un ultimatum dicté par l'égoïsme.

Elle tira sur une peluche de son chandail.

— Maudite soit ma mère, ajouta-t-elle maintenant que le feu de sa colère recommençait à ronfler en elle. Elle me traite davantage comme un laquais que comme sa propre fille. Un laquais sans talent qui plus est. Elle n'a absolument aucune confiance en moi et en mes capacités. Parfois, quand elle me regarde, son visage prend un air de dégoût, et je sais qu'elle voit alors en moi mon... notre père.

Harper rit amèrement.

— Et nous savons toutes deux ce qu'elle pensait de lui.

Carson ne répondit pas.

— Je ne peux plus travailler pour elle, déclara Harper, ses yeux lançant des éclairs.

Puis, comme si elle se rendait enfin compte des conséquences de ce qu'elle venait de dire, ses épaules s'affaissèrent et son visage se décomposa.

— Le problème, c'est que je ne sais pas ce que je veux faire à la place. J'ai toujours été la gentille petite fille qui faisait ce qu'on lui demandait.

Elle jeta d'un petit coup un petit caillou dans l'eau.

— Mais ça, c'est du passé maintenant, dit Carson pour essayer de redonner courage à sa sœur.

Harper esquissa un sourire en coin.

— C'est du passé. Je ne suis plus sa servante désormais.

Elle leva les yeux et soutint le regard de Carson, comme si elle la mettait au défi de la croire. Carson n'avait aucune raison de penser autrement et elle tenta de lui envoyer des ondes positives.

— Alors voilà où j'en suis, poursuivit Harper. Je suppose que je ne suis pas bien différente de toi, Carson. Je n'ai nulle part où aller.

Carson fut prise d'un élan de sympathie pour sa sœur. Elle promena son regard à la surface de l'eau noire. Tout au bout de la jetée, une douce lumière verte perçait la noirceur, clignotant avec une rassurante régularité.

Quand Carson se retourna en oscillant légèrement, un large sourire illuminait son visage.

— C'est un peu étrange, mais dans un sens, je suis heureuse de l'apprendre, déclara Carson. Ça fait du bien de savoir que je ne suis plus toute seule dans le canot de sauvetage.

CHAPITRE 11

Dora était assise dans le salon, profitant d'un après-midi paisible pour lire tranquillement lorsqu'elle aperçut du coin de l'œil Harper qui se dirigeait vers la chambre de Mamaw. Dora était surprise de la voir vêtue de shorts blancs et d'un t-shirt plutôt que du complet noir que les New-Yorkais avaient l'habitude de porter. Elle jeta un coup d'œil à l'horloge de parquet et constata qu'il était déjà plus de 15 h. Harper n'était-elle pas censée être à bord d'un vol en direction de New York à l'heure qu'il était ?

Dora marqua la page où elle s'était arrêtée et déposa le livre sur le canapé. Elle se leva et marcha à pas de loup en direction de la chambre de Mamaw. Elle s'arrêta devant la porte. Des voix s'élevaient derrière le battant et Dora tendit l'oreille. Elle ne parvenait pas à comprendre exactement ce dont il était question, mais il semblait que Harper avait pleuré. Curieuse, Dora fit un pas de plus et posa le pied dans la pièce. Elle grimaça lorsque les lattes du plancher grincèrent sous son poids. Puis, doucement, elle passa la tête derrière la porte. Mamaw était assise dans son fauteuil rembourré, devant les belles fenêtres de la chambre, et des roses avaient été placées dans le vase en cristal sur la table juste à côté d'elle. Harper était assise à ses pieds, la tête posée contre le genou de Mamaw, qui caressait doucement les cheveux de sa petite-fille.

~

Carson était en retard à son rendez-vous avec Blake, rendez-vous qu'elle refusait de qualifier d'amoureux ou de galant. Elle saisit le sac qu'elle avait jeté dans sa voiture. C'était une journée venteuse sur la côte de la Caroline du Sud, très mauvais pour le surf, mais idéal pour faire du surf cerf-volant. Les variations dans le souffle des vents qui tourbillonnaient sur Charleston en faisaient la destination par excellence pour les amateurs de sports aquatiques. Il était possible d'y chevaucher les vagues tous les jours de l'année.

Elle suivit le chemin de bord de mer balayé par les vents, bordé par une barrière impénétrable d'arbustes séneçon. Cet obstacle servait d'habitat naturel à d'innombrables oiseaux et animaux. Il était également une source importante de nourriture et un refuge privilégié pour les papillons monarques migrateurs. Un petit lézard vert détala sur son passage et un couple croisa son chemin tandis qu'il marchait en direction opposée. Des voisins. Ils saluèrent Carson d'un geste de la tête et lui adressèrent un sourire aimable. La Station 28 était située à la pointe nord de l'île, proche de Breach Inlet, une anse où il était interdit de nager en raison des dangereux courants qui la traversaient. Même si rien ne la désignait comme un endroit dédié au surf cerf-volant, les gens du coin avaient silencieusement accepté que cette zone soit toute désignée pour les folles acrobaties auxquelles s'adonnaient les surfeurs cerfs-volistes les plus rapides.

Le sentier ombragé menait directement à une grande plage ensoleillée bordée par l'océan Atlantique, qui caressait de ses vagues couvertes d'écume les côtes ensablées de la Caroline du Sud. Carson marcha sous le soleil en profitant de sa chaleur.

Elle souriait jusqu'aux oreilles. Elle n'avait pas mis le pied sur une plage depuis l'incident avec le requin. La sensation poignante que lui inspirait la vue de ce ciel et de cette mer infinis lui avait manqué. Tout comme la sensation du sable entre ses orteils.

Mais sur cette plage, le ciel était obscurci par des dizaines de cerfs-volants multicolores! Il y avait huit ans, on ne comptait que trois ou quatre surfeurs cerfs-volistes sur les eaux bleues de cette plage. Aujourd'hui, Carson en dénombrait au moins une trentaine. Elle éclata de rire. C'était comme si une volée entière d'énormes oiseaux aux plumes chatoyantes étaient venus profiter des vents chauds qui soufflaient au-dessus de l'océan.

C'était une vision particulièrement réjouissante qui fit monter en elle une vague d'excitation. Elle allait enfin apprendre ce sport. Carson eut envie de gambader sur la plage tellement elle était heureuse. Mais elle marcha plutôt d'un pas tranquille pour rejoindre les autres badauds qui s'étaient attroupés sur la côte et observaient s'amuser les amateurs de ce nouveau sport très populaire. Certains surfeurs cerfs-volistes s'étaient avancés loin dans la mer. Ils glissaient sur leur planche à la surface de l'eau en se laissant emporter par les vents, exécutant des pirouettes spectaculaires et des virages serrés. D'autres se démenaient comme ils le pouvaient plus près de la plage et tentaient tant bien que mal de manœuvrer leur cerf-volant, visiblement en plein apprentissage. Ils laissaient l'air s'engouffrer sous la toile et déployaient de fines longes qui se déroulaient dans leur dévidoir, tandis que certains de leurs camarades patientaient en ligne, dans l'attente d'un vent favorable.

Carson adorait surfer et elle y était plutôt douée. Elle avait toujours voulu essayer ce nouveau sport qui lui permettrait de chevaucher les vents plutôt que les vagues. Elle avait toujours préféré les sports aquatiques individuels. Quand on était sur l'eau, il était toujours agréable d'avoir un camarade pour veiller sur ses arrières. Mais un surfeur prenait la vague ou le vent seul. Chaque jour était l'occasion d'une nouvelle tentative de s'envoler. Elle se sourit à elle-même en se demandant si elle ne devrait pas appliquer cette approche à toutes les facettes de sa vie personnelle.

Elle plaça sa main en visière au-dessus de ses yeux et promena son regard sur la plage à la recherche de Blake. Elle remarqua un homme couvert de tatouages qui jetait de fréquents coups d'œil dans sa direction, ce qui était généralement le signe qu'une phrase d'approche allait suivre. Carson ramassa son sac et commença à marcher dans la direction opposée. De l'autre côté de la plage, des cris s'élevèrent : « Mise à l'eau ! », « Bon vent ! », « C'est quelle taille de cerf-volant ? »

Un homme grand et mince attira son attention. Il était agrippé aux barres du cerf-volant tandis qu'à l'autre extrémité du câble, un autre homme l'assistait dans sa manœuvre, levant dans les airs le cerf-volant bleu arqué. L'homme ceinturé d'un harnais avait les épaules larges et les hanches sveltes d'un nageur. Ses muscles définis se tendaient lorsqu'il manœuvrait le cerf-volant gonflé par le vent. L'œil de photographe de Carson y vit un corps magnifique, parfaitement symétrique et bronzé. Il y avait quelque chose dans la façon dont ses boucles noires tombaient sur son front qui l'incita à regarder de plus près. Elle plissa les yeux, aveuglée par la lumière du soleil.

Ce fut alors que l'homme tourna la tête dans sa direction. Leurs regards se croisèrent, se fixèrent. Les orteils de Carson se crispèrent dans le sable. *Blake.* Un frisson de gêne la parcourut : elle avait été surprise en train de le regarder. Les lèvres de Blake esquissèrent un sourire confiant, celui du mauvais garçon sûr de lui. Il lui adressa un vague salut de la main, mais aussitôt, le cerf-volant remonta brusquement sous l'effet d'un coup de vent et Blake dut reporter son attention sur l'objet. Carson observa le jeune homme manœuvrer habilement le cerf-volant qui se cabrait comme un cheval sauvage, le guidant avec doigté tandis qu'il marchait tranquillement vers l'eau, la planche sous le bras. Dès qu'il atteignit la grève, il laissa tomber sa planche, sauta dessus et laissa filer le cerf-volant. Blake s'envola aussitôt, traçant un sillon d'éclaboussures à travers l'océan.

Il était doué. Ou alors, il faisait le paon devant elle, pensa-t-elle avec un sourire. Blake décolla de la surface de l'eau à plusieurs reprises, exécutant des acrobaties aériennes qui attirèrent les regards. Plusieurs badauds sur la plage pointèrent le doigt dans sa direction. Carson jeta un coup d'œil à droite puis à gauche et sourit d'un air complaisant, car même si ce n'était encore que de très loin, elle le connaissait. Elle étala sa serviette sur le sable pour s'assurer d'un emplacement avantageux. C'était un magnifique après-midi et une fine brise soufflait sur la plage. Carson s'amusa à regarder les gens et la volée de bécasseaux qui couraient le long de la côte sur leurs longues pattes de leur démarche raide, en quête de poissons.

Elle repéra enfin Blake qui retournait vers le rivage en suivant une ligne diagonale. Ses muscles se tendirent lorsqu'il sortit le cerf-volant de l'eau. Carson en avait des papillons dans l'estomac. Elle se leva et secoua le sable qui s'était accroché à sa serviette. Elle avait maintenant hâte de lui parler de nouveau. Carson avait toujours été très attirée par les hommes athlétiques, et Blake avait piqué sa curiosité en étalant ses prouesses sur l'eau. Elle jeta la serviette dans son sac où cette dernière alla rejoindre sa bouteille d'eau, son livre et son tube de crème solaire empilés pêle-mêle. Carson mit hâtivement son t-shirt par-dessus son bikini et commença à marcher vers Blake, qui était affairé à enrouler son cerf-volant. Elle se retint de marcher trop vite, pour ne pas laisser paraître sa nervosité. À mi-chemin, elle s'arrêta brusquement. Une jeune blonde aux courbes engageantes avait bondi aux côtés de Blake. Elle avait engagé la conversation avec le jeune homme en déployant tous ses talents de séductrice, tournoyant légèrement sur elle-même et jouant nonchalamment avec ses cheveux blonds. Les trois minuscules triangles arc-en-ciel qui lui tenaient lieu de bikini laissaient apparaître son corps ferme et bronzé. Blake, comme n'importe quel homme, se prêta au jeu de la séduction. Carson serra les lèvres, agacée, lorsqu'elle vit la jeune femme passer un bras par-dessus son épaule et se pencher sur lui en riant.

Carson n'y pensa pas à deux fois. Elle tourna les talons et repartit en direction du chemin de bord de plage, tête baissée, comme un cheval avec des œillères. Quitter la plage lui sembla durer une éternité. Blake et elle avaient convenu de se rencontrer aujourd'hui. Elle avait été en retard, certes, mais elle avait attendu patiemment pendant qu'il avait surfé. Elle grimaça. Dire qu'elle avait failli s'humilier à aller lui parler. Carson rejoignit finalement sa voiture, la Bête, comme elle l'avait surnommée. Elle ouvrit la portière et jeta son sac sur le siège passager. Il faisait aussi chaud dans l'habitacle que dans un four, et le plancher était tapissé de sable. Des bouteilles d'eau traînaient par terre et toutes sortes d'objets étaient posés sur les sièges : des CD, des bouts de papier froissés, des emballages de gomme à mâcher et des chapeaux. Carson s'installa derrière le volant et ouvrit les fenêtres. Ses cuisses collaient au cuir brûlant du siège.

Le moteur ronronna faiblement, pétarada, mais ne démarra pas.

— Allez, la Bête, démarre, murmura Carson.

Elle tourna la clé à deux reprises, en vain. Le moteur semblait chaque fois un peu plus faible, comme un animal qui rendrait l'âme. Carson frappa le volant, puis déposa le front dessus. À cet instant, elle n'aurait su dire qui était la plus nulle : elle ou sa voiture.

Carson était trempée de sueur et couverte de sable lorsqu'elle arriva enfin à Sea Breeze. Elle s'empressa de prendre une douche et de se changer. Elle mit des pantalons de yoga et un t-shirt en coton tout propre. Le goût amer laissé par son rendez-vous catastrophique avec Blake et l'ultime injure de sa voiture tombée en panne lui avait donné soif. Carson ouvrit le réfrigérateur et resta un moment à regarder la bouteille ouverte de Pinot Grigio. Elle mourait d'envie de la boire. Mais, s'armant de patience, elle s'empara plutôt d'un pichet de thé glacé et se versa un grand verre. Le fait d'avoir résisté à la tentation lui redonna un peu confiance et elle se mit à recherche de Mamaw. Elle trouva sa grand-mère assise en compagnie de Lucille dans l'ombre de la véranda arrière, en pleine partie de gin-rami. Des ventilateurs tournaient à plein régime au-dessus de leurs têtes, générant une agréable brise. Carson tira une chaise en osier noire et se joignit à elles.

— Vous remettez ça une fois de plus ? demanda Carson.

— Tous les jours, que nous en ayons envie ou non, répondit Lucille avec son gloussement si caractéristique.

— C'est le plan, ajouta Mamaw et elle se défaussa de ses cartes. Gin !

Lucille grommela et après s'être assurée que Mamaw disait vrai, elle entreprit de compter les points.

Carson s'éclaircit la gorge.

— Mamaw, j'aimerais te parler de quelque chose.

— Qu'y a-t-il ma chérie ? demanda Mamaw en lui adressant un sourire qui trahissait sa curiosité.

— Veux-tu que je m'en aille ? s'enquit Lucille.

— Non, reste, s'il te plaît. En fait, j'ai besoin que tu sois là, toi aussi.

Mamaw et Lucille échangèrent un regard plein de curiosité, puis elles se concentrèrent sur Carson.

— Eh bien voilà...

Elle s'humecta les lèvres, puis se jeta à l'eau.

— Harper et moi, nous avons discuté de papa et de son faible pour la boisson. Et nous nous demandions si... s'il était possible que nous portions en nous le gène de cette maladie.

— Oh, s'exclama Mamaw à la fois surprise et curieuse. Tu crois l'avoir ?

— Je n'en sais rien, répondit le plus honnêtement du monde Carson. Mais ça m'inquiète. Je buvais peut-être un peu trop quand j'étais encore à Los Angeles et j'ai fait deux ou trois choses dont je ne suis pas très fière. Mais je ne pense pas être alcoolique, s'empressa-t-elle d'ajouter. Je n'éprouve pas de besoin vital à commencer ma journée en buvant un verre ou des choses du genre. J'aime boire en société, avec des amis. Et pendant les repas.

Mamaw ne bougeait pas, attentive à chaque mot.

— Mais bon, ajouta Carson d'un ton léger. Harper et moi avons eu l'idée de ne pas boire pendant un certain temps. D'essayer du moins, pendant une semaine. Nous voulons voir si nous sommes *capables* d'arrêter. Un défi, en somme, termina-t-elle, afin de ne pas inquiéter les deux femmes.

— Oh mes chéries, c'est très sage de votre part, dit Mamaw. Si vous saviez seulement combien de fois j'ai supplié votre père d'arrêter, ne serait-ce que pour quelques jours. Il ne l'a jamais fait. Il prétendait ne pas avoir de problème et disait qu'il pouvait arrêter quand il le voulait.

— Mais il n'a jamais pu s'en priver, renchérit Lucille. Et ça, il ne voulait pas l'admettre.

Mamaw inclina la tête comme un oiseau un peu curieux.

— Ma douce enfant, que pouvons-nous faire pour vous aider ?

— Foutre l'alcool en l'air, répondit Carson sans y aller par quatre chemins.

Les yeux de Mamaw s'agrandirent de surprise lorsqu'elle entendit la vulgarité de Carson. Cette dernière esquissa un sourire plaintif.

— Si tu pouvais retirer tout l'alcool et le cacher, peu importe, de façon à ce que je… nous ne puissions pas en trouver. J'apprécierais vraiment. Simplement pour une semaine, un peu plus si tout se passe bien. C'est aussi valable pour le vin. Si vous en servez au dîner, je vais y céder. Je le sais. Mais si je prends mes repas ici et qu'il n'y a pas d'alcool à proximité pour me tenter, alors je pourrai voir si je suis vraiment capable d'arrêter de boire.

Elle se frotta ses mains moites entre les cuisses.

— Ça ne va pas être facile. La simple idée de ne pas boire ce soir me donne envie de prendre un verre.

— C'est comme si c'était fait ! s'exclama Mamaw.

— Il ne restera plus une goutte d'alcool dans la maison quand tu rentreras du travail demain, dit Lucille.

Ses yeux noirs brillaient comme si elle était investie d'une mission particulièrement importante. Elle se tourna vers Mamaw.

— Il ne faut pas les cacher n'importe où. Je m'occupe de ça.

Mamaw plissa les yeux en essayant de comprendre ce que Lucille insinuait. Carson pouvait voir que Mamaw se demandait si elle serait capable de se passer du petit verre de rhum qu'elle avait l'habitude de boire en soirée.

— Qui gagne ? demanda Carson d'un ton guilleret pour changer de sujet.

Mamaw se rengorgea comme une reine et arbora un sourire suffisant.

— Moi, bien sûr, déclara-t-elle en mélangeant les cartes.

— Aujourd'hui seulement, grommela Lucille.

Carson était impressionnée par la dextérité de Mamaw. Elle brassait les cartes aussi habilement qu'un croupier.

— Comment ça se passe à ton travail ? demanda Mamaw tandis qu'elle distribuait les cartes.

— Bien, répondit Carson. Les touristes ont débarqué en nombre, alors j'ai de bons pourboires. Ça devrait être un bon été.

— C'est une bonne chose, dit Mamaw d'un air absent pendant qu'elle ramassait ses cartes et les triait de ses doigts vifs et rapides.

Carson inspira, puis commença à dévoiler le jeu de finesse qui avait pris naissance dans son esprit.

— Mamaw, parlant d'été… Sais-tu ce qui rendrait cet été *vraiment* super ?

— Je ne sais pas, répondit distraitement Mamaw, quelque chose au sujet de l'eau, j'imagine ?

Carson prit de nouveau une inspiration.

— Non. Ça sort un peu de l'ordinaire, alors écoute-moi jusqu'au bout, d'accord ?

Lucille garda ses yeux fixés sur les cartes, mais elle murmura dans sa barbe, juste assez fort pour que tout le monde l'entende :

— Ça sent la prise de bec…

— Eh bien…, commença Carson en ignorant la remarque.

Elle se pencha vers l'avant à la manière d'un vendeur.

— Ma voiture, la Bête, a rendu l'âme aujourd'hui, en revenant de la plage. Je l'ai ressuscitée bien des fois pendant toutes ces années, mais je crois que c'est bel et bien fichu. Mon voyage à travers tout le pays l'a achevée. Au moins, elle sera morte ici et pas quelque part en plein milieu du pays.

Carson s'efforçait d'adopter un ton léger.

— J'espère que tu retireras ce tas de ferraille de mon allée, dit Mamaw en lui jetant un regard par-dessus la monture de ses lunettes. Je ne veux pas que Sea Breeze devienne un de ces parcs à roulottes habités par des gueux, envahis par les vieilles voitures et les plantes grimpantes.

— Quelqu'un va venir plus tard en semaine pour l'emporter, l'assura Carson. La carcasse me rapportera une centaine de dollars.

— C'est bien, indiqua Mamaw en reportant son attention sur le jeu.

— Alors, je me disais...

Les orteils de Carson se recroquevillèrent sous la table.

— Est-ce que tu considérerais de... Eh bien... Que dirais-tu de me prêter le Bombardier bleu ?

Mamaw cessa aussitôt de disposer ses cartes et leva les yeux, soudainement très alerte.

— Que dis-tu ?

— J'ai besoin d'une voiture Mamaw, alors je me demandais, puisque la Cadillac reste un peu inutilement dans le garage...

Mamaw déposa ses cartes et examina le visage de Carson d'un regard averti, en plissant les yeux.

— Tu voudrais que je te donne ma voiture ?

— Oh non, pas me la donner, s'empressa de répondre Carson. À moins que tu me laisses la mettre sur ma liste ?

— Hors de question.

— Ah.

Carson souffla, déçue.

— Prise un, chuchota Lucille.

— Tu ne m'aides pas beaucoup, lui dit Carson.

— Je ne fais que commenter ce que je vois, répondit Lucille en haussant légèrement les épaules.

Elle semblait beaucoup s'amuser. Carson, quant à elle, regarda Mamaw avec des yeux suppliants.

— Me laisseras-tu l'acheter dans ce cas ?

— As-tu l'argent nécessaire ?

— Pas encore, concéda Carson en se tortillant sur sa chaise.

— Prise deux, murmura Lucille.

Carson lui lança un regard furieux.

— Mais j'ai un travail et je reçois de bons pourboires, essaya-t-elle de convaincre Mamaw. J'aurai l'argent.

— Quand ?

— Avant la fin de l'été. Plus tôt encore si un emploi à Los Angeles se présente.

— Alors, tu t'attends *vraiment* à ce que je te la donne ?

Carson soupira bruyamment de frustration. Oui, elle s'était attendue à ce que sa grand-mère lui prête sa voiture immédiatement et lui laisse le temps de la rembourser plus tard. La voiture restait dans le garage presque tout le temps de toute façon. Ce n'était pas comme si elle allait lui manquer.

— Et si je te faisais un dépôt dès maintenant ? grinça Carson.

Il était tout de même humiliant de ne pas avoir d'argent et de devoir emprunter et supplier à son âge.

— Disons… une centaine de dollars…

— Ça servirait à peine à faire le plein sur cette grosse et vieille voiture, répliqua Mamaw. Ma chérie, même si j'acceptais de te vendre la Cadillac, tu n'aurais pas de quoi te payer l'essence.

— Je n'aurai pas besoin de beaucoup d'essence, argumenta Carson. J'ai seulement besoin de cette voiture pour faire l'aller-retour entre ici et le Dunleavy's. Et tu sais à quel point j'aime ce vieux tacot.

Mamaw ramassa ses cartes et se mit à les trier. Elle prit tout son temps, en relevant les bords d'une chiquenaude tandis qu'elle les déplaçait.

— J'ai une meilleure idée, dit lentement Mamaw. Puisque tu seras ici tout l'été et que tu n'as besoin d'un moyen de transport que pour te rendre au travail, je crois que tu n'as pas besoin d'une voiture.

Elle se défaussa d'un deux de trèfle.

— Tu peux utiliser mon vélo à la place. En fait, je te le donne. Pense aux économies que tu feras sur l'essence. Sans compter l'exercice physique que tu vas faire.

— Une bicyclette? s'exclama de dépit Carson.

— Prise trois, dit Lucille en ramassant les cartes et en jouant un valet de carreau.

— Et s'il pleut? demanda Carson de plus en plus désespérée, alors que les deux femmes continuaient de jouer calmement aux cartes devant elle. Je ne peux pas arriver au travail toute trempée.

— C'est vrai, admit pensivement Mamaw.

Elle ramassa la carte jetée par Lucille et réorganisa sa main.

— Je sais! s'écria-t-elle.

Elle se défaussa d'un dix de carreau et regarda Carson avec des yeux brillants.

— Tu peux utiliser la voiturette de golf! Elle aura sans doute besoin d'une nouvelle batterie d'accumulateurs et d'un bon nettoyage. Voilà des années qu'elle traîne dans le garage. Mais elle devrait faire l'affaire!

Carson fronça les sourcils et garda le silence.

— Carson, dit Mamaw en adoptant une position plus confortable sur sa chaise.

La vieille femme avait concentré toute son attention vers sa petite-fille.

— Je t'aime plus que tout au monde. Tu le sais, n'est-ce pas? Je t'aime comme j'ai aimé ton père. Mais j'ai fait des erreurs en ce qui le concerne. Je m'en rends compte aujourd'hui. Je lui ai rendu la vie trop facile, toujours prête à lui ouvrir le chemin. J'aurais dû le forcer à prendre le vélo pour aller travailler. En fait, j'aurais dû l'obliger à trouver un travail!

— Amen, commenta Lucille.

Mamaw posa la paume de sa main sur la joue de Carson. Ses yeux brillaient d'une dévotion indéniable.

— Ma tendre enfant, je ne ferai pas la même erreur avec toi.

— Ah, comme tu voudras, répondit Carson.

Puis, elle rit nerveusement et baissa les yeux.

Elle n'avait pas le cœur à rire. Elle s'occuperait du salut de son âme plus tard. En ce moment, elle n'avait plus d'argent et avait désespérément besoin d'un moyen de transport.

Mamaw lui tapota la joue, comme pour mettre fin à la discussion, et recula. Elle saisit ses cartes et les tria encore une fois de ses mains expertes.

— La voiturette de golf a un joli toit. Elle est absolument charmante. Va donc y jeter un coup d'œil.

Le soupir de Carson se transforma en gémissement plaintif. Elle se leva et s'apprêtait à partir quand Lucille lui retint le bras. Carson aurait voulu s'en dégager brusquement tellement elle était fâchée contre les deux femmes. Elle regarda au fond des yeux noirs de la domestique, incertaine : allait-elle se montrer compréhensive ou allait-elle encore lui lancer une pique ?

Lucille lui tapota finalement le bras avec compassion.

— Je sais que cela peut ressembler à un retrait sur trois prises à cet instant, lui dit Lucille, mais ne t'y trompe pas, ma chérie. Tu viens tout juste de frapper un coup de circuit.

CHAPITRE 12

Les jours suivants à Sea Breeze furent marqués par une effervescence inhabituelle. Harper attendit que sa mère parte pour les Hamptons avant de s'envoler elle-même vers New York afin de rassembler ses affaires et de conclure les dernières formalités avec le service des ressources humaines de la maison d'édition. Harper pensait que le tout ne prendrait pas plus de deux semaines et Carson la croyait. Pendant ce temps, Dora fit la route seule jusqu'à Summerville pour voir aux modalités entourant la vente de la maison et pour s'astreindre à l'odieuse tâche de rencontrer ses avocats en vue de son divorce. Malgré ses réserves, elle finit par accepter de laisser Nate à Sea Breeze entre les mains des trois femmes jusqu'à son retour.

La maison était silencieuse maintenant que ses sœurs étaient parties. Carson les aimait, bien sûr, mais elles n'étaient pas vraiment proches. Elle resta allongée sur le lit de fer, les bras pliés derrière la tête. Ses pensées se tournèrent vers ces étés que les filles avaient partagés ensemble à Sea Breeze. Du temps où Mamaw les appelait ses Filles de l'été.

Les étés s'étaient succédé dans un désordre de visites depuis leur tout jeune âge jusqu'à l'adolescence. Au départ, seules Dora et elle avaient passé leurs étés ensemble. Carson vivait avec Mamaw à Charleston, tandis que Dora, de trois ans son aînée, était invitée chaque été à quitter la maison familiale située à Charlotte, en Caroline du Nord, pour venir leur rendre visite. Ces jeunes années furent les meilleures pour les deux sœurs les plus âgées : de longs étés indolents pendant lesquels elles avaient joué aux sirènes et fait de la peinture sur la véranda de Mamaw. Plus tard, les années qui les séparaient étaient devenues un obstacle insurmontable au moment où Dora avait atteint les 13 ans et Carson les 10. Dora trouvait alors sa jeune sœur ennuyeuse et elle avait commencé à inviter ses amis à Sea Breeze, excluant alors Carson de ses jeux.

Tout avait changé lorsque Harper était elle aussi venue passer les étés à Sea Breeze quand elle avait six ans. Elle était si petite et délicate, vêtue comme une de ces poupées Madame Alexander que Carson convoitait tant.

Les filles avaient passé seulement trois étés ensemble : à cette époque, huit années séparaient Dora de sa sœur Harper. Carson avait été le lien entre l'aînée et la benjamine, l'intermédiaire, la plus populaire, la pacificatrice. Dès que Dora avait eu 17 ans, elle avait arrêté de venir à Sea Breeze pendant l'été. Carson et Harper s'étaient retrouvées pendant les deux étés suivants, ce qui avait contribué à renforcer le lien qui les unissait. Alors que Dora préférait jouer à se déguiser ou à faire semblant d'être une femme adulte, Carson et Harper avaient laissé s'exprimer le Huckleberry Finn en elles. Elles avaient exploré chaque mètre carré de Sullivan's Island et d'Isle of Palms, à la recherche du trésor de pirate que chaque enfant de l'île croyait enterré *quelque part*.

Mais comme les Enfants perdus de Peter Pan, elles avaient fini par grandir. À 17 ans, Carson avait décroché un emploi d'été à Los Angeles, et la mère de Harper avait acheté une maison dans les Hamptons. C'était ce qui avait mis un terme aux aventures des Filles de l'été à Sea Breeze.

Quelques années plus tard, les sœurs s'étaient retrouvées à l'occasion du mariage de Dora avec Calhoun Tupper lors d'un grand événement qui avait mis en émoi tout Charleston. Mais cet heureux événement avait été suivi de deux funérailles. Leur père était mort jeune, à l'âge de 47 ans. Peu après, leur grand-père Edward Muir était décédé lui aussi. Ses funérailles en 2000 avaient été la dernière fois où les trois filles s'étaient rencontrées. Aujourd'hui, bien des années plus tard, Carson se demandait bien si le rêve de Mamaw de voir rassemblées ses Filles de l'été n'était pas simplement une idée romantique.

Les yeux de Carson se posèrent sur le portrait d'un des premiers ancêtres de la famille Muir, accroché au mur opposé. Son arrière-arrière-arrière-arrière-grand-mère portait une robe en velours bleu sophistiquée garnie d'épaisses couches de dentelles, d'une qualité que Carson n'avait vue que dans les livres d'histoires peuplés de reines et de grandes dames de la cour. Ses cheveux épais et sombres étaient montés en une impressionnante coiffure et ornés de rangées de perles. Des rangées de perles incandescentes tombaient aussi délicatement sur sa généreuse poitrine. Quand Carson regarda son visage, elle eut l'impression que les yeux bleus brillants de la jeune femme lui rendaient son regard.

Carson avait toujours eu ce même sentiment en regardant le portrait, depuis le jour où Mamaw l'avait déplacé de sa maison de Charleston pour l'accrocher dans la chambre de Carson. Elle regarda la dame aux perles droit dans les yeux en se remémorant ce souvenir.

À l'époque, Carson était dans cette étrange période de transition entre l'enfance et l'adolescence. Elle prenait alors pleinement conscience de son corps désarticulé et maladroit, de ses grands pieds et de ses cheveux sombres et épais. Elle ne ressemblait pas du tout à sa sœur Dora, qui avait les cheveux blonds et soyeux, la peau pâle et des seins qui commençaient à bourgeonner sur son corps mince.

Un jour, Mamaw avait cogné doucement à la porte de sa chambre et, l'entendant pleurer, elle était entrée. Carson avait essayé de retenir ses sanglots, mais n'avait pas pu.

— Qu'est-ce qui se passe?

— Je suis si laide! avait crié Carson avant d'éclater de nouveau en pleurs.

Mamaw s'était assise sur le lit, juste à côté de sa petite-fille.

— Qui a dit que tu étais laide, mon enfant?

— Tommy Bremmer, avait marmonné Carson avant de plonger sa tête entre ses bras. Il a dit que mes cheveux étaient un nid à rats.

Sa grand-mère avait reniflé d'un air impérieux.

— Eh bien, si c'est effectivement un Bremmer, il doit savoir reconnaître un rat quand il en voit un. Mais il n'y connaît rien aux filles. Son grand-père non plus d'ailleurs, à l'époque. Arrête de pleurnicher maintenant. Ça ne te va pas bien du tout.

Pendant que Carson avait essayé de maîtriser ses sanglots, Mamaw était partie à la salle de bain et en était revenue avec un gant de toilette humide. Carson avait fermé les yeux et avait pris plaisir à sentir la fraîcheur du gant tandis que Mamaw essuyait affectueusement les larmes chaudes et la morve du visage de la fillette. Lorsqu'elle avait rouvert les yeux, Carson avait pu respirer aisément de nouveau, car sa poitrine n'était plus serrée par la haine.

— Un Muir ne bat jamais en retraite, lui avait dit Mamaw en s'asseyant de nouveau sur le matelas à côté d'elle.

Elle avait alors passé un peigne dans les cheveux de Carson pour défaire les nœuds qui s'y étaient formés.

— Tu es en train de devenir une jeune femme, tu sais.

— Oh arrête, avait gémi Carson en éloignant sa tête pour échapper au peigne.

Mais Mamaw avait persisté.

— La beauté, c'est notre devoir. Parfois, cela fait mal. Mais nous devons rester imperturbables. Maintenant, laisse-moi donc m'occuper de cette magnifique chevelure que tu as.

Carson avait fermé les yeux pendant que sa grand-mère lui peignait les cheveux. Après lui avoir dénoué les premiers nœuds en lui arrachant des petits cris de douleur, sa grand-mère avait pu passer facilement le peigne depuis le sommet de son crâne jusqu'au bas de ses épaules.

— Tu as les mêmes cheveux que ta mère, lui avait confié Mamaw. Si épais et si sombres.

— Je ne me souviens pas d'elle.

— Ce n'est pas étonnant. Tu étais si jeune quand elle est morte. Pauvre Sophie…

— Je n'ai même pas de photo d'elle. Tout a disparu dans l'incendie.

— Oui, avait répondu Mamaw d'une petite voix.

— À quoi ressemblait-elle?

Mamaw avait suspendu son geste et soupiré.

— Elle était vraiment belle. Sombre, évocatrice.

Elle avait ensuite haussé les épaules.

— Si Française. Et plutôt timide, ou alors elle ne savait pas bien parler anglais, je ne sais pas. Tu es un mélange intéressant de ce qu'étaient tes parents.

— J'aimerais avoir les cheveux blonds de papa, comme Dora. Pas ce nid à rats.

Carson avait tiré sur ses cheveux avec colère. Elle détestait leur couleur noire et leur épaisseur, détestait le fait qu'à cause d'eux, les autres filles la traitaient souvent de romanichelle.

— Un jour, quand tu seras aussi vieille que moi, tu remercieras le ciel d'avoir des cheveux aussi épais alors que ceux de toutes tes amies ne cesseront de s'éclaircir. Quand tu seras une jeune femme, tes cheveux seront ton plus bel atout, lui avait expliqué Mamaw.

Puis, elle avait délicatement saisi le menton de la jeune fille et examiné avec soin son visage.

— Tes yeux aussi feront tourner les têtes, sans aucun doute.

Carson avait levé vers Mamaw un visage bouleversé par le doute.

— Non, Mamaw, avait-elle répondu en tentant de rester stoïque. Je sais que je ne deviendrai pas jolie en grandissant. Pas comme Dora.

Mamaw avait soufflé de colère et relâché le menton de la jeune fille.

— Oui, il est vrai que Dora est belle. Une beauté du Sud. La tienne est différente. Tu devras grandir avec.

— Comme ma mère?

— Oui. Mais savais-tu, mon enfant, que tu tiens ces traits sombres de notre famille?

Les yeux de Carson s'étaient agrandis de surprise.

— Mais tout le monde a les cheveux blonds dans la famille.

— Pas tout le monde. Il y a un peu de sang irlandais qui coule dans nos veines.

Carson ne croyait pas qu'une telle génétique aurait pu l'aider à devenir une beauté, mais elle avait apprécié les efforts que Mamaw déployait pour lui mettre du baume au cœur.

Le lendemain, Mamaw avait revêtu une robe d'été en soie, s'était soigneusement coiffée et avait sauté dans sa Cadillac bleue. Elle était partie de l'autre côté du pont, jusqu'à sa maison de Charleston. Quand elle était revenue quelques heures plus tard, elle portait un grand paquet emballé dans du papier brun. Dora et Carson trépignaient d'impatience tandis que leur grand-mère, aidée de Lucille, transportait le mystérieux colis dans la maison. Les deux femmes avaient les yeux pétillants de malice lorsqu'elles déposèrent le paquet dans la chambre de Carson. Les deux jeunes filles avaient alors échangé un regard songeur.

Mamaw avait ignoré les questions de ses petites-filles et avait affiché un sourire énigmatique. Elle avait retiré les feuilles de papier qui recouvraient l'objet, révélant ainsi un grand portrait bordé d'un cadre doré.

Carson avait haleté, incapable de détacher les yeux de la fière et magnifique dame peinte sur le tableau. Mamaw et Lucille avaient hissé l'énorme portrait et l'avaient accroché au mur en déployant un ultime effort. Quand elles eurent terminé la manœuvre, Mamaw s'était frotté les mains pour se débarrasser de la poussière, les avait posées sur ses hanches et avait reculé d'un pas pour admirer l'œuvre d'art.

— Carson, avait-elle dit sur un ton qui avait incité la jeune fille à se redresser. Je te présente ton arrière-arrière-arrière-arrière-grand-mère Claire. Elle était considérée comme la plus belle femme de la ville à son époque. Une véritable légende. Regarde ses yeux. Le bleu, c'est la couleur des Muir. Elle s'est transmise de génération en génération dans la famille. Claire était la femme de ce grand capitaine à qui nous devons notre fortune.

Elle avait levé la main et murmuré d'un ton théâtral :

— Le pirate ! La légende dit que lorsqu'il a vu Claire pour la première fois, il a décidé d'abandonner sa vie de pirate et s'est installé à Charleston pour gagner son cœur. Elle est pour sa part allée à l'encontre de la volonté de sa famille afin de se marier avec lui. Le reste, comme on dit, appartient à l'histoire. L'amour porté par une femme de vertu peut changer un homme, leur avait finalement confié Mamaw.

— Mais Mamaw, pourquoi sortir ce tableau de la grande maison et le ramener ici ? avait voulu savoir Carson.

Mamaw avait relevé le menton de la jeune fille du bout de l'index.

— J'ai remarqué la ressemblance qu'il y a entre Claire et toi. Je voudrais que tu la perçoives, toi aussi. Chaque jour, quand tu te réveilleras, regarde ce portrait et vois comme tu es belle. Et courageuse.

— Très chère et sage Mamaw, murmura Carson en repensant à ce jour.

Puisqu'elle ne trouvait personne pour lui raconter à quoi ressemblait sa mère, dont il ne restait même pas une seule photo, cette ancêtre avait, dans son esprit de petite fille, joué le rôle de mère. Tous les soirs, avant de s'endormir, Carson avait regardé Claire dans ses magnifiques yeux bleus et lui avait raconté ses secrets, persuadée que la dame l'écoutait.

De tous les trésors présents dans cette maison, Carson savait que ce portrait était le seul objet qu'elle demanderait à garder.

Carson avait toujours discerné dans l'expression de Claire une lueur de défi. C'était le regard d'une femme qui n'abandonnait jamais. Et maintenant que Carson revoyait le portrait, elle sentit son courage renaître.

Carson prit une grande inspiration et se traîna hors de son lit. Elle descendit chercher un seau, un liquide de nettoyage puissant et une brassée de chiffons, contourna Nate et sa crise de rage quotidienne, et se faufila dans le garage pour y dépoussiérer la voiturette de golf qui lui avait été promise. Elle n'avait pas le choix : c'était soit ça, soit le vélo rouillé.

Dans le garage, il faisait aussi sombre et l'air sentait autant le renfermé que dans une vieille grange. Des toiles d'araignées étaient suspendues dans chaque recoin et la moindre fissure était remplie de sable. L'unique fenêtre à quatre carreaux de la pièce était si sale que les rayons du soleil pénétraient à peine l'épaisse couche de crasse. Carson trouva la voiturette garée tout au fond du garage, derrière une tondeuse à gazon hors d'usage, deux bicyclettes rouillées et une table en bois rongée par les vers. Plusieurs boîtes brunes poussiéreuses étaient posées sur cette dernière. Elles étaient toutes remplies de divers outils rouillés dont Mamaw pensait qu'ils pouvaient encore avoir leur utilité. Carson estimait pour sa part qu'il aurait mieux valu qu'elle loue une benne à ordure et jette le tout dedans.

L'odeur du vinaigre et de la poussière accumulée la fit éternuer, et ses yeux se mirent à larmoyer, mais elle serra les dents et continua à épousseter et à frotter pour retirer toutes la poussière, les toiles d'araignées et les déjections de souris qui couvraient la voiturette blanche. Le véhicule avait deux sièges et était doté d'un banc à l'arrière. Une fois qu'elle l'eut rincé avec le tuyau d'arrosage, puis séché avec les vieilles serviettes que lui avait données Lucille, Carson fut étonnée de constater que la voiturette de golf motorisée et ses sièges en vinyle étaient en assez bon état. On ne devait sans doute la sortir qu'une fois l'an, comme la Cadillac, mais Carson ne désespéra pas. Une nouvelle batterie, un ou deux accessoires, et cette voiturette pourrait vraisemblablement rouler.

~

Quelques jours plus tard, la voiturette vrombissait sur les routes étroites dans l'ombre des palmiers et sous les branches basses des vieux chênes gracieux. Avec la caresse du vent sur ses joues et le crissement du gravier sous les roues, Carson eut l'impression de se trouver dans un bateau sur l'océan. C'était un sentiment de communion avec le monde qui l'entourait qu'elle n'éprouvait pas lorsqu'elle se trouvait piégée entre quatre portes en fer, derrière le pare-brise d'une voiture.

— Maudite sois-tu, Mamaw, pour avoir toujours raison, murmura-t-elle, contrainte d'admettre qu'elle aimait ce nouveau moyen de transport.

Carson avait toujours aimé donner un nom à ses véhicules, alors elle décida de surnommer la voiturette Matilda bondissante. On était loin du Bombardier bleu, mais Matilda avait un certain charme, et surtout, elle faisait l'affaire pour transporter

Carson d'un endroit à l'autre dans les petites rues de Sullivan's Island, en plein jour du moins. Tandis qu'elle roulait à faible allure sur le chemin de gravier, elle se prit à glousser en repensant à ces deux vieilles chouettes qui jouaient au gin-rami sur la véranda et à la manière dont elles l'avaient embobinée.

~

En rentrant ce soir-là, Carson trouva Nate allongé sur son lit dans son pyjama préféré décoré de motifs de vaisseaux spatiaux et d'étoiles. Il était en train de lire un livre. Il la regarda approcher anxieusement et son corps se raidit. Elle fut attristée par cette réaction. Carson tenait vraiment à ce qu'il l'aime et se sente chez lui dans cette maison. Le garçon semblait si nerveux avec ses petits yeux sombres levés vers elle. Soudainement, elle repensa à Delphine, et subitement, elle sut exactement comment se comporter avec Nate. En fait, les deux se ressemblaient sur plusieurs plans.

Elle avança lentement jusqu'au lit en prenant garde de ne pas trop s'approcher et de ne pas faire de geste brusque.

— Tiens, dit Carson en lui tendant deux livres, je t'ai acheté ça. Je me suis dit que tu aimerais.

— De quoi ça parle ? demanda-t-il d'une petite voix.

— Prends-les, tu verras bien.

Nate se plaça en position assise et prit prudemment les livres. Lorsqu'il vit que les deux avaient pour sujet les dauphins, son visage s'illumina.

— Ce ne sont pas des livres pour enfant, lui confia Carson en s'approchant tout en s'assurant de garder une certaine distance. Celui-là décrit certaines des recherches qui ont été faites sur l'intelligence des dauphins. Je l'ai vraiment aimé. Par exemple, savais-tu que les dauphins se regardent dans le miroir ? Je veux dire, ils savent que c'est eux qu'ils regardent. C'est ce qu'on appelle avoir la conscience de soi.

— J'ai déjà lu là-dessus, dit Nate d'un ton neutre. Mamaw m'a déjà offert un livre sur les dauphins.

— Ah, mais il y a tout un tas d'autres informations intéressantes. Et l'autre bouquin est un genre de guide en images de la vie sous-marine en général. Il y a plein d'autres animaux là-dessous sur lesquels tu aimerais sans doute lire. Comme des orques, des marsouins ou des baleines.

Nate se mit à feuilleter avidement les pages, puis s'arrêta et regarda Carson.

— Est-ce que les dauphins peuvent vraiment être contents de voir des gens ?

— Oui, répondit Carson honnêtement. Je crois que oui.

— J'ai lu beaucoup de choses à propos des dauphins, enchaîna Nate sérieusement. Savais-tu que les dauphins mâles sont plus gros que les femelles ? Les plus gros d'entre eux, qui vivent dans l'océan Pacifique, peuvent peser plus de 450 kilogrammes. Alors, je me demandais : je sais que Delphine est un Grand dauphin de l'océan Atlantique et que c'est une femelle. Mais je ne sais pas quel âge elle a. Est-ce que tu le sais, toi ?

— Non.

Nate réfléchit un instant.

— Elle doit peser environ 230 kilogrammes.

Carson sourit : le garçon était plutôt vif d'esprit.

— Ça me semble une estimation tout à fait raisonnable.

Nate acquiesça. Il regarda son livre, puis releva la tête. Cette fois, ses yeux, même s'ils n'étaient toujours pas posés sur elle, étaient pleins d'inquiétude.

— Est-ce que ma mère est seule avec mon père ?

Carson considéra la gravité de la question.

— Non, je ne crois pas, répondit-elle sérieusement.

— Il ne prendra pas soin d'elle.

— Nate, ta mère va bien et elle est capable de prendre soin d'elle-même. Elle va seulement rencontrer ton père, rassembler quelques-unes de tes affaires et revenir tout de suite après.

Nate se mit à cogiter.

— Pourrais-tu inscrire sur le calendrier la date de son retour ?

Carson se gratta la tête. Elle savait qu'elle devait se montrer honnête et claire avec Nate. Il n'accepterait pas de réponse hypothétique.

— Je ne sais pas exactement quand elle sera de retour, mais voilà ce que je vais faire. Je vais appeler ta mère demain et le lui demander. Si elle me donne une date, alors je l'écrirai sur le calendrier pour toi. D'accord ?

— D'accord.

Il semblait si petit, seul et triste. Carson aurait vraiment voulu trouver un moyen d'opérer un rapprochement.

— Couchons-nous plus tôt ce soir, lui dit-elle. Nous devons nous reposer parce que demain, nous partons nager.

Les yeux de Nate s'agrandirent de terreur.

— Non, je n'irai pas.

— Tu vas adorer ça, tu verras.

— Je ne vais pas aimer ça.

Carson croisa les bras. Elle s'apprêtait à sortir sa carte maîtresse.

— Delphine sera là.

— O.K., concéda-t-il, un peu de mauvaise humeur.

Et il se glissa précipitamment sous la couverture.

— Bonne nuit, Nate, dit-elle.

Elle avait très envie de l'embrasser sur la joue, mais elle se retint. Elle décida plutôt de remonter sa couverture jusque sous son menton.

— Dors bien. Rêve de dauphins.

— C'est stupide. Tu ne peux pas te forcer à rêver à quoi que ce soit, rétorqua Nate en fermant les yeux, la bouche déformée par un bâillement.

Carson regarda son petit corps se recroqueviller sous les draps et elle eut un pincement au cœur. Ce ne devait pas être facile de vivre dans un monde régi par des règles et des faits concrets qui ne laissaient pas de place à la spontanéité et à l'imagination.

~

Il y avait un autre avantage à se déplacer en voiturette de golf : il était facile de se trouver une place pour se garer !

Carson était d'humeur joviale et débordait littéralement d'énergie lorsqu'elle commença son service sur l'heure du midi. L'école était terminée, les tables du restaurant étaient pleines à craquer et du monde attendait encore en file à l'entrée. Mais vers la fin de son quart, Carson commença à se traîner de fatigue. Pire, elle avait vraiment envie de s'offrir une boisson alcoolisée. Cette simple pensée la rendit soudainement nerveuse, mais elle tenta de se rassurer en se disant que ce n'était qu'une chute de son taux de glycémie.

Devlin se trouvait au bar, comme d'habitude. Il avait aligné sur le comptoir plusieurs doses de bière. Normalement, il n'en prenait pas aussi tôt en après-midi, ce qui inquiéta un peu Carson. Quand le dernier client eut quitté l'établissement, elle débarrassa la table et alla s'asseoir au bar avec un verre de Coca Cola, le temps de souffler un peu.

— Hé, comment tu vas ? lui demanda-t-elle en se penchant vers lui.

Il haussa les épaules.

— Ça a déjà été mieux.

Il se tourna vers elle et lui sourit paresseusement.

— À te voir, je me sens déjà mieux.

Ses yeux étaient déjà vitreux et Carson ne voulait pas se montrer trop indiscrète. Elle savait par expérience avec son père qu'il valait mieux ne rien dire et agir simplement en tant qu'ami en restant aux alentours. Elle sortit l'argent de ses pourboires et se mit à compter son butin de la journée.

— Une bonne journée pas vrai ? s'enquit Devlin.

— Raisonnable, mais je me fais plus d'argent quand je travaille en soirée.

— Pourquoi ne demandes-tu pas à Brian de changer tes heures ?

— Je l'ai fait, répondit-elle. Mais les autres filles ont plus d'ancienneté. Il me donnera ma chance si une place se libère.

— Ashley n'en veut pas ?

— Non, elle préfère être libre en soirée pour pouvoir passer du temps avec son copain.

— Comme devrait le faire une femme, dit Devlin en buvant une gorgée de sa bière.

Carson le regarda de travers, à la fois ennuyée par sa dernière remarque et curieuse de savoir si sa mauvaise humeur était causée par son ex-femme. Elle avait un peu pitié de lui à le voir ainsi regarder d'un air morose au fond de son verre. Carson nota la condensation qui s'était formée sur le bord du verre et elle en déduisit que le liquide devait être glacé. Elle se lécha les lèvres.

— Cette bière a l'air vraiment bonne, marmonna-t-elle.

— Tu en veux une ? demanda Devlin.

Carson en avait très envie. Mais elle secoua la tête.

— Hé, quoi de neuf ? s'exclama alors Ashley, qui venait de s'asseoir juste à côté d'elle.

Carson savait quelle question brûlait les lèvres de son amie. Elle lui avait fait part de son intention d'arrêter de boire.

— Rien de spécial. Je passe le temps en buvant un *Coca Cola*, répliqua-t-elle en portant le verre de plastique à ses lèvres.

— Je vais en prendre un aussi, tiens, dit Ashley d'un ton résolument amical.

Elle se versa un verre à l'aide de la fontaine et les deux femmes cognèrent leurs verres de plastique l'un contre l'autre.

Quand Carson la regarda de nouveau, elle comprit à son expression que quelque chose avait attiré l'attention d'Ashley.

— Oh Seigneur, chuchota Ashley à l'oreille de Carson. Regarde qui vient d'entrer.

Carson tourna la tête juste à temps pour voir Blake refermer la porte derrière lui. Il portait un vieux t-shirt et des shorts kaki par-dessus ses longues jambes bronzées. Elle remarqua que son teint était encore plus foncé que d'habitude et que ses cheveux étaient maintenant si longs que des mèches retombaient sur son visage. En relevant les yeux, son regard croisa celui de Carson, qui détourna immédiatement la tête.

— Alors... qu'est-ce qui est arrivé à M. Prévisible? Il a réservé une table dans ma section.

Ashley donna un petit coup de coude dans les côtes de son amie.

— Peut-être qu'il n'est pas si prévisible que ça finalement.

— Arrête donc de l'appeler comme ça, protesta Carson. Il a un nom. Blake.

— O.K., d'accord, rétorqua Ashley d'un ton impertinent. Je dois aller voir *Blake*.

Carson resta assise sur son tabouret, les sourcils froncés et les yeux rivés sur son verre de Coca Cola. Elle était fâchée de devoir admettre que le fait de voir Blake s'asseoir dans la section d'Ashley la dérangeait. La dérangeait énormément même.

— Y a un problème? demanda Devlin en s'appuyant sur elle.

Son haleine sentait la bière.

— Oh, trois fois rien. J'ai mal aux pieds.

Devlin jeta un coup d'œil à l'autre extrémité du bar, du côté de Brian, qui leur tournait le dos.

— Tiens, dit-il en glissant une dose d'alcool vers elle.

Il avança son épaule comme s'il voulait cacher le verre.

— Ça va t'aider à faire passer la douleur. Ça fonctionne pour moi en tout cas.

Carson regarda la boisson dorée dans le petit verre et sentit monter en elle une envie quasi irrépressible d'en boire le contenu d'une traite. Elle pouvait presque en sentir la chaleur lui brûler la gorge. Elle prit une grande inspiration et secoua la tête. Zut! Elle allait quand même tenir plus longtemps que ça!

— Non merci.

— Oh allez, fais-toi plaisir, dit Devlin en se penchant encore davantage.

Il parlait maintenant d'une voix douce et mystérieuse.

— Je ne dirai rien.

Carson repoussa le verre.

— Non merci.

Devlin fit glisser de nouveau la boisson vers Carson en affichant un grand sourire, comme s'il s'agissait d'une sorte de jeu.

— Allez, Brian ne regarde pas de ce côté.

— Ce n'est pas ça, le problème, insista Carson. Je ne bois plus. Point final.

— Hein?

Devlin se frotta le visage, visiblement perplexe.

— Depuis quand? Vas-y ma belle, bois un coup. On dirait que tu en as très envie.

Il poussa la bière devant Carson avec plus de force que nécessaire et quelques gouttes de liquide débordèrent. Elle fit un mouvement brusque pour s'éloigner du bar, mais Devlin passa un bras autour de ses épaules.

— J'ai dit non, s'exclama-t-elle sèchement, en repoussant le verre si fort qu'il se renversa et que son contenu se répandit sur le comptoir.

— Hé, bafouilla Devlin.

Carson tenta de se défaire de la prise de ce dernier, mais il était chancelant et il se tenait fermement à elle comme pour ne pas tomber de son tabouret.

— C'est quoi, ce bazar ? dit Devlin.

Son ton séducteur avait disparu et se transformait en quelque chose de beaucoup plus sombre, de beaucoup plus triste.

— Pourquoi t'as fait ça ?

Carson avait déjà été témoin de ce changement d'attitude auparavant et il lui inspirait plus un sentiment de dégoût que de la sympathie.

— J'ai dit *non*, dit-elle en se tortillant pour se défaire de son bras. Maintenant, lâche-moi, gronda Carson.

Soudainement, Blake apparut. Il poussa Devlin si fort que ce dernier glissa de son tabouret.

— La dame a dit non.

Devlin resta assis par terre une seconde. Puis, dans un élan de rage décuplé par l'alcool, il sauta sur ses pieds et se propulsa à pleine vitesse sur Blake. Ce dernier tituba et recula de quelques pas avant de retrouver son équilibre et de pousser violemment Devlin. Il vacilla, mais tint bon, la poitrine bombée et les poings serrés sur ses cuisses.

— Dev, arrête, cria Carson en sautant de son tabouret.

Brian courut s'interposer entre les deux hommes.

— Ça suffit. Allez donc finir ça dehors.

— Je n'ai pas d'embrouille avec ce type, dit Devlin au propriétaire de l'établissement, pour l'apaiser. Il a simplement fourré son nez dans nos affaires.

— Ouais, j'ai vu de quelles affaires il était question, répondit Brian, le visage rouge de colère. Si ce type, comme tu dis, n'était pas intervenu, c'est moi qui l'aurais fait. Tu as assez bu pour aujourd'hui, mon gars. Rentre chez toi.

Devlin regarda Brian droit dans les yeux, et sa colère sembla soudainement s'évaporer. Son visage se décomposa et il fit un pas vers Carson. Blake s'avança immédiatement entre eux.

— Je suis désolé Carson, s'excusa Devlin. J'voulais pas te faire de mal.

— Je sais, ce n'est pas grave, dit Carson. Rentre chez toi maintenant.

Brian posa sa main sur l'épaule de Devlin.

— Je te reconduis chez toi, d'accord mon vieux? Allons-y.

Il indiqua d'un regard au personnel du bar qu'il serait de retour plus tard.

Ashley regarda Blake, qui se tenait debout, un peu mal à l'aise, les mains sur les hanches.

— Merci, euh…

— Blake, répondit-il en lui adressant un sourire. Nul besoin de me remercier.

— Bien sûr que si. Que dirais-tu que je t'offre à boire? Une bière peut-être? Aux frais de la maison, lui offrit Ashley.

Il jeta un rapide coup d'œil en direction de Carson.

— Je ferais mieux de partir.

— Attends, lança Carson.

Blake regarda par-dessus son épaule. Carson s'était avancée.

— Merci, dit-elle en esquissant un sourire hésitant.

— Pas de quoi.

Puis, il franchit la porte et disparut.

Carson croisa alors le regard de son amie, qui avait les sourcils levés. Cette dernière lui indiquait d'ailleurs d'un signe de la main qu'elle ferait mieux de le suivre. Carson souffla un coup, puis trotta sur ses traces. Elle franchit la porte à son tour et le trouva en train de dénouer la laisse d'un grand labrador au poil doré qui était sagement assis dans l'ombre d'une table de pique-nique. L'animal leva la tête en la voyant approcher et émit un bref aboiement : un salut amical ou un avertissement, elle n'aurait su le dire. Pendant quelques secondes, deux paires d'yeux sombres et expressifs la regardèrent.

— Blake, je voulais te parler un instant, si ça ne te dérange pas.

Blake se releva, la laisse pendant mollement de sa main.

— Bien sûr.

— Ce qui s'est passé à l'intérieur... Ce n'est pas ce que ça semblait être. Devlin était ivre, c'est tout. Il ne voulait pas faire de mal.

Un muscle se tordit d'un mouvement convulsif dans sa joue lorsqu'il la regarda.

— On aurait pourtant dit qu'il te malmenait, alors... eh bien... je ne pouvais tout simplement pas rester là, assis, à regarder bêtement.

— C'était très gentil et... chevaleresque de me défendre.

Blake baissa les yeux vers son chien et ne répondit pas.

— C'est ton chien ?

— Oui, répondit-il en le flattant. Je te présente Hobbs, un bon ami à moi.

Carson caressa la tête imposante du labrador. C'était un animal amical, comme la plupart des chiens de son espèce, mais c'était certainement l'un des spécimens les plus grands qu'il lui avait été donné de voir.

— Tu es sûr qu'il n'a pas un peu de mastiff en lui ? demanda-t-elle en s'esclaffant tandis que le chien lui léchait la main.

— Oui, il y en avait peut-être un parmi ses ancêtres. C'est un grand garçon qui n'aime pas être cloîtré à la maison, alors je l'amène avec moi dès que j'ai une occasion de le faire. Avant, je pouvais le faire entrer dans le restaurant, mais les règles ont changé, alors il reste assis dehors maintenant.

— Tu n'as pas peur qu'il se sauve ?

— Lui ? Non. Il préfère observer les gens et ne s'éloigne pas trop des sources d'eau.

Carson remarqua alors la gamelle remplie d'eau posée dans l'ombre, une attention courante dans la plupart des restaurants de l'île.

Maintenant qu'ils étaient passés au travers des politesses, Carson voulait s'attaquer aux vraies questions.

— Veux-tu parler ici?

— Que dirais-tu plutôt de discuter devant un café?

— Attends une minute. J'ai presque fini mon service. Je dois juste aller m'en assurer auprès d'Ashley.

Carson revint quelques minutes plus tard avec son sac à main.

— Ashley s'occupe de tout, elle va me couvrir. De toute façon, il n'y a plus grand monde. Alors, où veux-tu aller?

Ils marchèrent le long de Middle Street et entrèrent finalement dans une boutique qui vendait des glaces et du café fait à partir de graines torréfiées sur place. Hobbs s'allongea dans l'ombre et attendit patiemment pendant qu'ils prenaient place dans la longue file d'adultes et d'enfants en quête d'une dose estivale de sucre ou de caféine. Carson arrivait à distinguer les gens du coin habillés de leurs traditionnels t-shirts, shorts en jean élimés et sandales des touristes de passage vêtus de manière plus élégante. Carson jeta un coup d'œil à Blake. Les mains dans les poches, se balançant légèrement sur ses talons, il étudiait l'énorme tableau noir qui détaillait la liste des produits offerts. Elle trouva qu'il s'intégrait parfaitement au tableau. Blake ne semblait pas le genre d'homme à se soucier des nouvelles tendances en matière de mode vestimentaire. Il ne saurait sans doute même pas reconnaître une marque connue s'il l'avait sous les yeux. Carson sourit. *Dieu merci*, pensa-t-elle.

— Hé, dit Blake en se rapprochant.

Il avait les yeux aussi noirs qu'un expresso.

— Tu vois quelque chose qui te plaît?

Carson rassembla ses esprits et regarda le tableau noir.

— J'aimerais bien un chai latté au lait écrémé, s'il te plaît.

À part ces quelques paroles, ils n'échangèrent aucun autre mot pendant qu'ils attendaient dans la file. Carson se sentait étonnamment nerveuse à côté de lui. Elle appuya subtilement sur son ventre et contrôla son souffle afin de se ressaisir. Puis, ce fut enfin leur tour et Blake se chargea de passer la commande. Ils parcoururent la salle du regard à la recherche d'une place libre, leurs tasses fumantes dans les mains. Deux couples étaient assis devant leur ordinateur portable et semblaient déterminés à rester perchés là pendant des heures. Toutes les autres tables étaient occupées par des familles qui bavardaient bruyamment et des enfants en pleurs.

— Autant aller s'asseoir dehors avec Hobbs, proposa Blake.

Mais sur la terrasse aussi, toutes les places étaient prises.

— Nous pouvons toujours aller au parc au coin du pâté de maisons, suggéra-t-il. Hobbs aime bien cet endroit.

C'était un magnifique après-midi de juillet, ni trop chaud, ni trop humide. Ils passèrent devant des restaurants pittoresques, quelques firmes immobilières et une clinique de massothérapie. Carson nota que Blake s'était glissé du côté rue lorsqu'ils avançaient sur le trottoir. *Quelqu'un lui a appris les bonnes manières*, pensa-t-elle. Mamaw apprécierait ce genre de chose. Hobbs était un gentleman lui aussi. Il ne tirait pas sur sa laisse et ne reniflait pas les gens qu'ils croisaient. Il restait au côté de Blake, simplement content d'être dehors. Au coin de la rue, ils s'arrêtèrent pour admirer les magnifiques toiles exposées derrière les fenêtres du Sandpiper Gallery. Carson repensa à la villa de bord de mer de Mamaw, qui était pleine d'œuvres d'art locales.

Lorsqu'ils furent presque arrivés à la caserne de pompiers, ils traversèrent la rue et entrèrent dans le parc. Les fleurs s'épanouissaient partout et les feuilles des arbres étaient épaisses et luxuriantes, offrant une ombre plus que bienvenue. Blake guida Carson jusqu'à un banc situé dans un endroit paisible du parc. Au-dessus, un magnifique chêne déployait ses branches protectrices. Il balaya de la main la poussière et les quelques morceaux de feuilles sur le banc afin qu'elle puisse s'asseoir, et Hobbs se coucha à ses pieds avec un grognement de satisfaction.

— C'est joli ici, dit Carson en balayant le paisible paysage du regard.

Elle ouvrit le couvercle de sa tasse de thé et elle fut submergée par l'odeur épicée du chai.

— Je ne crois pas avoir mis les pieds ici depuis des années. Avant, je venais jouer au tennis sur les courts là-bas.

— Je viens très souvent ici, lui confia Blake.

Il but une gorgée de café.

— J'habite au coin de la rue, dans les anciens quartiers des officiers.

— J'adore cet immeuble, dit Carson en revoyant dans sa tête le long bâtiment blanc doté de multiples vérandas.

C'était jadis le lieu où vivaient les officiers lorsque les militaires avaient encore une base à Sullivan's Island. Ils avaient depuis étaient reconvertis en aire résidentielle.

— Il faudrait que je te fasse visiter un jour, proposa Blake.

Les lèvres de Carson tiquèrent lorsqu'elle entendit la subtile invitation. Elle jeta un coup d'œil à l'homme assis à ses côtés et observa son profil tandis qu'il buvait une gorgée de café. Si elle avait pris une photo à cet instant précis et que le cliché avait été publié dans un magazine, Blake n'aurait pu prétendre à la beauté séduisante d'un mannequin. L'œil expérimenté de Carson avait repéré ses petits défauts : son nez était trop prononcé, ses yeux légèrement enfoncés, des pattes d'oie précoces étaient apparues sur son visage bruni par le soleil, et il avait cruellement besoin d'une bonne coupe de cheveux.

Mais il tourna alors la tête et lui sourit. Un sourire en coin qui en disait long, car il l'avait sans doute surprise en train de le dévisager. Une fois de plus. Le cœur de Carson fit un bond dans sa poitrine. C'était cela qui était le plus intrigant dans le sourire du jeune homme : tellement charmant et désarmant. Jamais caustique. Rien que cela, déjà, c'était rafraîchissant.

— Tu sais, commença-t-elle, j'avais un surnom pour toi avant de savoir comment tu t'appelles vraiment. Mais je ne crois pas qu'il te conviendrait toujours.

Il haussa simplement les sourcils, sans dire un mot.

— Tu n'es pas curieux de savoir ce que c'était ? questionna Carson en lui tapant le bras d'un air charmeur. Si quelqu'un me révélait qu'il m'avait affublé d'un surnom, je le secouerais jusqu'à ce qu'il me le dise.

Il haussa les épaules.

— C'est un nom que tu m'as donné, il t'appartient. Tu peux m'appeler comme tu veux.

— D'accord. Je ne te le dirai pas alors, se moqua-t-elle.

— Ne dis rien. C'est ton choix de toute façon.

— Parfois, je ne te comprends vraiment pas. En fait, je me suis carrément plantée avec ton surnom. Tu me surprends à chaque fois.

— O.K. alors, qu'est-ce que c'est ? demanda-t-il plus par empathie que par un réel besoin de le savoir.

— Oublie ça. Tu as raté ta chance.

Et elle était heureuse que ce soit le cas. Ce surnom était non seulement inadéquat, mais il aurait pu aussi le blesser. Carson ne voulait pas prendre de risque de ce côté.

— Tu penses que je suis un rabat-joie ? demanda-t-il avec une indignation feinte. Quelqu'un qui n'a pas le sens de l'humour ? J'ai plein d'humour.

— Ah oui, vraiment ?

Il s'adossa au banc.

— Bien sûr.

Carson regardait ses lèvres pendant qu'il parlait. Elle ne l'avait jamais remarqué, mais il avait des dents parfaites.

— Tu as un très beau sourire. C'est une des premières choses que j'ai remarquées chez toi. Ça illumine ton visage.

Cette dernière remarque fit justement apparaître lentement un sourire séducteur.

— Tu essaies d'être gentille maintenant ?

— Parce que je ne l'ai pas été ?

Il haussa les épaules.

— L'autre jour, quand tu m'as laissé tomber. Tu as quitté la plage sans même me dire bonjour.

— Moi ? Pas gentille ? Pardon ? Je suis venue comme nous en avions convenu.

Il haussa un sourcil, sceptique.

— Tu étais en retard. Très en retard. Je croyais que tu ne viendrais pas.

— J'ai été retenue plus longtemps que prévu au travail.

— Mais pourquoi es-tu partie ? Je sais que tu m'as vu te faire signe de la main.

Carson effleura du bout du doigt le bord de sa tasse, soudainement bouche bée.

— J'ai… Eh bien, j'ai vu que tu étais avec quelqu'un d'autre, alors je n'ai pas voulu m'immiscer.

Elle but une gorgée de thé, réticente à en dire davantage.

— Quelqu'un d'autre ?

Son visage changea d'expression et reflétait maintenant une véritable incompréhension. Puis, il sembla comprendre, ses yeux brillèrent et un sourire en coin amusé se dessina lentement sur son visage.

— Ah, oui. Elle.

Carson sentit la brûlure du rouge qui lui montait aux joues. Elle prit une autre gorgée de thé.

— C'est juste une fille qui traîne tout le temps sur la plage. C'est une amie.

Une amie ? Ils avaient semblé beaucoup plus proches que cela… Carson ne savait pas si elle devait le croire.

— Peu importe, dit Carson. Mais elle t'avait pris dans ses bras et donc j'ai présumé que…

Il ne répondit pas, ce qui la fit rougir de plus belle.

— Il semblerait que nous nous soyons tous deux fait des idées.

Carson croisa son regard et tenta de sourire.

— Il semblerait, oui.

Blake posa sa main sur celle de la jeune femme et enveloppa ses doigts autour des siens.

— Amis ?

— Amis.

Ils retirèrent lentement leurs mains, mais elle pouvait encore sentir un picotement dans sa paume. Elle était heureuse que la tension entre eux se soit dissipée et qu'elle soit remplacée par cette étrange chaleur qui lui irradiait les veines. Elle l'aimait, plus qu'elle n'aurait jamais pu l'imaginer. Il y avait quelque chose d'ouvert et d'honnête en lui qui lui donnait un sentiment de confort et même de sécurité.

— Je vais te dire un truc, déclara Blake en étirant ses longues jambes puis en croisant les chevilles. Essayons de recommencer à zéro, toi et moi. Ça te dirait que je t'appelle la prochaine fois qu'il y a un bon vent ? Disons, après le boulot ?

Carson l'imita et s'installa un peu plus confortablement en croisant les jambes.

— Ça me semble un bon plan.

Il sortit son téléphone cellulaire.

— Quel est ton numéro ?

Alors, ça y était, maintenant ils échangeaient leurs numéros. Une étape importante. Elle sortit son propre appareil et lui récita les chiffres.

— Le tien ?

Il s'exécuta à son tour.

— Nous savons où chacun habite, dit-il en riant.

Carson esquissa elle aussi un sourire tandis qu'elle enregistrait le numéro de Blake dans son appareil.

— En passant, Harper m'a dit de te remercier de sa part.

— Ce n'est vraiment pas nécessaire. Je crois que nous savons tous les deux que je l'ai avant tout fait pour toi.

La main de Carson fut comme paralysée par sa sincérité. Tout allait soudainement beaucoup trop vite et cela la rendait nerveuse.

Le bruit d'un moteur de voiture qui pétaradait dans la rue la fit sursauter. Cette interruption eut au moins l'avantage de briser ce moment de malaise et elle en était reconnaissante. Carson rangea son téléphone dans son sac à main.

— Je pensais à un truc : tu en sais beaucoup sur moi, mais j'en sais très peu sur toi.

— Que veux-tu savoir ?

— Par exemple, pour commencer, où est-ce que tu travailles ?

— Classique, répondit Blake. Je travaille pour la NOAA.

— National Ocean... commença-t-elle, plus très certaine de la suite.

— Oceanic and Atmospheric Administration[3], compléta-t-il pour l'aider.

Elle inclina la tête et le dévisagea avec intérêt.

— Dans quel secteur ? Les océans, l'eau, les récifs ? Attends, ne me dis pas que tu es présentateur météo ?

— Est-ce que ça te surprendrait si je l'étais ?

Elle gloussa.

— Un peu.

— Les dauphins, l'informa-t-il.

Le sourire de Carson s'évanouit. Elle était soudainement très alerte.

— Comment ça, les dauphins ?

Il semblait un peu étonné par sa réaction.

3. N.d.T. : Administration océanique et atmosphérique nationale.

— Je travaille sur les cétacés. *Turssiops truncatus*, pour être plus précis. Le Grand dauphin de l'Atlantique, notre dauphin local.

Carson avança sur son siège et se tourna pour se placer face à lui. Son cœur battait si fort qu'elle était certaine qu'il l'entendait.

— Que fais-tu exactement?

Il croisa les bras et prit une grande inspiration.

— En fait, je touche un peu à tout. Ma priorité, c'est d'étudier les effets des contaminants environnementaux, des nouvelles maladies et des agents stressants sur la santé des mammifères marins. J'étudie donc entre autres les dauphins : leur santé et leur habitat. Il y a beaucoup à faire et pas assez de temps. Et d'argent.

— Alors tu es biologiste?

— Exact. J'ai un doctorat en biologie marine moléculaire.

Carson ne répondit pas. Elle avait un peu de mal à assimiler le fait que son amical partenaire de surf cerf-volant soit aussi un docteur… qui étudiait les dauphins, rien de moins. M. Prévisible devrait plutôt être surnommé Dr Prévisible.

— Tu t'intéresses aux dauphins? l'interrogea-t-il.

Carson ne savait pas trop par où commencer.

— Oui, lâcha-t-elle. Beaucoup. Surtout dernièrement.

— Pourquoi dernièrement?

Elle agita la main.

— C'est une longue histoire.

— J'ai du temps, si tu en as.

Carson lui raconta l'épisode du requin. Même si c'était la quatrième fois qu'elle racontait cette histoire, elle revivait cet écœurement qu'elle avait ressenti en plongeant son regard au fond de l'œil morbide du requin et au contact de son corps massif et rugueux comme du papier de verre. Elle n'oublierait jamais le sentiment de terreur qui l'avait envahie à cet instant. Blake était pendu aux lèvres de Carson. Il ne bougea pas d'un pouce pendant qu'elle parlait et ses sourcils se fronçaient régulièrement.

— C'est une histoire vraiment incroyable. J'ai déjà entendu parler de dauphins qui protègent des nageurs, bien sûr. Ces incidents sont très documentés. Mais je n'ai jamais assisté à une chose pareille.

— Voilà. C'est un peu comme une expérience de mort imminente. C'est toujours intéressant quand nous en entendons parler. Mais quand ça nous arrive, non seulement nous ne doutons plus que ça existe, mais ça change notre vie à jamais.

— Je n'en doute pas. Pour tout dire, je suis un peu jaloux.

Carson appréciait le fait qu'il prenait son histoire au sérieux. Elle aurait été anéantie s'il avait éclaté de rire et s'était moqué de son imagination débordante ou avait tout simplement balayé ses propos d'un revers de la main.

— C'était quelle espèce de requin?

— Un requin-bouledogue.

— Ceux-là peuvent être méchants.

— Et lui l'était. Il a crevé la surface de l'eau comme une torpille et s'est presque envolé en tournoyant. Puis, il est retombé sur son ventre avec un bruit monstrueux et en soulevant des vagues.

— C'est un geste de menace, expliqua Blake. Un avertissement aux autres poissons. Mais les agressions de requins contre des êtres humains sont très rares. Ça m'énerve quand je vois ces émissions à la télé — il leva les bras pour mimer une posture menaçante et adopta le ton d'un croque-mitaine — avec leurs «attaques de requins». C'est de la très mauvaise publicité et ce sont les requins qui en font les frais. La plupart des incidents impliquant des squales dans nos eaux côtières sont simplement des accidents. Un stupide malentendu sur l'identité. Les eaux ici sont plutôt troubles. Et dans ton cas, par exemple, la forme de ta planche devait s'apparenter par en dessous à la silhouette d'une tortue ou d'un phoque. Les deux sont des proies communes du requin. Tu ne portais pas de bijoux brillants au moment de l'incident?

— Mon Dieu non. Je surfe depuis toujours, je connais quand même les mesures de précaution de base.

— On appelle ça une attaque éclair. Quand le requin se rend compte que le nageur est trop gros et ne fait pas partie de son régime alimentaire, il s'éloigne. Au pire, il y aura une seule morsure.

— Super, déclara Carson en roulant les yeux.

Elle frissonna en pensant aux traces que pouvait laisser une seule morsure de ces dents massives auxquelles elle avait été confrontée.

— Ce requin-là était prêt à en découdre. Je le sentais dans mes tripes.

Il laissa un court silence s'installer.

— Tu m'as dit qu'il t'a effleurée?

Elle acquiesça.

— C'est un signe que c'était très sérieux, car il chassait. On appelle ça une attaque «mordu-relâché». Le squale nage en cercle autour de sa proie, puis touche sa victime avant de l'attaquer.

Blake se gratta la mâchoire.

— Quand je repense à ce qui t'est arrivé, je me dis que tu es une fille chanceuse. Il semblerait que tu te sois trouvée au mauvais moment face à un requin en pleine frénésie alimentaire. Le dauphin t'a sans doute sauvée d'une morsure.

— Je sais, dit-elle lentement, les yeux grands ouverts. Et je lui en suis très reconnaissante. J'aimerais faire quelque chose.

— Faire quelque chose?

— Pour aider. Faire du bénévolat ou... *quelque chose.*

Elle donna un coup de pied dans un galet.

— Tu n'aurais pas une idée de ce que je pourrais faire?

Un sourire pensif apparut sur le visage de Blake.

— Je crois que je peux t'aider de ce côté. Je fais une évaluation du nombre de dauphins de la région chaque mois. Nous prenons nos bateaux et naviguons le long de tous les cours d'eau où nagent des bancs de dauphins. Est-ce que tu voudrais nous accompagner?

Carson eut du mal à contenir son excitation.

— Oui!

Blake jeta un coup d'œil à sa montre.

— Zut! Il est tard, je dois vraiment partir.

— Je devrais y aller aussi, compléta Carson en réfrénant les milliers de questions qui lui brûlaient les lèvres.

En fait, elle aurait pu rester assise ici dans ce magnifique parc des heures durant.

Blake se leva et Hobbs fit immédiatement de même, les yeux rivés avec inquiétude sur son maître. Blake pianota sur son téléphone mobile pour vérifier son emploi du temps.

— Nous avions prévu de partir en bateau ce mois-ci.

Il releva la tête.

— C'est une expédition qui prendrait toute la journée. Tu pourrais te libérer au travail?

— Je vais essayer. Ça ne devrait pas être un problème.

— Parfait. Je te rappellerai pour les détails.

— D'accord, répondit-elle avec enthousiasme.

Il y avait bien longtemps que quelque chose l'avait emballée comme le faisait cette expédition maritime. Était-ce le destin qui avait voulu que Blake travaille sur les dauphins? Était-ce un autre signe? Blake la gratifia d'un ultime sourire et d'un signe de la main.

— Très bien alors. J'ai ton numéro.

Elle lui retourna la politesse et le regarda s'éloigner d'un pas rapide, Hobbs sur ses talons. Carson saisit son sac à main, puis marcha tranquillement sur le sentier du parc jusqu'à sa voiturette de golf. *Oh oui!* pensa-t-elle en balançant le bras. Oh que oui, Blake Legare avait son numéro!

CHAPITRE 13

Carson débarqua sur la plage, fin prête pour sa première leçon de surf cerf-volant. Elle s'était préparée mentalement, s'était bien nourrie et avait confiance en son professeur, Blake. Elle avait hâte de se jeter à l'eau. Mais elle ne s'était pas préparée à une chose : elle allait passer toute la journée à utiliser un cerf-volant d'entraînement, sur la plage.

— Je n'ai pas besoin d'un cerf-volant *d'entraînement*, protesta Carson tandis qu'ils marchaient tous les deux le long de la plage à la recherche d'un coin plus tranquille.

Elle releva le menton en signe de défi.

— J'ai beaucoup surfé. Ça ne peut pas être bien plus difficile non ?

— Écoute-moi bien, dit fermement Blake. Le surf cerf-volant consiste beaucoup plus à gérer les mouvements de l'air que ceux de l'eau. Apprendre à manœuvrer ton cerf-volant est la première chose à faire. C'est même la priorité. Sans compter que les cerfs-volants standards valent beaucoup plus cher que ceux d'entraînement.

— Si ce n'est qu'une question d'argent, je…

Le visage de Blake se crispa et ses sourcils se froncèrent. Il semblait agacé.

— Quand il s'agit d'apprendre le surf cerf-volant, Carson, je n'entends pas tergiverser. C'est un sport extrême potentiellement dangereux. L'expérience que tu as acquise en surf est un bonus, mais ne te suffira pas pour te permettre de planer en toute sécurité. Si tu ne sais pas ce que tu fais, tu pourrais non seulement te blesser, mais aussi blesser les autres qui s'amusent autour de toi dans l'eau. Et même ceux qui sont ici, sur la plage. Ces cerfs-volants sont très puissants. Tu devras donc tout d'abord apprendre comment exploiter cette force et la maîtriser. C'est pourquoi nous allons nous entraîner sur la plage aujourd'hui avec un cerf-volant plus petit. D'accord?

Les yeux de Blake lançaient des éclairs et il avait prononcé son «d'accord» sur un ton préventif. Il ne semblait pas vouloir tolérer d'autres récriminations de sa part.

— Ensuite, nous progresserons vers l'apprentissage d'autres habiletés. Quand tu auras maîtrisé ces dernières, après, seulement après, je te laisserai essayer le tout sur l'eau.

Il marqua une pause.

— Et je t'accompagnerai.

Toute résistance était futile à cet instant. Carson mit donc son orgueil de côté et acquiesça.

Blake s'approcha, passa son bras autour de ses épaules et l'embrassa.

— Je ne veux pas que tu te fasses mal.

C'était un baiser rapide, pas vraiment passionné, mais si désarmant. Carson comprit soudain ce que voulait dire «avoir le vent dans les voiles».

Blake l'emmena à la plage chaque jour venteux, et chaque fois, Carson se délestait un peu plus de l'angoisse qui la taraudait à l'idée de retourner dans l'océan. À la fin de la semaine, elle suppliait Blake de la laisser se lancer dans l'eau. Et finalement, il déclara qu'elle était prête.

Le jour J, ils marchèrent côte à côte jusqu'au moment où ils trouvèrent un coin tranquille sur la plage, loin des autres vacanciers. Carson sentait l'adrénaline courir le long de ses veines. Blake l'aida à se lancer. Après qu'ils eurent gonflé le cerf-volant d'air, elle s'éloigna de plusieurs mètres, sanglée dans son harnais, pendant que Blake tendait les longues lignes qui la reliaient au cerf-volant.

— L'équipement est prêt. Et toi ? cria-t-il

Le cœur de Carson battait la chamade et elle était comme paralysée dans son harnais, incapable de répondre.

— Carson ? hurla de nouveau Blake.

Constatant qu'elle ne répondait toujours pas, il déposa le cerf-volant et trotta jusqu'à elle.

— Est-ce que ça va ? demanda-t-il.

Il semblait sincèrement s'inquiéter. Carson déglutit difficilement et secoua la tête.

— J'ai peur, coassa-t-elle.

— O.K.

Blake avait parlé sur le ton désagréable d'un thérapeute, ce qui était néanmoins rassurant. Il plia les genoux pour s'abaisser à sa hauteur et la regarder droit dans les yeux.

— De quoi as-tu peur ? De te faire mal ?

Elle acquiesça.

— Tu t'es entraînée pour ce moment. Tu es prête. Et je serai juste à côté de toi.

Carson secoua de nouveau la tête, cherchant les mots pour formuler sa peur.

— Je n'arrive pas à chasser l'image du requin dans mon esprit.

Blake soupira, passa ses bras autour d'elle et la serra contre sa poitrine.

— Est-ce que je t'ai déjà raconté l'histoire de ma rencontre avec un requin ? Je faisais du surf cerf-volant à Breach Inlet quand j'ai atterri directement sur sa tête.

Elle entendit son rire résonner dans sa poitrine.

— J'ai effrayé le requin davantage qu'il ne m'a effrayé, je te le promets. Alors, j'ai tout simplement réorienté mon cerf-volant, et la seconde d'après, j'étais loin dans les airs. C'est ce qu'il y a de génial avec le surf cerf-volant. Tu chevauches le vent, c'est ça le truc : tu sautes, attrapes un courant d'air, saisis ta planche d'une main si ça te tente, puis tu replonges vers l'eau. Tu es faite pour ce sport, Carson. Vas-y, laisse-toi aller et fais-toi plaisir.

Une ruée d'adrénaline la traversa encore une fois et elle serra les dents. Carson hocha la tête.

Blake retourna ajuster les câbles qui reliaient son harnais au cerf-volant jaune et noir. Carson serra sa barre de direction et concentra toute son attention sur le cerf-volant en demi-lune qui s'agitait dans le vent. Blake fit un décompte, puis ils se dirigèrent en tandem vers l'eau. Blake leva le cerf-volant haut dans les airs avant de donner le signal du départ. L'instant d'après, il laissa tout aller.

Lorsque le vent passa sous la toile, Carson sentit la force irrépressible qui la tirait vers l'océan. Elle serra la barre encore plus fort, se pencha vers l'arrière et se laissa emporter par la bourrasque à la puissance phénoménale. En un clin d'œil, elle se retrouva à survoler la crête des vagues, tout droit vers le large, comme la pilote d'un monomoteur. C'était enivrant, plus excitant que tout ce qu'elle avait vécu sur une planche.

Même si elle était maintenant très loin du rivage, Carson se sentait en toute sécurité avec son compagnon pour l'épauler. Son derrière frôlait toutefois les vagues, ce qui la ramena à la réalité : elle n'était encore qu'une débutante. Chaque fois qu'elle perdait de la vitesse et qu'elle s'écrasait dans l'eau, Blake se trouvait au bon endroit pour l'aider à se relever. La réputation de politesse de Charleston s'appliquait sans nul doute aux habitants de Sullivan's Island : les surfeurs de la Station 28 formaient un groupe amical… et très indulgent.

Pour célébrer sa première tentative sur l'eau, Blake avait invité son cousin et le vieux partenaire de surf de Carson, Ethan, à les rejoindre. La femme de ce dernier, Toy, et leurs enfants s'étaient improvisés équipe d'animation et l'encourageaient en hurlant son nom chaque fois qu'elle s'approchait de la côte. Carson eut tôt fait de mettre fin à sa première journée de surf cerf-volant et plana jusqu'à la plage. Elle s'effondra sur sa serviette, folle de joie, mais néanmoins épuisée.

— J'ai l'impression que mes bras sont en caoutchouc, gémit-elle.

— Tu t'es très bien débrouillée, la félicita Blake. Pour une débutante.

Carson jeta un coup d'œil en coin sous la main qui lui servait de visière pour se protéger du soleil.

— Un moment, j'ai cru que tu allais dire « pour une fille ».

— Je ne suis pas si stupide, dit Blake en riant aux éclats.

— Bien vu, taquina Ethan.

— Il n'y a pas beaucoup de filles qui pratiquent ce sport, ajouta Toy. Je suis contente que tu sois là pour représenter notre sexe. *You ouh*, scanda-t-elle en faisant rouler son bras dans les airs.

Carson aimait vraiment Toy Legare. Elle était très mignonne, un peu dans le style Christie Brinkley avec ses cheveux blonds rebelles et ses courbes harmonieuses. Elle portait un une-pièce sans prétention et gardait toujours un œil sur ses enfants, qui s'amusaient à construire des châteaux de sable quelques mètres plus loin.

Ethan et Blake ramassèrent leur équipement et convinrent de se lancer tour à tour dans une intense session de surf cerf-volant. Pendant ce temps, Carson et Toy restèrent assises sur les chaises de plage à regarder les deux hommes s'éloigner au pas de course.

— Ces deux-là deviennent de vrais enfants dès qu'ils s'approchent de l'eau, commenta Toy en étalant de la crème solaire sur ses bras.

— Ils ont plus l'air de frères que de cousins, dit Carson en les regardant courir vers l'océan.

Les deux hommes étaient grands et élancés. Ils avaient les yeux bruns et une chevelure bouclée noire. Mais la ressemblance était plus qu'une question de physique : on la voyait dans leur démarche, dans le roulement de leurs hanches et de leurs bras musculeux.

— Ils pourraient même être jumeaux.

— Beaucoup de garçons dans la famille ont les cheveux foncés et bouclés. Mais il est vrai que ces deux-là sont un peu comme cul et chemise, expliqua Toy. Leurs mères avaient l'habitude de se vanter qu'elles avaient toutes deux gagné un autre fils tellement ils passaient de temps chez l'un ou chez l'autre.

— Il est tout de même intrigant qu'ils se soient dirigés vers le même domaine professionnel.

— La biologie marine ? demanda Toy. Pas très surprenant. Ce sont de vraies punaises d'eau. Blake travaille sur les dauphins et Ethan est employé par l'aquarium de Caroline du Sud. Avec moi, ajouta-t-elle avec un sourire complaisant.

Toy appliqua de la crème solaire sur ses jambes.

— Ethan est responsable du grand réservoir, alors il touche plutôt à tout ce qui est poisson…

Elle rit avec légèreté.

— Alors que moi, c'est surtout les tortues marines.

Elle tendit le tube de crème solaire à Carson, puis s'allongea sur sa serviette, les paumes vers le bas et les yeux fermés.

Carson savait que Toy était modeste. Elle était en fait directrice de l'hôpital pour tortues de mer, une fonction importante et bien en vue.

— Vous êtes mariés depuis combien de temps ? l'interrogea Carson.

— Oh mon Dieu, ça doit bien faire sept ans déjà. Ça passe tellement vite.

Carson observa les deux enfants qui jouaient dans le sable. Le jeune garçon ne devait pas avoir plus de six ans et sa sœur, bien qu'elle soit petite, devait sûrement en avoir le double.

Toy ouvrit un œil et suivit le regard de Carson. Un sourire en coin se dessina sur son visage.

— Je sais à quoi tu penses. C'est ma petite Lovie. Je l'ai eue avant que nous ne nous mariions. Mais Ethan se comporte comme s'il était son père biologique et c'est tout ce qui compte. C'est un père formidable. Tu sais, continua-t-elle avec coquetterie, Blake aussi sera un bon père de famille.

Carson étala un peu de crème sur ses bras.

— Pourquoi Blake n'est-il toujours pas marié ? Je me serais attendue à ce qu'il soit déjà pris à l'heure qu'il est.

— Ce n'est pas que les filles n'ont pas essayé, ça, c'est moi qui te le dis ! s'esclaffa Toy. Je ne sais pas. Il a beaucoup voyagé à cause de son travail. Tu n'aurais jamais vu mère plus heureuse que Linda Legare quand Blake lui a annoncé qu'il venait faire ses recherches ici, avec la NOAA. Les filles ont commencé à débarquer à la maison comme des mouches sur un pot de sucre. Il est sorti avec quelques-unes, bien sûr. Il y a bien une fille avec laquelle nous avons cru que ça fonctionnerait, mais ils ont rompu l'année dernière.

Elle s'approcha de Carson.

— Pour tout te dire, j'étais contente. Elle était bien jolie, mais ce n'était pas l'esprit le plus affûté, si tu vois ce que je veux dire.

Carson éclata de rire et était secrètement ravie d'entendre cela. Elle pouvait très bien s'imaginer que Blake finirait par s'ennuyer à côtoyer une femme qui n'était pas très instruite. Toy poursuivit :

— Il nous a confié qu'il attendait de trouver la bonne.

Elle fixa Carson avec une lueur de malice.

— Peut-être l'a-t-il déjà trouvée.

Même si elle savait que Toy plaisantait, Carson fut gênée par cette dernière remarque. Elle redonna le tube de crème solaire à sa propriétaire.

— Ne nous emballons pas. Blake et moi ne sommes que des amis.

— Je ne fais que parler, ricana Toy. Et puis, tu as déjà été «approuvée» par Ethan. Je reviens.

Toy se leva et alla s'asseoir à côté de ses enfants et de leurs châteaux de sable. La jeune fille se laissa faire en silence quand sa mère voulut lui appliquer de la crème solaire, mais comme on pouvait s'y attendre, le garçon râla et se tortilla pour y échapper. Mais la mère était rapide et efficace : en un éclair, les deux enfants se retrouvèrent enduits de la tête aux pieds de l'épaisse substance blanche.

— Ces deux-là me tiennent plus occupée qu'un chien dans un jeu de quilles. Tu veux de l'eau ? dit Toy en s'essuyant les mains avec une autre serviette.

Elle extirpa un grand thermos de son sac.

— J'aimerais bien, répondit Carson en l'aidant à disposer les quatre verres.

Elle était émerveillée par l'instinct maternel de sa nouvelle amie. L'enthousiasme dont elle faisait preuve pour ses enfants, son mari et sa vie bourdonnait autour de sa personne, créant une aura de chaleur et de confiance.

Toy versa de l'eau fraîche dans les verres en plastique rouges avant de refermer le couvercle et de replacer le thermos dans son énorme sac de plage. Elle continua toutefois à fouiller dedans et en sortit un contenant en plastique. Toy l'ouvrit et étala son contenu : des craquelins, des céleris et des carottes. Elle avait apporté dans un autre sac des biscuits au sucre. Elle apporta ces derniers à ses enfants, sans oublier leurs verres d'eau respectifs.

— Ne jetez surtout pas ces verres ! leur ordonna Toy.

Elle revint s'asseoir.

— Je n'utilise plus de bouteilles en plastique. Quand on a sorti des quantités effrayantes de plastique de l'estomac d'une tortue comme je l'ai fait, on apprend très vite à ne pas utiliser de sacs, de bouteilles ou quoi que ce soit d'autre qui est fait de plastique.

— Tu es une mère formidable, la complimenta Carson.

Le visage de Toy s'illumina.

— Merci. Si tu avais connu ma mère, tu saurais à quel point ce compliment me touche droit au cœur.

— As-tu toujours su que tu voulais devenir mère ?

— Oh mon Dieu, non.

Elle fixa sur sa tête une casquette bleu marine frappée du logo de l'aquarium de Caroline du Sud.

— Mais je suis devenue mère avant même d'avoir le temps de m'interroger à ce propos. J'ai accouché de Lovie à l'âge de 19 ans. Son père était un vaurien. Mais je préférais encore vivre avec lui qu'avec ma mère.

Carson comprit qu'elle venait sans doute de rencontrer quelqu'un dont l'enfance avait été encore pire que la sienne.

— Mais quand j'ai regardé dans les yeux de Lovie — Toy semblait maintenant perdue dans ses pensées —, j'ai su que j'avais ce que je voulais. C'est ce que j'avais toujours voulu. Une famille. Et puis, bien sûr, par la suite, j'ai rencontré Ethan, et puis voilà.

Elle suivit du regard son mari, au loin, qui surfait sur les vagues.

— Regarde-le donc, dit-elle avec un visage passionné. Il veut nous épater.

Elle se tourna vers Carson.

— Et ça m'allume au plus haut point.

Carson repéra Ethan, qui surfait près de la plage et soulevait dans son sillage de grandes éclaboussures. Elle balaya la mer du regard et finit par apercevoir Blake en pleine envolée. Il monta en flèche dans les airs et lorsqu'il atteignit toute sa hauteur, il leva les jambes et cambra le dos afin d'amener sa planche haut derrière lui.

Toy gloussa et pointa le jeune homme du doigt.

— Apparemment, Ethan n'est pas le seul à vouloir épater la galerie.

Elle reporta son attention sur Carson.

— J'ai vu comment il te regarde. Si tu veux mon avis, ça, c'est un poisson qui a mordu à l'hameçon.

Carson quitta Blake du regard et se tourna vers Toy. Elle remercia le ciel de porter des lunettes de soleil qui cachaient l'inconfort qui, elle en était sûre, devait se refléter dans ses yeux. Le commentaire de Toy avait quelque chose de plaisant et de troublant à la fois. Lorsque les gens commençaient à l'associer avec quelqu'un, c'était généralement quelque chose qu'elle interprétait comme un signal pour rompre les liens et s'enfuir.

Un peu plus tard dans la journée, Toy se redressa soudainement sur ses genoux, se mit à rire et pointa l'océan.

— Voilà nos deux guerriers qui reviennent du combat. Prépare-toi, parce qu'ils affichent des sourires en coin qui ne présagent rien de bon. Ils vont sans doute tenter de nous jeter à l'eau.

Elle se mit à crier quand les deux hommes commencèrent à courir vers elles.

Carson vit les deux hommes fondre sur elles à pleine vitesse et se recroquevilla immédiatement en une position défensive.

— Je ne te le conseille pas, avertit-elle Blake lorsque celui-ci lui empoigna le bras et la tira pour la remettre sur ses pieds.

Ethan se précipita directement vers les enfants et en prit un sous chaque bras. Toy n'eut d'autre choix que de leur courir après en hurlant à Ethan que le petit Danny n'était pas encore un très bon nageur.

La marée était haute et le soleil brillait haut dans le ciel dégagé. Le groupe retrouvait un second souffle et s'amusait dans les vagues sous les cris de joie et les cris des enfants. Blake et Ethan prirent chacun en enfant sur leurs épaules et se lancèrent dans un combat de coqs, encouragés par Carson et Toy. Danny fanfaronna comme un coq lorsque Blake et lui parvinrent à renverser Ethan et Lovie dans l'eau. Puis, le soleil décrut progressivement à l'horizon et les enfants se mirent à frissonner. Lorsque leurs orteils et leurs doigts commencèrent à se rider des suites de leur baignade, ils retournèrent à leurs serviettes où les attendaient leurs parents pour frictionner leurs épaules trempées. Les femmes ramassèrent ensuite les restes de nourriture et les hommes plièrent l'équipement. Pendant ce temps, les enfants restèrent debout à grignoter des biscuits, leurs frêles épaules recouvertes par des serviettes dont le bout traînait dans le sable et les cheveux hérissés dans des angles incongrus. Leurs paupières se fermaient toutes seules, comme des auvents qu'on abaisserait.

Carson, qui les regardait, ressentit une étrange douleur dans son cœur. Elle n'avait jamais vraiment envisagé d'avoir des enfants. Durant toute sa vie, elle s'était concentrée sur des projets quelconques et avait recherché le charme des voyages vers des destinations exotiques et la rencontre de personnalités célèbres. Mais aujourd'hui, elle prenait conscience qu'elle aurait sans doute passé du bon temps à jouer avec ces deux petits bouts de chou à la plage, profitant de leurs cris de joie et de leurs commentaires honnêtes rafraîchissants. Elle avait aimé passer du temps avec Nate à Sea Breeze. Au cours de ce mois passé sur la côte de la Caroline du Sud en compagnie de sa famille, de ses nouveaux amis et de Delphine, elle avait redécouvert une joie différente, plus simple.

Ils formaient un groupe aux allures hétéroclites en quittant la plage. Blake et Ethan transportaient les cerfs-volants et les sacs chargés comme des mules. Les deux enfants traînaient les pieds derrière eux. Carson et Toy fermaient la marche avec le reste des sacs. Carson suivait les hommes du regard. Blake était plus grand qu'Ethan, mais pas de beaucoup. Ils partageaient la même démarche nonchalante et le même amour pour les eaux de la Caroline du Sud.

Blake tourna la tête dans sa direction et lui adressa un sourire qui en disait long. Il était différent de tous les hommes qu'elle avait fréquentés, et pourtant, elle en avait vu passer. Mais elle se demandait tout de même : *Est-il si différent des autres ou est-ce moi qui ai changé ? N'est-ce pas plutôt une question d'endroit et de contexte ?*

~

Ils avaient eu la chance de profiter toute la semaine de journées particulièrement ensoleillées balayées par une douce brise. En plus de passer du temps avec Blake sur la plage, Carson avait amené Nate tous les jours pendant une heure sur le quai afin de l'aider à s'habituer tranquillement à l'eau de mer. Dès que Nate eut dépassé ses peurs initiales, Carson découvrit que le garçon adorait l'océan. Il y avait dans le doux mouvement de l'eau et le confort de son gilet de sauvetage quelque chose que le garçon trouvait apaisant. Carson s'était montrée patiente. Elle lui avait d'abord inculqué quelques mouvements rudimentaires, comme les bases de la brasse, l'art de battre des pieds, en usant sans remords de la motivation qu'exerçait Delphine sur l'enfant.

Le premier jour, Nate s'était plaint de tout et n'importe quoi : de la température de l'eau, jusqu'à l'incapacité d'effectuer les mouvements demandés, en passant par la sensation graisseuse que lui laissait la crème solaire sur sa peau. Elle ignora complètement ses plaintes et continua à l'encourager. Elle s'assurait de le faire progresser à son rythme et le couvrait de compliments, attentive toutefois à ne pas trop le pousser. Nate devait avant tout apprendre à se faire confiance lorsqu'il était dans l'eau. Puis, plus la semaine avançait, moins Nate se plaignait, mais Carson ouvrait l'œil, au cas où le dauphin gris et effilé ferait son apparition.

Mais Delphine ne se montra pas. Maintenant qu'il y avait un étranger dans l'eau, il n'était pas étonnant que le dauphin sauvage garde ses distances. Cependant, Carson savait que ce dernier les observait. Elle avait même senti un instant sur ses jambes le picotement provoqué par l'écholocalisation de l'animal.

Le septième jour, Delphine pointa le bout de son rostre.

— La voilà! cria Nate en sautant presque hors de son gilet de sauvetage.

Carson partageait sa joie de voir émerger la grosse tête grise et les petits yeux noirs qui suivaient le moindre de leur mouvement avec attention. Delphine laissa échapper une grosse bulle d'air par son évent et se maintint à distance, curieuse, mais timide.

— Où étais-tu? demanda Carson.

Delphine inclina la tête pour mieux regarder Nate tandis qu'elle nageait autour d'eux, gracieuse et élégante. Lors de son deuxième passage, Delphine émit un bourdonnement sourd et ils sentirent les ondes provoquées par le bruit.

— Ça fait tout drôle, dit Nate à Carson.

— Elle t'examine, tout va bien. Ce que tu ressens, c'est son écholocalisation. C'est un peu comme des rayons X.

— Tu veux dire un sonar, la corrigea Nate.

— Oui, confirma-t-elle.

Carson se rappela qu'elle devait vraiment être au sommet de ses connaissances en présence du garçon. Ce dernier passait ses soirées dans ses livres.

Comme elle. Carson avait lu quelque part que les dauphins aimaient les enfants et il était clair aujourd'hui que Delphine était curieuse et s'intéressait au garçon. Delphine osa finalement s'approcher et elle frôla gentiment les jambes de Nate avec sa nageoire pectorale. Puis, elle revint nager encore plus près et poussa légèrement la jambe de Nate avec son rostre. Carson retint son souffle, car elle savait pertinemment que Nate n'aimait pas être touché. C'était un moment miraculeux. Non seulement Nate toléra-t-il le contact du dauphin, mais il tendit également le bras et laissa courir ses doigts le long du corps de l'animal tandis qu'il nageait devant lui. *Il a touché le dauphin*. Et Delphine l'avait laissé faire. Carson savait qu'elle n'oublierait jamais cet instant. Une barrière venait d'être franchie et une connexion s'était établie. Elle aurait tant voulu que Dora en soit témoin.

Ils passèrent un après-midi mémorable à barboter et à rire dans l'eau fraîche. Nate adorait Delphine, c'était évident. L'animal semblait être le centre de son monde et Delphine avait l'air tout aussi fascinée par l'enfant. Elle avait également un véritable instinct maternel. Elle nageait près de Nate, comme pour lui permettre de suivre son sillage, et décrivait des cercles autour de lui en sifflant fréquemment, attentive à le circonscrire dans une zone restreinte. Dès que Nate s'éloignait un peu trop, Delphine faisait claquer son menton contre l'eau, sifflant, et le ramenait vers le quai.

Carson s'empressa de remonter sur le quai et extirpa son appareil-photo de son sac. Elle ressentait une fois de plus l'urgence inspiratrice de prendre des photos de Delphine. Elle porta l'appareil devant son œil et se mit à appuyer frénétiquement sur le déclencheur pour immortaliser les moments privilégiés que partageaient le garçon de nature taciturne et le dauphin. Carson avait l'intime conviction que Delphine voyait en Nate l'enfant vulnérable qu'il était et que, comme elle le ferait avec n'importe quel jeune dauphin, elle assumait de jouer pour lui le rôle d'une tante de plus.

Carson abaissa l'objectif et observa l'enfant et son dauphin. Il n'y avait aucun doute que dans cette crique, quelque chose de magique se produisait entre Delphine, le garçon et elle.

~

Plus tard cet après-midi là, lorsque Lucille les appela pour le dîner, Carson dut presque traîner Nate hors de l'eau pour qu'il vienne.

— Tu es plissé comme un pruneau, lui dit Carson en le tirant sur le quai.

Elle couvrit ses épaules tremblotantes d'une grande serviette chaude et propre.

— Une compote de pruneaux, plaisanta-t-elle.

— Je ne suis pas un pruneau, je suis un mammifère, répondit Nate.

Nate se montra très agréable quand elle l'accompagna à l'étage pour qu'il prenne une douche et se fasse un shampoing. Sa peau savonnée sentait bon lorsqu'il mit son pyjama propre. Il la laissa même lui coiffer les cheveux sans émettre les récriminations habituelles.

Lucille avait préparé les plats préférés du garçon. Elle aligna soigneusement trois tranches de jambon dans son assiette et trois morceaux de brocoli en prenant soin que ces derniers ne touchent surtout pas la viande. Puis, elle s'approcha et posa devant lui un plat séparé dans lequel elle mit une cuillère de purée de pommes de terre. Elle ne dit pas un mot et recula de quelques pas, les mains jointes, attendant la sentence. Carson et Mamaw échangèrent un regard inquiet tandis que Nate se penchait sur ses pommes de terre et les examinait attentivement. Ce n'était pas un aliment qui figurait sur la liste d'aliments approuvés de Dora, mais Lucille avait confié plus tôt aux deux femmes qu'elle voulait donner à Nate l'occasion de le rejeter. La purée était blanche et n'était garnie que de beurre ; Lucille avait donc espoir qu'il en mange. Elles retinrent leur souffle lorsque Nate plongea sa cuillère dans la substance épaisse et en déposa un peu sur sa langue pour y goûter. Puis, sans un mot, il en reprit une bouchée. Les trois femmes expirèrent. La poitrine de Lucille s'était soulevée et elle décida de s'asseoir à la table.

Pendant tout le repas, Nate enfourna sa nourriture, entrecoupant chacune de ses bouchées d'un commentaire sur la vie des dauphins. Il n'était pas très doué pour la conversation : il ne posait pas de questions et ne leur demandait pas leurs avis. Il préférait plutôt les ignorer et continuait à papoter, dispensant un nombre incalculable d'informations qu'il avait assimilées en lisant ses livres. Malgré tout, Mamaw et Carson étaient soulagées de le voir enfin si ouvert et animé.

— Ma parole, mais tu es une véritable source d'informations ! s'exclama Mamaw en roulant des yeux.

Plus tard en soirée, Nate n'offrit aucune résistance quand il fallut aller se coucher, car l'exercice physique et le soleil de la journée l'avaient fatigué.

— La baignade et les émotions auront fait disparaître toute trace de contrariété chez lui, commenta Lucille.

Carson remonta la couverture, et juste au moment où elle s'apprêtait à sortir de la chambre, Nate l'appela d'une voix somnolente.

— Tante Carson ?

— Oui ? fit-elle, la main posée sur l'interrupteur.

— Ce soir, j'aimerais bien rêver de dauphins.

Carson sourit, un peu surprise. Il n'avait jamais évoqué ses rêves auparavant, et à vrai dire, elle ne savait même pas s'il en avait.

— Moi aussi, répondit-elle faiblement, avant de formuler silencieusement une prière de remerciements.

Un peu plus tard, lorsque ce fut à son tour de se mettre au lit, elle ferma les yeux et tenta de s'imaginer le visage de Nate jouant dans l'océan avec Delphine, leurs yeux brillants de joie.

~

Le lendemain, Dora fit son retour à Sea Breeze. Elle trouva sa grand-mère assise dans l'ombre du porche, semblable à une reine abeille dans sa tunique de coton jaune.

— Ma chérie! cria Mamaw en levant les bras. Tu es de retour. Viens m'embrasser.

Dora fut surprise de trouver sa grand-mère si enjouée et bronzée. À côté d'elle, Dora paraissait au contraire pâle et fatiguée.

— Comment ça s'est passé?

Dora avait passé des heures avec son avocat à préparer le règlement de divorce. Ça avait été une expérience exténuante du point de vue émotionnel. Puis, elle avait dû engager des peintres, des plombiers et des électriciens afin de redonner à la maison un aspect suffisamment raisonnable pour pouvoir la mettre sur le marché. En vérité, elle avait été ravie de rassembler ses vêtements et ceux de Nate et de revenir aussi vite que possible à Sullivan's Island. La maison qu'elle avait jadis tant aimée la déprimait aujourd'hui.

— Aussi bien que ça pouvait se passer, répondit évasivement Dora.

— Et la maison? Quand vont-ils commencer à refaire la peinture?

— Sans doute pas la semaine prochaine, mais celle d'après. Il y a tellement à faire, mais je ne peux payer que le minimum. Je déteste vendre *en l'état*.

Elle soupira.

— Trop pauvre pour refaire la peinture, mais trop fière pour blanchir à la chaux.

— Fais ce que tu as à faire. Tu l'amortiras à la fin.

— Où est Nate? demanda Dora en s'asseyant sur la chaise à côté de Mamaw.

— Il est parti se baigner avec Carson.

— Nate est dans l'eau? s'exclama Dora, alarmée.

— Je te jure que ce petit garçon n'est qu'un poisson de plus dans l'océan.

— Il nage dans la crique? l'interrogea Dora, de plus en plus horrifiée.

Elle se leva et fixa le quai en plissant des yeux.

— Il n'est pas assez bon nageur pour ça!

— Calme-toi, Dora, l'apaisa Mamaw. Carson est avec lui et elle lui a donné des leçons de natation. Il se débrouille très bien.

Dora se glissa dans sa chaise.

— Des leçons de natation? répéta-t-elle. Il prend des leçons... sans se plaindre?

Elle avait essayé pendant des années d'amener Nate à des cours de natation au club du coin, mais il avait détesté les leçons, avait détesté le professeur, avait tout détesté de cette initiative en fait. Il avait fait des crises de colère chaque fois qu'elle l'avait amené.

— Pas un mot. Il a été un très gentil garçon, dit Mamaw. Avec le nouveau régime, il va de l'avant! Comme nous tous d'ailleurs.

— Quel nouveau régime? balbutia Dora.

— Toi aussi, tu devras le suivre, ma chère. Nous nous sommes tous engagés à le faire. Je me sens si bien! Pas d'aliments gras, pas d'alcool.

Elle ricana.

— Ou presque pas. Et l'horaire... Ma chérie, tu vas l'adorer! Carson est notre lève-tôt. Elle se lève avant le soleil pour aller faire de la planche à bras. Elle ne peut s'en empêcher, Dieu la bénisse. Quant au reste d'entre nous, nous nous levons juste après l'aube, vers 7 h.

— Nate aussi ? Il se lève tout seul ? demanda Dora en repensant à tous ces matins où elle avait dû le flatter et le cajoler pour qu'il sorte du lit. Est-ce qu'il dort bien ?

— Il dort très bien ! s'exclama Mamaw en toute honnêteté. Toute la nuit. Pourquoi me demandes-tu cela ?

Dora haussa les épaules, la bouche grande ouverte. À la maison, il se réveillait régulièrement pendant la nuit.

Mamaw continua.

— Il *est* très spécial quand il s'agit de nourriture, comme tu nous avais prévenus, et nous avons fait de notre mieux pour suivre sa diète habituelle. Mais lorsqu'un aliment échappe à son radar...

Elle secoua la tête et dit en aparté :

— Ce n'est pas une tâche facile, je te le dis ! Il devrait travailler pour le ministère de la Sécurité intérieure. Mais bon, une fois qu'il approuve quelque chose, il le gobe tout de suite. Et quel appétit ! C'est impressionnant !

Lucille apparut avec un verre de thé glacé qu'elle tendit à Dora.

— Ce petit gars adore la purée de pommes de terre. Il n'en a jamais assez. Il en mangerait à chaque repas si nous en servions. Et nous le faisons, gloussa-t-elle en s'éloignant.

— De la purée de pommes de terre..., murmura Dora.

— Exactement ma chérie. La texture ne le rebute pas, dit Mamaw en connaissance de cause. Tu seras aussi tellement fière de le voir nager. Il a fait tellement de progrès ! Et en peu de temps en plus. J'ai toujours dit que Carson était une sirène. Eh bien, voilà que ton fils le devient aussi. Ou devrais-je dire, un triton. Je ne sais pas du tout comment je dois l'appeler, mais une chose est sûre, il déteste sortir de l'eau. Nous sommes obligées de l'en sortir de force. Et quand Carson part travailler, je lui occupe l'esprit. Parfois, je l'amène pêcher, mon Dieu, qu'est-ce qu'il aime pêcher ! Mais il ne mange pas de poisson, ce qui est assez étrange. Lucille préparait le poisson pour tout le monde, mais il préférait manger son jambon comme d'habitude, sans se plaindre.

» Parfois, il vient au marché avec Lucille et moi, ce qu'il ne semble pas trop aimer.

Elle se pencha près de Dora et parla sur le ton de la confidence.

— Je crois qu'il n'aime pas trop les foules. Ça le rend nerveux, surtout quand on le heurte par mégarde. Mais je devais lui acheter quelques affaires, comme un maillot de bain et des sandales. Et des livres. Je n'ai jamais vu d'enfant qui aime lire autant que lui. À part Harper, peut-être, se rappela Mamaw.

Son visage semblait tourné vers un doux souvenir.

Dora se contenta d'acquiescer, tentant de digérer ce flot d'informations.

— Et en fin d'après-midi, continua la vieille femme, quand nous sommes tous bien fatigués et affamés, nous nous retirons dans nos chambres respectives pour profiter d'un peu de calme. Le soir, Carson travaille dans sa chambre, Nate s'installe confortablement devant la télévision pour regarder *Animal Planet* ou un quelconque documentaire animalier.

Elle sourit.

— C'est un Jacques Cousteau né.

Mamaw soupira et haussa les épaules, visiblement fatiguée après cette longue présentation.

— Et enfin, c'est l'heure du dîner, puis celle d'aller se coucher, résuma-t-elle.

Dora écouta son récit bouche bée.

Elle avait passé ces derniers jours à s'inquiéter stupidement pour Nate, angoissée de laisser trop de stress et de responsabilité sur les épaules de Mamaw et Lucille, soucieuse du fait que Carson pourrait ressentir cela comme une interruption de ses moments d'intimité avec Mamaw à la maison. Mais voilà qu'elle les retrouvait heureux comme un groupe de campeurs épargné par les moustiques.

— Je… Je ne sais pas quoi dire, bégaya Dora.

— Nul besoin de dire quoi que ce soit, ma chérie. Prends donc ces serviettes et va jeter un coup d'œil du côté du quai. Ces deux-là traînent là-bas depuis des heures. Sois gentille et appelle-les pour venir dîner.

Dora marcha sur le long ponton de bois pour rejoindre le bord de l'eau. Son esprit était encore tout occupé à absorber ce qu'on venait de lui raconter à propos des horaires, des séances de natation et du bon temps passé pendant son absence. Lorsqu'elle atteignit le bout du quai, elle s'arrêta brusquement, incapable de croire au spectacle qui se jouait devant ses yeux.

Là, dans l'eau, Nate nageait comme un phoque avec de grands mouvements des bras malgré son gilet de sauvetage. Il tentait d'atteindre une balle rouge qui flottait à la surface de l'eau à quelques mètres de lui. Il y était presque arrivé lorsqu'une ombre grise le dépassa comme une flèche et souleva la balle dans les airs. C'était le dauphin! Le cœur de Dora s'arrêta presque. L'animal était juste à côté de son fils.

Elle était sur le point de crier un avertissement quand l'expression sur le visage de Nate la retint. Son fils riait. Nate repartit de plus belle et pourchassa la balle en souriant à pleines dents. Carson n'était pas bien loin et lui prodiguait des encouragements. Cette fois, Nate réussit à attraper la balle et la serra contre lui, le sourire aux lèvres. Carson poussa des cris de joie tandis que le dauphin émettait une série de sons nasillards qui, Dora l'aurait juré, ressemblaient étrangement à des rires.

Dora s'appuya contre la rambarde. Carson lui jeta un regard par en dessous et remarqua sa présence.

— Dora! cria-t-elle.

Carson leva un bras hors de l'eau et lui fit signe de la main.

— Regarde Nate, ta maman est là!

Nate tourna la tête et aperçut sa mère debout sur le quai. Dora lui adressa un signe de la main et sourit.

— Bonjour mon grand! Je suis là!

Nate fronça les sourcils et serra la balle encore plus fort contre son corps.

— Va-t'en! cria-t-il.

— Nate! le gronda Carson. Ce n'est pas gentil. Dis bonjour à ta mère.

— Je ne sortirai pas! hurla-t-il avec colère.

Dora observa son fils qui la fusillait du regard. Elle serra les dents, car elle pouvait sentir physiquement le fil délicat qui la liait à son fils être arraché de son cœur. Et cette séparation lui faisait terriblement mal.

Carson avait penché la tête près de Nate et tentait de l'amadouer pour qu'il sorte de l'eau et aille saluer sa mère. Dora remarqua que le garçon écoutait sa tante. Il acquiesça, même si c'était visiblement à contrecœur. Il nagea énergiquement aux côtés de Carson à un rythme presque synchronisé. Exactement comme Dora aurait toujours voulu nager avec son fils.

Dora resta debout, seule, dans l'ombre du toit du quai, les yeux fixés sur le remous qui s'agitait dans l'eau sous ses pieds. Elle avait passé une semaine horrible avec ses avocats pour régler les détails du divorce. Elle avait convenu d'arrangements temporaires avec la banque et avait beaucoup pleuré, seule et dévastée dans sa grande maison vide. Elle avait dû rassembler ses propres affaires et celles de Nate pour l'été en prévision de leur vente prochaine. Toute sa vie semblait la dépasser à pleine vitesse. Calhoun l'avait abandonnée. Ils vendaient la maison. Tout ce qui lui restait en ce bas monde, c'était son fils. Et voilà que lui non plus ne voulait plus d'elle.

Carson sortit de l'eau et se hissa sur le quai. Des gouttes d'eau ruisselèrent sur son corps magnifique et tendu. Elle se pencha pour aider Nate à monter. Il la laissait toucher sa main, son bras. Il semblait tellement plus fort, en meilleure santé. Il avait éclos alors qu'elle n'était pas là.

Dora s'enveloppa de ses bras et essaya de contenir le flot d'émotions qui menaçait de déborder. Carson... elle en avait tant. Elle pouvait avoir n'importe qui. Dora serra les doigts autour de ses bras. Pourquoi cherchait-elle à voler l'affection de son fils?

CHAPITRE 14

Blake alla chercher Carson dans une Jeep verte à quatre roues motrices. Les côtés et les roues de la voiture étaient éclaboussés de boue et des autocollants de la NOAA et de l'aquarium de Caroline du Sud étaient collés à l'arrière du véhicule. Il y en avait même un qui disait NE PAS NOURRIR LES DAUPHINS.

Il était seulement 8 h et Carson avait espéré pouvoir s'échapper de la maison sans se faire remarquer, mais Mamaw l'avait repérée en train de regarder par la fenêtre, ce qui avait éveillé sa curiosité. Lorsque la sonnette avait retenti, Mamaw avait bondi sur ses pieds et s'était précipitée à la porte plus vite qu'une puce sur le dos d'un chien.

— Eh bien, ne seriez-vous pas ce beau jeune homme qui apprend à Carson à faire du surf cerf-volant ? demanda-t-elle en adoptant le ton d'une hôtesse.

Elle fit entrer Blake dans la maison.

— Oui Madame, c'est bien moi, dit-il en souriant poliment.

Blake était un jeune homme du Sud bien élevé et Carson était persuadée qu'il consacrerait à Mamaw toute l'attention qu'elle méritait. Il portait des pantalons de pêche en nylon, ceux avec de multiples poches et fermetures à glissière, et évidemment un t-shirt, aujourd'hui un Guy Harvey. Mais il avait aussi, et Carson le regrettait, coupé ses cheveux. Il avait tondu ses boucles comme la laine d'un mouton et avait maintenant les cheveux très courts.

— Où allez-vous donc de si bonne heure ? lui demanda Mamaw.

— J'avais pensé amener Carson faire une petite excursion en bateau.

— Comme c'est excitant ! s'exclama Mamaw. Où ça ?

— Nous allons naviguer sur les petites rivières du coin : les rivières Ashley, Cooper, Wando et Stono. Nous espérons repérer quelques bancs de dauphins qui vivent dans la région. Ça fait beaucoup de territoire à couvrir, alors nous devrions être partis pour la journée. D'ailleurs, n'oublie pas de prendre un chapeau, rappela-t-il à Carson.

En guise de réponse, elle lui montra celui qu'elle tenait déjà dans sa main.

— Je nous ai préparé un casse-croûte, ajouta Blake. Tu es prête ?

— Je suis prête.

Elle déposa un baiser sur la joue de Mamaw.

— Nous nous verrons plus tard.

— As-tu pensé à emporter un imperméable ? s'enquit Mamaw. Le ciel est un peu couvert.

— Ça ira, Mamaw. Au revoir.

Blake s'avança.

— Je suis content d'avoir fait votre connaissance, Madame Muir.

— Passez une bonne journée, mes enfants.

Sur le chemin qui les menait à la voiture, Blake se pencha à l'oreille de Carson.

— Je sais maintenant d'où tu tiens ton charme.

— Mamaw était la femme mondaine par excellence dans son temps. Et elle n'a pas la langue dans sa poche. C'est un vrai terrier accroché à son os quand il s'agit de préserver le paysage sauvage de Sullivan's Island. Elle assiste à toutes les réunions en la matière. J'espère être aussi engagée qu'elle quand j'aurai son âge.

Blake ouvrit la portière.

— Ça ne me surprendrait pas du tout.

Ils ne parlèrent pas beaucoup durant le trajet. Ils traversèrent les ponts qui passaient au-dessus des rivières Cooper et Ashley et poursuivirent leur route vers Fort Johnson sur James Island. La Harbor View Road suivait le contour de l'eau et Carson put observer à loisir les vastes étendues de marécages verdâtres tandis qu'ils serpentaient sous les énormes chênes ruisselants de mousse. Lorsqu'ils franchirent le portail du ministère des Ressources naturelles de Caroline du Sud et s'engagèrent sur les terres de Fort Johnson, Blake lui demanda :

— Es-tu déjà allé à Fort Johnson?

Carson secoua la tête.

— Jamais.

— C'est un endroit super avec une longue et illustre histoire. Le premier fort a été bâti en 1708 et a pris le nom de son propriétaire, le gouverneur Johnson. Ce fort n'existe plus depuis longtemps. Les Britanniques en ont construit un autre et l'ont utilisé pendant la guerre d'indépendance. Celui-là non plus n'existe plus. Puis, bien plus tard, en 1861, les troupes de l'État de Caroline du Sud ont érigé deux batteries de canons ici, et c'est depuis cet endroit qu'ils tiraient sur Fort Sumter. Ce sont les tirs qui ont marqué le début de la guerre de Sécession.

Carson observa les vastes terres sur lesquelles bourgeonnaient des bâtiments de style gouvernemental, nichés parmi des chênes anciens et d'innombrables palmiers nains.

— Quand est-ce que tout ça est apparu? demanda-t-elle en indiquant les développements immobiliers.

— Il ne s'est pas passé grand-chose ici entre les événements que je t'ai racontés et le début des années 1970. C'est à cette époque que l'essentiel des titres de propriété de ces terrains ont été transférés au MRN. Ce territoire est alors devenu un espace de recherche marine important pour de nombreuses organisations.

Il pointa quelque chose du doigt.

— Ce que tu vois là-bas, c'est le Marine Resources Research Institute[4]. Et puis ça, c'est le Hollings Marine Laboratory[5]. Une autre parcelle appartient au Grice Marine Laboratory, et enfin, l'Université de médecine a elle aussi implanté un département des sciences marines.

— Et ça? demanda-t-elle en pointant du doigt une magnifique maison blanche au milieu d'une plantation.

Blake suivit la direction de son doigt du regard, puis se mit à rire.

— Beaucoup de gens se demandent ce que peut bien faire cette maison à cet endroit, en plein milieu d'immeubles de bureaux, comme un diamant incrusté dans la roche. C'est la demeure d'origine de la famille Ball. Elle a été construite sur leur plantation, les Marshlands, sur la rive de la rivière Cooper. Il y a un certain temps, le College of Charleston l'a sauvée de la démolition et a fait en sorte que la maison soit déménagée ici, où elle a été restaurée. Maintenant, elle abrite des bureaux. Je passe devant tous les jours en voiture, et chaque fois, je souris et je remercie le ciel pour le travail des écologistes.

Blake gara la voiture dans un espace de stationnement.

— Et ça, dit-il en indiquant d'un signe de tête un immeuble tout en longueur, c'est ma deuxième maison.

Ils ramassèrent sans ambages leurs sacs et la glacière, et Carson suivit Blake à l'intérieur de cet immeuble à l'aspect

---

4. N.d.T. : Institut de recherches marines.

5. N.d.T. : Laboratoire marin Hollings.

moderne, à l'ameublement dépouillé, et un véritable labyrinthe de couloirs au plancher en linoléum. Au fur et à
mesure qu'ils avançaient, Carson vit des pièces pleines
à craquer, des laboratoires, des salles d'ordinateurs et des
salles d'entreposage. Dans le hall, des chariots transportaient des spécimens, sans doute à destination des laboratoires. C'était une ruche d'activité : tous les employés
travaillaient déjà ou se déplaçaient d'un endroit à l'autre
avec une idée en tête et des documents pleins les bras. Ils
finirent par s'arrêter devant un de ces petits bureaux absolument identiques. Celui-ci était cependant meublé de deux
tables en métal et était rempli d'ordinateurs et d'équipements en tout genre.

— Je dois juste emporter quelques trucs, expliqua
Blake, manifestement préoccupé. Fais comme chez toi en
attendant.

Carson était intriguée par cette brève incursion dans la
vie de Blake. Le bureau qu'il devait partager avec un collègue était loin d'être prestigieux, mais elle pouvait affirmer
au vu des photos de dauphins accrochées aux murs, aux
prix qu'il avait remportés, et aux cartes des points d'eau de
Charleston marquées de punaises rouges pour les coordonnées, qu'il se consacrait entièrement à ses recherches. Mais
dès qu'elle vit l'impressionnant stock d'appareils photographiques de qualité, Carson mobilisa toute son attention.

— C'est de l'équipement de pointe. Qui est le photographe ? lui demanda-t-elle.

Blake fouillait dans des fichiers.

— J'imagine que c'est moi. Nous collaborons sur le projet
de recherche.

— Vous étudiez quoi ?

— En fait, c'est une étude à long terme.

Blake se déplaça et fouilla cette fois dans les tiroirs de
son bureau.

— C'est un peu similaire aux études d'identité effectuées le long des côtes du sud-ouest et de la côte du golfe des États-Unis.

Il saisit une pièce d'équipement et, visiblement satisfait, il sourit.

— Comme tu vas vite pouvoir le constater par toi-même.

— Je ne savais pas que tu étais photographe.

— Je ne le suis pas, l'assura-t-il en ramassant le sac destiné à ranger les appareils-photo. Mais je me débrouille suffisamment bien pour faire mon travail. Tiens, prends ça.

Il lui tendit la glacière rouge.

— Allez, nous sommes en train de perdre du temps d'ensoleillement.

Carson dut presque courir pour suivre les longues enjambées de Blake tandis qu'ils parcouraient un autre dédale de couloirs administratifs. Il poussa des portes battantes et ils se retrouvèrent soudainement à l'arrière de l'immeuble, sur une rampe d'accès. Plusieurs bateaux de recherches étaient amarrés aux quais. Un homme de grande taille et aux épaules larges était affairé à décrocher la remorque d'une des embarcations.

— Voilà notre moyen de transport, indiqua Blake avec une fierté non dissimulée devant le grand Zodiac noir. Pas mal non ? Cet engin est rapide et fend les vagues comme un champion.

Carson nota l'extase dans sa voix et elle se dit qu'il n'était qu'un gars du Sud de plus, amoureux de son bateau. Mais elle devait admettre que ce dernier avait fière allure. Blake lui tendit un gilet de sauvetage.

— Tu dois porter ça. En passant, tu n'as pas le mal de mer n'est-ce pas ?

— Il est un peu tard pour poser cette question, dit-elle en riant.

Mais elle secoua la tête.

— Ne t'inquiète pas, je suis née pour être sur l'eau.

∾

Une demi-heure plus tard, Carson se tenait fermement à la corde du Zodiac qui filait à pleine vitesse à travers le port de Charleston. Le Zodiac était une embarcation gonflable de plus de sept mètres de long parfaitement conçue pour la recherche, mais pas pour le confort. Carson était exaltée par le bruit grondant du moteur et la fraîcheur des embruns sur son visage. Ils coupèrent dans les eaux du port comme un couteau dans du beurre et au bout d'un moment, elle en eut assez de tenir son chapeau, alors elle décida de le coincer entre ses jambes. Carson se laissa aller à l'étourdissante sensation d'euphorie qui la gagnait tandis qu'ils glissaient promptement sur l'eau.

Blake était debout derrière le gouvernail, les jambes écartées pour garder l'équilibre. Carson ne pouvait voir ses yeux derrière les verres de ses lunettes de soleil, mais elle savait qu'ils étincelaient d'excitation comme les siens. De temps en temps, il jetait un coup d'œil à ses cartes, ce qui rappelait à Carson qu'il ne s'agissait pas pour lui d'une joyeuse promenade, mais d'une expédition qui faisait partie d'une importante étude qui s'était étalée sur plusieurs années.

Ils quittèrent le port, et l'eau devint plus paisible lorsqu'ils s'engagèrent sur le premier des nombreux cours d'eau interconnectés qui constituaient le cœur de la côte de la Caroline du Sud. La marée était aspirée et recrachée par les marais, à un rythme aussi complexe que le sang qui circulait dans les veines de son corps. Dans le ciel, un groupe de pélicans volaient en formation, et dans l'herbe, des hérons et des aigrettes chassaient. Ils passèrent sous des ponts qu'elle avait franchis des centaines de fois dans sa voiture. Lorsqu'ils furent juste en dessous, Carson entendit le grondement des véhicules au-dessus de leur tête et elle se demanda si leurs passagers contemplaient les eaux magnifiques. L'avait-elle fait elle-même? Il était si différent d'être au niveau de l'eau dans un bateau navigant tel un poisson.

Blake ralentit brusquement le moteur et pointa quelque chose du doigt.

— Un dauphin. À midi.

Carson retrouva ses esprits et Blake se jeta sur l'appareil-photo pour prendre des clichés.

— Il y en a deux, chuchota-t-il. Des adultes.

Carson plaça sa main en visière et plissa les yeux, mais elle ne voyait rien d'autre que de l'eau.

— Où?

Il ignora sa question et abaissa son appareil pour balayer l'eau du regard. Après une longue minute, il cria :

— À trois heures.

Le temps qu'elle tourne sa tête dans la bonne direction, l'animal avait presque disparu. Elle eut seulement le temps d'apercevoir la nageoire caudale d'un dauphin qui replongeait. Carson constata que Blake était déjà à son podium à reporter sur papier les détails de l'événement.

— C'était certainement le numéro 98. Et le numéro 80. Ces deux-là sont copains, ajouta Blake. Ils traînent toujours ensemble depuis quelques années maintenant.

— Tu connais les dauphins? demanda Carson.

Blake acquiesça.

— Nous les suivons depuis des années, alors nous sommes arrivés au point où nous sommes capables de les reconnaître. Les marques sur la nageoire dorsale sont aussi uniques que des empreintes digitales.

— Mais tu les as peut-être vus, quoi, une seconde?

— C'est suffisant.

Carson se sentit vraiment comme une débutante.

— J'ai à peine eu le temps de repérer le dauphin alors que toi, tu as réussi à le voir, l'identifier et prendre sa photo.

— Prendre ces photos, c'est crucial. Quand je retournerai au bureau, l'équipe va étudier les clichés et identifier d'éventuelles cicatrices ou blessures afin d'identifier correctement le dauphin. C'est ainsi que nous pouvons dresser un état du banc de dauphins, les spécimens qui manquent à l'appel, ceux qui sont malades et même les nouveaux venus.

Les doigts de Carson lui démangeaient : elle voulait tellement utiliser cet appareil-photo. C'était son domaine de spécialité après tout. Elle pouvait être utile de ce côté.

— Pourquoi ne me laisserais-tu pas prendre ces photos ? le supplia-t-elle. Vraiment, je suis bonne avec un appareil dans les mains. Au moins, je me sentirais utile de cette façon.

— Désolé. Je ne peux pas, s'opposa Blake en retournant à l'arrière du bateau.

Il était concentré sur le travail à accomplir et ne perdrait pas de temps à débattre de la question.

— Les assurances ne permettent à personne d'autre que nous de manier l'équipement. Il coûte très cher d'ailleurs. Et il n'est pas aussi facile qu'il y paraît de prendre des clichés à cette vitesse.

Il lui fit signe de s'approcher de la main.

— Mais tu peux m'aider.

Carson s'agrippa à la corde et se faufila sur le Zodiac qui tanguait. Elle se plaça à ses côtés derrière le gouvernail.

— J'aurais bien besoin d'un autre guetteur. Essaie de toujours regarder au loin, lui expliqua-t-il.

Blake garda une main sur le gouvernail et lui indiqua comment faire de l'autre.

— Balaie du regard ce qu'il y a devant toi. De cette façon, tu seras capable de repérer le moindre mouvement, même s'il est hors de ta vision périphérique. Et c'est à ce moment que nous braquerons l'objectif dessus.

Il se tourna pour la regarder en face. Leurs regards se croisèrent et il sourit.

Une autre embarcation passa en trombe non loin de là et souleva une large vague qui secoua le Zodiac. Carson perdit pied, mais Blake la retint aussitôt par la taille et la redressa.

— Je ne voudrais pas te perdre, dit-il.

Elle écarta les cheveux tombés sur son visage et sourit timidement. Elle détestait tout de même le fait que cet homme la rendait aussi timide qu'une adolescente. Carson se trouvait en territoire inconnu et elle n'était pas sûre d'aimer de ne pas maîtriser les choses.

Blake la relâcha brusquement et posa la main sur le levier de vitesse.

— Tiens-toi bien.

Carson s'accrocha à la plateforme et Blake poussa le moteur à fond. Le Zodiac bondit aussitôt vers l'avant et fila à pleine vitesse sur l'eau. Elle avait définitivement abandonné l'idée de porter son chapeau et elle laissait ses cheveux détachés flotter dans le vent. Pendant les quelques heures qui suivirent, ils naviguèrent en amont et en aval des différentes rivières. Blake savait exactement où il allait, ce qui demeurait un mystère pour Carson : tous les paysages se ressemblaient à ses yeux. Ils longèrent des kilomètres de berges boueuses et des hectares de spartine sombre et verdâtre. De temps en temps, ils passaient devant une grappe d'habitations, dont certaines n'étaient bâties que sur de modestes terrains de camping, alors que d'autres étaient des maisons stupéfiantes dotées de quais. Mais la plupart du temps cependant, c'était comme s'ils avaient été plongés dans le film *L'Odyssée de l'African Queen* : ils voyageaient sur des kilomètres dans la jungle, seuls, loin de toute civilisation.

Carson aperçut de petits groupes de dauphins femelles avec leurs petits, qui restaient proches de leur mère. Ils nageaient côte à côte, leurs nageoires dorsales et leurs dos argentés brillants émergeaient et plongeaient dans l'eau avec l'élégance d'une chorégraphie de ballet. Un jeune dauphin plus curieux s'approcha du bateau, les yeux brillants de curiosité. Carson se pencha par-dessus bord et essaya de l'attirer à elle avec de petits bruits.

— Mignon petit bébé, susurra-t-elle

— Ne l'encourage pas, lui cria Blake en secouant la tête.

L'instant d'après, la mère rejoignit son petit et l'attirait loin du bateau en émettant des cliquetis bruyants qui ressemblaient étrangement à des réprimandes.

Dès qu'ils repéraient un dauphin, Blake éteignait le moteur et s'emparait de son appareil-photo. Carson s'améliorait à ce petit jeu et arrivait à repérer de plus en plus souvent les mammifères qui émergeaient et replongeaient dans l'eau. Malheureusement, elle ne détectait qu'une fraction des apparitions que Blake voyait. Quand elle réussissait enfin à situer un dauphin, elle ressentait une montée d'adrénaline et criait immédiatement l'emplacement de l'animal.

Mais la plupart du temps, elle restait assise à observer Blake avec le grondement des moteurs dans ses oreilles pour seul compagnon. L'enthousiasme enfantin dont faisait preuve Blake était contagieux. Ce qui était encore plus intriguant, c'était que cette ferveur était destinée à autre chose que sa propre personne, ce qui tranchait nettement avec l'attitude de tous les hommes qu'elle avait fréquentés auparavant. La richesse, le statut social, le pouvoir, tout cela, Carson le voyait, Blake n'en avait cure. Il ne semblait pas obnubilé par ce qu'il pouvait acquérir : plus d'argent, une nouvelle voiture, des vacances ou une bouteille de vin extravagante. Carson l'observait manœuvrer le gouvernail et contempler l'horizon : non, Blake était concentré sur ce qu'il pouvait redonner à son prochain.

Et cette attitude parlait à Carson. Grâce à Delphine, elle pouvait comprendre ce que signifiait cette passion. Elle plongea sa main dans l'eau et la laissa traîner dans le sillage du bateau. Elle ressentait la fraîcheur du liquide et s'y sentait intimement liée, ainsi qu'à tout ce qu'il contenait. Carson leva les yeux vers le ciel infini et sentit l'osmose qui la connectait aux oiseaux qui volaient dans les airs, aux nuages, aux hautes herbes qui l'entouraient et aux créatures de la mer. Elle le ressentait au plus profond d'elle-même. Carson savait qu'elle était une partie d'un tout qui la dépassait, et le fait de le réaliser lui donna l'impression d'être à la fois plus vulnérable et plus forte qu'elle ne l'avait jamais été.

Assise dans le bateau qui remontait le cours d'eau, le visage inondé par le soleil et les cheveux aux vents, Carson regarda la beauté naturelle du paysage qui l'entourait et elle comprit tout de suite pourquoi Blake avait voulu qu'elle le voie. Il lui offrait la chance de regarder et de *voir* la réalité, non pas à travers un prisme quelconque, mais en la ressentant par tous les pores de sa peau. Carson pouvait maintenant apprécier ce qu'était vraiment le monde sauvage.

Et par la même occasion, Blake partageait avec elle une partie importante de son être.

∽

Quelques minutes plus tard, Blake ralentit le moteur et dirigea le Zodiac vers une très petite plage, plus grande cependant que la plupart des bancs de sable qu'ils avaient vus de loin au cours de la matinée. Le bruit des moteurs déclina lentement tandis qu'ils s'approchaient, avant de s'éteindre complètement, et soudainement, tout fut silencieux. Le Zodiac tangua lorsque Blake se précipita pour aller jeter l'ancre. Carson écouta le clapotis paisible de l'eau contre la coque et le craquement des cordes qui couraient le long des bords.

— Prête pour le casse-croûte? lui demanda Blake en lui tendant la main.

— Je meurs de faim, répondit-elle en l'attrapant.

— Ça te dérange de te mouiller ou tu veux que je te porte jusqu'à la terre ferme ?

Carson ricana, mais elle envisagea pendant un instant de le laisser la transporter, simplement parce qu'elle en avait l'occasion. Le fond plat du Zodiac leur permettait de s'approcher à distance raisonnable de la rive. Ils ne devraient patauger dans l'eau jusqu'aux genoux que sur quelques mètres. Après avoir passé tant d'heures à faire du surf cerf-volant, il aurait tout de même été humiliant de ne pas couvrir une si courte distance par ses propres moyens.

— Je crois que je peux me débrouiller seule, dit-elle d'un ton sarcastique.

— Attention à la boue, la prévint-il. Elle est parfois glissante et profonde. Je connais un gars qui est resté coincé avec de la vase jusqu'aux genoux. Il a dû s'allonger sur le dos pour pouvoir sortir ses jambes.

Carson, qui avait déjà passé une jambe par-dessus le rebord du bateau, suspendit son geste.

— Essaies-tu de me faire peur ? Pour pouvoir me porter ?

— Je ne fais que mon devoir de gentleman. Et est-ce que je t'ai mentionné les bestioles ?

Carson se raidit et rentra légèrement son pied à l'intérieur du Zodiac.

— Des bestioles ?

— Oh bien sûr, dit-il d'un air grandiloquent. Il y a toutes sortes d'insectes là-dedans. Sans parler des limaces et des crabes appelants.

Il secoua la tête.

— Ouais, des tonnes de crabes. De quoi crois-tu que ces oiseaux se nourrissent ?

Carson scruta la boue en plissant des yeux, à la recherche du moindre mouvement suspect.

— Alors, tu repenses à mon offre ?

— Non, mais merci quand même, capitaine.

Carson s'agrippa fermement au bord du bateau et passa l'autre jambe par-dessus.

— Je vais tenter le coup.

Elle jeta de nouveau un coup d'œil à la surface de l'eau, puis retenant sa respiration, elle laissa la gravité faire son travail. Elle glissa dans l'eau en soulevant des éclaboussures. Ses pieds s'enfoncèrent de quelques centimètres dans l'eau, mais certainement pas aussi profondément que l'avait sous-entendu Blake.

— Ouh là là, je me demande vraiment comment je vais faire pour atteindre la rive, le taquina-t-elle.

— On ne sait jamais.

Blake lui adressa un clin d'œil avant d'éclater de rire. Il ramassa ensuite son sac à dos, le jeta sur ses épaules, saisit une serviette qu'il plaça autour de son cou, puis se glissa dans l'eau à son tour.

Ils marchèrent ensemble dans la boue jusqu'à ce qu'ils atteignent l'endroit où elle était plus sèche et sablonneuse. Blake choisit un lopin de terre bien sec et étendit sa serviette. Il enleva alors son sac et indiqua à Carson qu'elle pouvait le rejoindre. Elle s'assit à côté de lui et étira ses jambes marquées par la boue et le sable afin de les faire sécher au soleil.

Ils étaient dans un monde clos bordé d'une eau scintillante et d'arbres et d'herbes d'un vert vibrant. Au-dessus de leur tête s'étendait le vaste ciel azur parsemé de nuages blancs et épais. Pendant que Blake sortait la nourriture, Carson s'allongea, les mains sous la tête. Elle écouta le bruit du vent dans les hautes herbes et le plouf occasionnel qui aurait pu être le fait d'une bulle dans les rives boueuses, d'une crevette ou même d'un poisson qui sautait dans l'eau, au loin. Le cri perçant d'un balbuzard rompit le silence et, lorsque Carson leva les yeux, elle aperçut l'oiseau de proie aux plumes blanches et noires qui volait en cercle dans le ciel.

— C'est tellement calme ici, soupira-t-elle. Je me sens si loin de tout.

Blake sourit en voyant qu'elle passait du bon temps et lui tendit un sac de papier brun qui provenait de l'épicerie locale de l'île. Elle se releva, surprise de constater à quel point elle avait faim. À l'intérieur du paquet, elle trouva un épais sandwich à la dinde préparé avec du pain complet, un gros biscuit aux brisures de chocolat et une pomme. Blake dévissa le couvercle d'un thermos et lui versa un grand verre de thé sucré bien frais.

— Je suis surpris que tu ne sois jamais venue ici avant, s'étonna Blake.

— J'ai souvent été sur des bateaux, mais je ne suis jamais venue dans cette zone.

Elle regarda aux alentours d'un air perdu. Ils avaient navigué si loin, pendant si longtemps.

— Peu importe où nous sommes, ajouta-t-elle avec un petit rire. Et ça fait longtemps que je n'ai pas passé autant de temps sur la côte de la Caroline du Sud.

Sa voix prit un ton mélancolique tandis qu'elle contemplait le paysage pour la millième fois de la journée. Elle ne s'en lassait pas.

— J'avais oublié à quel point c'était beau...

Elle laissa sa voix s'estomper.

— Je me suis toujours senti chez moi ici, dit Blake avant de mordre dans son sandwich.

Pendant qu'elle mâchait, Carson s'imagina Blake enfant, en train de jouer dans ce terrain de jeu géant. Il avait sans doute été maigre et aussi bronzé qu'une baie des champs, avec des boucles rebelles encadrant ses yeux curieux. Ethan et lui avaient sans doute été aussi proches que Harper et elle dans le temps. Mais ces deux canailles devaient sans doute déjà connaître chaque coin et recoin de ces cours d'eau, l'emplacement de chaque banc de sable et celui des hauts-fonds. Sans compter les meilleurs endroits pour pêcher, nager et, en grandissant, ceux où il était plaisant de se décapsuler quelques bières bien froides. Elle sourit à cette idée.

— À quoi penses-tu? demanda-t-il.

Carson sursauta. Elle avait rêvé éveillée. Blake était assis à côté d'elle, un gros sandwich à la main, sa casquette sur la tête et les joues légèrement rosées à cause du soleil. Carson arrivait à voir le jeune garçon qui se cachait derrière ce visage.

— Étais-tu un enfant rebelle? demanda-t-elle avec une pointe de taquinerie dans la voix.

Blake éclata d'un rire semblable à un aboiement.

— Moi?

Il haussa les sourcils et pointa son index vers lui comme le ferait le petit garçon qu'elle s'était imaginé.

— Oui toi, répliqua-t-elle en riant.

— Oui, je suppose. Un petit peu. Mais dans le bon sens. Je n'ai jamais enfreint la loi ou quelque chose comme ça.

Il but une généreuse gorgée de thé, puis s'essuya la bouche du revers de la main.

— Je l'ai sans doute contournée quelque fois, c'est tout.

— Je serais prête à le parier, gloussa Carson.

— Et toi alors? Étais-tu une petite sauvageonne? Ou tes parents étaient-ils plutôt stricts?

Carson but un peu de thé. Elle réfléchit et se dit que pendant que Blake passait son temps sur l'eau et voyageait, elle avait vécu à Los Angeles et pris soin de son père. Elle avait préparé les repas, nettoyé l'appartement et fait les courses toute seule. La chose la plus «sauvage» qu'elle avait faite, c'était sans doute d'avoir souvent dû se lever du lit tard le soir, de mettre un manteau et d'aller chercher son père au bar du coin.

— Quand j'étais jeune, Harper et moi courions comme des folles partout dans l'île. Le pire qui nous est arrivé, ça a été d'explorer toutes seules les tunnels du fort Moultrie. Je ne passais que les étés ici, étant petite. Le reste du temps, je vivais à Los Angeles et je n'avais pas trop le temps de m'amuser. Ma mère est décédée quand j'avais quatre ans. Alors il ne me restait que mon père et je devais m'occuper de lui. Il dépendait de moi.

Blake plissa le front.

— Je suis désolé pour ta mère.

Carson haussa les épaules, peu désireuse de casser l'ambiance.

— Je ne la connaissais pas vraiment de toute façon.

Elle lui renvoya habilement la balle.

— Qu'en est-il de ta mère?

Blake s'installa confortablement et se lança dans les histoires tumultueuses du grand clan Legare. Elle l'écouta, captivée par l'idée d'avoir une famille si étendue. Blake avait l'âme d'un conteur du Sud. Il avait le don d'embellir son récit de détails colorés et d'y plonger totalement Carson grâce à un rythme entraînant. Blake la fit rire tellement fort qu'il lui tira des larmes. Elle pouvait voir les personnages qu'il évoquait, les connaissait comme elle avait connu tant de gens bons et honnêtes les étés où elle venait à Sullivan's Island. Même si elle était de retour, les histoires de Blake lui donnaient le mal du pays pour toutes ces années qu'elle avait vécues à l'extérieur.

Carson essuyait une larme de joie au coin de son œil quand elle surprit Blake en train de la regarder, le sourire en coin et les yeux aussi sombres et mystérieux que les eaux de la crique. Un frisson lui parcourut l'échine, ce que Mamaw aurait appelé une palpitation, et elle sentit la décharge électrique du lien. Dans le silence qui les entourait, Carson comprit soudainement qu'elle voulait cet homme comme elle n'en avait jamais désiré depuis longtemps, qu'elle voulait sentir ses lèvres sur elle. Le regard de Carson était maintenant sensuel, un signe d'invitation, tandis qu'elle essayait de deviner les pensées de l'homme assis devant elle.

LES FILLES DE L'ÉTÉ

Blake changea soudainement de position et regarda sa montre.

— J'imagine que nous ferions mieux de rentrer. Le ciel commence à se couvrir.

La bulle rêveuse de Carson se dégonfla d'un coup au moment même où une bourrasque fraîche soulevait ses cheveux et envoyait quelques grains de sable sur son visage. Carson aurait aimé qu'ils restent ici plus longtemps et continuent à bavarder. Ils avaient franchi une ligne et elle aurait aimé voir où cela les aurait menés.

Mais quand elle vit le ciel gris, elle ne perdit pas de temps à se relever. Elle ramassa les déchets et les fourra dans son sac à dos pendant que Blake secouait sa serviette pour enlever le sable avant de la remettre autour de ses épaules.

Dès qu'ils furent sur le bateau, Blake se concentra sur ce qu'il avait à faire en surveillant le ciel. Il banda ses muscles et poussa de toutes ses forces sur le long bâton métallique afin de les éloigner de la rive. Quand le bateau fut désembourbé, Blake se précipita derrière le gouvernail et mit les gaz. Le moteur gronda puis démarra, et le bateau bondit vers l'avant en soulevant des éclaboussures. Ils naviguèrent sans s'arrêter, bondissant sur les eaux agitées, direction les quais de la NOAA. Des vents vigoureux balayaient les hautes herbes, et les premières gouttes de pluie commencèrent à tambouriner sur le pont et la surface de l'eau.

~

Harper régla la course du taxi aussi vite que possible. Le tonnerre grondait dans le ciel de façon menaçante.

— Cet orage se déplace vite, déclara le chauffeur en lui rendant la monnaie.

— Ouais.

Elle prit le reçu.

— Merci.

Harper descendit du véhicule et resta debout quelques instants le temps d'apprécier la douce humidité qui chargeait l'air juste avant qu'un orage éclate. Elle laissa retomber ses épaules pour la première fois depuis qu'elle était partie. Les bras ballants, les yeux fermés, elle laissa la douce brise de la côte de la Caroline du Sud lui caresser le visage.

Les dix jours passés à New York avaient été démoralisants. Sa mère, complètement possédée, avait jeté par terre les vêtements de Harper qui étaient rangés dans son armoire. Elle avait retourné sa boîte de bijoux et repris tous ceux qu'elle lui avait offerts.

Harper sentit une goutte de pluie froide sur sa joue et elle rouvrit les yeux. De là où elle était, debout dans l'allée, Harper pouvait voir la maison de campagne en bois à l'allure pittoresque, surmontée d'une coupole archée. La façade blanche était percée d'une porte rouge, à laquelle menait une volée de marches larges et accueillantes. Même si le tonnerre grondait dans le ciel nuageux, Sea Breeze semblait protégée, nichée parmi les vieux chênes dont les branches semblaient abriter la maison comme les doigts noueux d'un vieux gardien. Harper les imagina s'animer et lui faire signe de rentrer dans la chaleur et la lumière accueillantes qui perçaient les fenêtres, à l'abri de l'orage.

Harper oscilla sur ses pieds tandis que des gouttes de pluie s'écrasaient sur son front. Elle ne bougea pas. Elle ne pouvait pas. La pluie lava la poussière de la ville qui s'était accrochée à sa peau, la crasse du voyage et l'odeur nauséabonde de la désillusion. La simple vue de Sea Breeze fendit la coquille glacée qui s'était formée autour de son cœur. Harper pouvait presque entendre les craquements tandis qu'elle se fissurait et fondait en elle, se transformant en larmes qui débordèrent de ses yeux et se mêlèrent à la pluie.

CHAPITRE 15

Les essuie-glaces battaient la cadence à un rythme régulier sur le pare-brise. Blake et Carson traversaient les rivières, mais cette fois, ils passaient au-dessus des ponts, dans la Jeep de Blake. La journée avait été longue. Carson était fatiguée, mais aussi euphorique. Quand ils avaient navigué sur les cours d'eau à bord du Zodiac, elle s'était un peu sentie comme une visiteuse dans le merveilleux monde des dauphins. Les estuaires étaient leur royaume, là où prospéraient leurs familles. Blake lui avait expliqué qu'un seul banc de dauphins pouvait vivre sur plusieurs kilomètres et comment ils communiquaient entre eux à l'aide d'un langage particulier constitué de cliquetis et de sifflements. Les dauphins locaux étaient aussi étroitement liés par des rituels sociaux élaborés.

Ce qui fit réfléchir Carson : pourquoi le dauphin auquel elle pensait s'éloignait-il de sa communauté pour venir se lier d'amitié avec un humain solitaire ?

— Je me demandais un truc, dit-elle en quittant la route du regard pour se tourner vers Blake.

L'intérieur de la Jeep était faiblement éclairé par les lumières du tableau de bord.

— À propos des dauphins qui s'approchent des humains, près des quais ou des bateaux ; qu'est-ce qui les pousse à rechercher la compagnie des hommes ?

Elle était contente qu'il soit en train de conduire et donc dans l'impossibilité de la regarder dans les yeux. Autrement, il aurait pu y lire ce que cachait sa question.

Blake gémit et se gratta la tête.

— Ne me laisse pas repartir sur un autre sujet.

— Je m'interroge, c'est tout, persista-t-elle. Est-il normal que certains dauphins soient plus amicaux que d'autres ?

— Si on peut appeler ça «être amical». Moi, j'appelle ça quémander. Les dauphins ne sont pas bien différents des autres animaux. Si quelqu'un leur offre de la nourriture, ils emprunteront inévitablement cette voie facile. Et quand ça se reproduit souvent, ils apprennent à quêter leur nourriture pour survivre et n'ont plus peur des êtres humains. Pense aux ours de Yosemite. Ce n'est pas différent ici. Ils peuvent devenir des parasites à temps plein.

— C'est donc si mauvais que ça de les nourrir ? Même juste un petit peu ?

Il tourna brusquement la tête, et elle vit briller dans ses yeux le feu de la colère.

— Oui, c'est mal, dit-il d'un ton enflammé. Nourrir des dauphins sauvages brise les liens sociaux de leur groupe, ce qui met à risque leur capacité à survivre dans le monde sauvage. Tu as vu ces mères avec leurs petits aujourd'hui ?

Carson acquiesça. Ça avait été un tendre spectacle qu'elle n'oublierait jamais.

— Elles étaient en train de leur apprendre comment rechercher de la nourriture et chasser. Si elles mendient leur nourriture, alors leurs petits deviendront des mendiants et n'apprendront jamais les véritables habiletés qui leur seront nécessaires. Comment penses-tu qu'ils vont se porter avec un régime de hot dogs, de bretzels, de biscuits et de bonbons ?

Ils n'y survivraient pas. Et en plus, le fait de nager proche des bateaux et des quais augmente les risques qu'ils se blessent sur les hélices, qu'ils restent coincés dans les filets de pêche ou qu'ils s'étranglent avec des lignes. C'est effroyablement dangereux pour les dauphins et cruel de la part des humains.

Carson ne répondit pas.

Blake tapota le volant des doigts.

— Je suis désolé, s'excusa-t-il. Je ne voulais pas m'énerver comme ça.

— Ça n'est pas grave… C'est juste que je ne crois pas que les gens qui les nourrissent ont l'intention de leur faire du mal.

— Peut-être pas. Ils croient sans doute être gentils. Mais pas du tout.

Son visage se crispa.

— Nous plaçons des affiches partout dans la région sur lesquelles il est écrit en gros « NE PAS NOURRIR LES DAUPHINS ». Nous distribuons des prospectus éducatifs, nous passons des pubs à la télé pour expliquer en quoi de tels gestes nuisent aux dauphins. Mais si une seule personne pense encore que ce n'est pas grave, ajoutes-y un millier d'autres, et tu auras une idée de toute la nourriture qu'on donne aux dauphins.

— D'accord, répondit Carson, un peu mal à l'aise.

Elle ne souhaitait pas parler davantage de ce sujet.

Blake quitta la route des yeux un instant et la regarda.

— C'est parce que je vois le revers de la médaille que je dis ça, dit-il d'une voix plus calme. Je dois souvent effectuer l'autopsie de dauphins qui se baignent au large. Les petits meurent à un rythme affolant. Peut-être que si nous affichions ces images, le public comprendrait les conséquences de ces « petites friandises ». Non, Carson. Nourrir les dauphins, ce n'est pas de la gentillesse. C'est complaisant et égoïste. Les gens pensent à eux-mêmes, pas aux dauphins.

Carson se recroquevilla dans son siège. Elle faisait partie de *ces gens* dont il parlait. Même si elle-même ne nourrissait pas Delphine, elle fermait les yeux lorsque Nate lui lançait un poisson qu'il avait attrapé. Elle revoyait dans sa tête Delphine qui nageait gracieusement, l'image même de la bonne santé. Carson était-elle en train de l'arracher à sa famille? Delphine était-elle en train de devenir un de ces dauphins dépendant de leur interaction avec l'être humain et de l'aumône lancée depuis les quais?

— Tu as l'air fatiguée, dit Blake en lui jetant un regard en coin.

— Je le suis, admit Carson.

Elle se sentait complètement à plat, comme un ballon qu'on aurait dégonflé.

Blake alluma la radio et ils écoutèrent de la musique le reste du trajet qui les ramenait à Sea Breeze. Lorsque Blake gara la voiture dans l'allée, la pluie s'était transformée en bruine.

— Tu voudrais retenter l'expérience? demanda-t-il.

— Bien sûr. Ce sera quand?

— Le mois prochain.

C'est dans tellement longtemps, pensa Carson.

— J'adorerais le refaire. Si je suis encore là le mois prochain.

— Où serais-tu sinon?

— Avec un peu de chance, je serai retournée à Los Angeles. En fait, là où on m'aura offert du travail.

Il acquiesça, mais ne pipa mot.

— Je pourrais tout aussi bien être ici pendant encore quelques mois, ajouta-t-elle. Je ne sais pas en fait.

— Je vois.

Il ouvrit la portière, mais elle le retint par le bras.

— Ne sors pas. Il pleut. Je vais me dépêcher de rentrer.

Elle lui adressa un sourire en guise d'au revoir, même si au fond d'elle-même, elle serrait les dents. Elle avait hâte de sortir de la Jeep et de laisser derrière elle le trajet culpabilisant qu'elle venait de vivre.

— Merci encore.

— Au revoir, la salua Blake en souriant.

Mais son visage était empreint de déception.

∽

La maison était étrangement sombre et vide. Seules des voix provenant du téléviseur situé dans la chambre de Mamaw rompaient le silence. La cuisine était propre, mais une odeur de poisson frit flottait dans l'air. Elle jeta un coup d'œil au réfrigérateur et elle eut une pensée douloureuse pour le verre de vin blanc bien frais qui l'attendait derrière cette porte. Elle ouvrit et regarda à l'intérieur. Ce fut avec un mélange de soulagement et de regret qu'elle constata que Lucille avait tenu parole en dissimulant tout l'alcool présent dans la maison. Maudite soit son efficacité. Carson resta debout devant le réfrigérateur grand ouvert, les yeux perdus dans ses profondeurs. Elle était affamée, mais ne savait tout simplement pas quoi manger. Elle était plus que fatiguée et ses yeux étaient secs. Carson se demanda si elle ne couvait pas un rhume. Elle prit la carafe d'eau filtrée et se versa un verre.

Ses talons pleins de sable claquèrent sur le parquet lorsqu'elle marcha dans le couloir étroit qui menait à l'aile ouest de la maison. En s'approchant des chambres, elle entendit une douce musique et le bruit de doigts tapant sur les touches d'un clavier. Lorsqu'elle passa la tête derrière la porte, elle vit Harper assise sur un des petits lits, la tête penchée sur son ordinateur. Carson était ravie de voir que sa sœur était de retour.

— Harper? s'exclama-t-elle en poussant la porte.

La concernée tourna la tête et son visage s'illumina d'une joie sincère lorsqu'elle vit sa grande sœur.

— Carson !

Elles tombèrent dans les bras l'une de l'autre et Carson renversa de l'eau par terre. Elle déposa le verre sur une commode et elles s'enlacèrent de nouveau en riant avant de s'asseoir en tailleur sur le lit et de partager les dernières nouvelles.

— Alors, comment tu t'en sors dans ta bataille contre l'alcool ? la questionna Harper.

— Pas trop mal. Je résiste toujours.

— Vraiment ? s'enquit Harper, très intriguée. Le pari, c'était de ne pas boire pendant une semaine.

— Je sais, mais j'ai réussi à tenir un peu plus. Je teste un peu ma volonté. Je ne dirais pas que je cracherais sur un verre de vin ou une margarita, mais maintenant, je peux y résister. C'est bon à savoir.

— Peut-être n'es-tu pas alcoolique après tout ?

— Peut-être. C'est peut-être aussi que mon rythme plus paisible et ma conception générale du bien-être ne requièrent par de boire de l'alcool comme ma vie, et mon mode de vie, à Los Angeles l'exigeait.

— Ce n'est plus aussi important qu'avant, n'est-ce pas ? Je suis fière de toi. Vraiment. Et en passant, tu as gagné le pari. J'ai bu mon poids en vin lorsque je gérais la situation avec ma mère à New York.

Les filles éclatèrent de rire.

De l'autre côté du couloir, Mamaw entendit le vacarme. Elle mit ses chaussons et se déplaça silencieusement vers l'aile ouest. Elle posa les mains au mur et se pencha vers l'avant en inclinant la tête afin que son oreille soit mieux orientée vers le bruit. Mamaw perçut alors les voix aiguës qui s'élevaient puis retombaient, ponctuées de rires. Son visage s'adoucit lorsque des souvenirs du passé lui revinrent à la mémoire. Elle ne voulait pas écouter aux portes, mais elle ne put s'empêcher de s'attarder un petit peu. Mamaw posa la tête contre le mur et ferma les yeux. Elle n'arrivait pas à comprendre ce qui se disait, mais elle se berça au son rythmé de la réconciliation et de l'amitié retrouvée. Les lèvres de la vieille dame s'étirèrent en un sourire de profonde satisfaction.

~

Carson fut réveillée de son sommeil agité par la vibration de son téléphone cellulaire qui signalait qu'elle venait de recevoir un message. Elle roula sous ses draps et tendit la main vers la commode pour attraper l'appareil en battant des paupières pour ajuster sa vision. C'était un message de Blake.

Veux-tu aller manger ce soir ?

Carson retomba sur son oreiller et jeta un coup d'œil entre les volets de la fenêtre. Les premières lueurs grises de l'aube éclairaient le ciel. Bien sûr, il était déjà debout, lui… Elle releva son cellulaire et tapa sa réponse.

Oui.

~

— Tu veux aller au Dunleavy's ? lui demanda Blake un peu plus tard ce jour-là.

Carson fit la grimace.

— Je ne préfère pas.

Blake sourit de toutes ses dents.

— Alors, que dirais-tu d'un barbecue ?

— Je ne refuse jamais un bon barbecue.

Ils furent chanceux de trouver une place pour se garer. Les établissements alentour étaient bondés de gens de tous âges qui emplissaient la soirée du murmure des conversations parfois entrecoupées d'un rire perçant.

Le restaurant Home Team avait des tables à l'extérieur, sous les auvents. Blake se dépêcha de s'asseoir à l'une d'entre elles. La serveuse était une jeune femme guillerette avec de grands yeux bleus et une chevelure rousse qui rappelait à Carson la chevelure de Harper. Elles avaient passé des heures la nuit dernière à se raconter leurs histoires, mêlant les rires aux larmes. Carson avait découvert que sa petite sœur était une femme très sensible, ce qui l'avait surprise. La Harper que Carson avait connue lui avait toujours semblé le genre de personne qui préférait garder ses distances. Une spectatrice au lieu d'une actrice. Même son choix de vêtements confortait cette impression. Elle était aussi élancée et raffinée qu'un chat siamois et c'était comme si elle était entourée en permanence d'un froid presque physique qui empêchait les autres d'envahir son espace vital. À part lorsqu'elle buvait, se rappela Carson, le sourire aux lèvres. Dans ces moments-là, c'était alors comme si elle abaissait sa garde et devenait une petite fille.

Pourtant, la nuit dernière, elle n'avait pas bu une goutte d'alcool. Elle avait été enthousiaste et communicative, et drôle à mourir. Qui aurait cru que cette fille avait autant d'esprit ? Elle avait le sens de l'observation, qui plus est. Quand elles avaient évoqué leurs étés passés ensemble lorsqu'elles étaient petites, Harper s'était souvenue de bien plus de détails frappants et révélateurs que sa sœur. Elle avait la mémoire d'un scribe.

La serveuse s'approcha de leur table et sortit d'un geste vif son stylo et son calepin.

— Je vous sers quelque chose à boire ?

— Du thé glacé, commanda Carson. Sans sucre, s'il vous plaît.

— Rajoutez-en un, dit Blake. Et nous allons passer notre commande maintenant aussi. Nous voudrions deux sandwichs au porc effiloché. Et comme accompagnements, des patates douces frites, des tomates frites et de la salade de chou. Et ne mettez pas toute la soirée pour préparer le tout, la jeune femme en face a toujours faim.

La serveuse rit de bon cœur et récupéra les menus.

— Bien joué, lui dit Carson.

La serveuse leur apporta rapidement les boissons avec un panier de beignets frits.

— Cadeau de la maison, leur déclara-t-elle en adressant un long regard à Blake.

Carson et lui se jetèrent sur les beignets en même temps.

— Oh mon Dieu, gémit Carson lorsqu'elle mordit dans la boule chaude et moelleuse de pain de maïs. Je me demande si ce ne sont pas les meilleurs que j'aie jamais goûtés.

— Tout à fait d'accord, commenta-t-il en mâchant.

Ils ingurgitèrent les beignets les uns après les autres en regardant de temps en temps les touristes qui riaient et parlaient lorsqu'ils passaient à côté d'eux.

Carson mélangea sa boisson. Elle espérait qu'ils étaient maintenant assez amis pour qu'elle se permette de lui poser la question qui allait suivre.

— Blake, j'espère ne pas être trop indiscrète, mais pourquoi ne bois-tu pas d'alcool ?

— Je ne suis pas alcoolique, et ce n'est pas non plus une question de convictions religieuses ou quelque chose dans le genre. Je bois un verre de temps en temps. Rien de spécial.

— Tu n'aimes pas le goût ? demanda-t-elle avec une curiosité sincère.

Son visage se voila et il baissa les yeux vers son thé.

— Ce n'est pas ça. J'aime le goût, au contraire, je dois le reconnaître. Mais je n'aime pas l'effet que ça a sur moi.

Carson garda le silence. Les rires et les sons ambiants du bar diminuèrent petit à petit, devenant progressivement un bruit de fond. Elle se concentra sur l'homme assis en face d'elle. Elle se pencha vers lui : elle ne voulait pas manquer un seul mot de sa réponse.

— Je buvais beaucoup avant, se lança Blake. Tu sais aussi bien que moi que quand tu réunis un groupe de bons vieux copains, ils vont passer du bon temps. Ce qui implique souvent la consommation d'alcool. Quand j'étais adolescent, je n'étais pas un mauvais garçon, mais j'étais téméraire. Quel enfant ne l'est pas quand il a 18 ans, qu'il est stimulé par la testostérone et qu'il croit qu'il est immortel ?

— Je suis sortie avec pas mal de gars de ce genre-là, répondit Carson. Je crois que Devlin n'a pas franchi ce stade.

— Ouais, certains gars ne deviennent jamais vraiment adultes. Moi, j'ai grandi trop vite quand j'ai eu 18 ans.

Elle observa les longs doigts bronzés de Blake qui tenaient le verre tandis qu'il fixait son thé. Elle attendit.

— C'était une semaine pluvieuse à Clemson et tandis que certains des jeunes se plaignaient du mauvais temps, mon copain Jake et moi avons pris les clés de son Bronco et sommes partis sur les routes boueuses. Nous avons rencontré en chemin un groupe de copains, et ensemble, nous avons passé un sacré quart d'heure sur les chemins de campagne. Si j'étais téméraire, Jake, lui, n'avait vraiment pas froid aux yeux. Il aimait tellement son satané Bronco.

Blake but une gorgée de thé.

— Je ne sais pas si c'est parce que nous avions bu ou si c'était la faute d'un de ces coups du sort. Toujours est-il que Jake a perdu la maîtrise de la voiture. Nous avons quitté la route et le Bronco a fait un tonneau.

Blake marqua une pause.

— Jake n'avait pas attaché sa ceinture de sécurité. Il a été éjecté du véhicule et s'est retrouvé coincé sous ce maudit Bronco. Moi, j'avais attaché ma ceinture. J'ai été gravement blessé, mais j'ai survécu. J'étais dans un de ces harnais qu'on accroche au siège des voitures. Jake avait monté ces plaques de fixation lui-même. Je suis resté là pendant ce qui m'a semblé une éternité, emprisonné et impuissant, à écouter la vie quitter lentement le corps de Jake.

— Je suis si désolée, dit Carson, incapable d'imaginer l'horreur.

Blake était silencieux maintenant et contemplait d'un air absent son assiette.

— On n'oublie pas une chose pareille. Je me demande encore aujourd'hui pourquoi Jake n'avait pas attaché sa ceinture ce soir-là. Je veux dire, il avait modernisé sa voiture pour plus de sécurité.

Il secoua la tête.

— La seule réponse possible, c'est que nous avions trop bu. Il n'a pas usé de son bon jugement.

Il leva la tête et la regarda.

— Voilà comment j'ai perdu tout goût pour la boisson.

Carson voulait désespérément lui prendre la main, mais cette approche lui semblait beaucoup trop directe.

— Je te remercie d'avoir partagé cette histoire avec moi, se contenta-t-elle de dire.

Le ciel de la nuit s'assombrissait encore plus et la lumière du bar attirait les papillons de nuit qui venaient mourir sur les ampoules. La serveuse arriva enfin avec leur repas, ce qui brisa le silence gênant qui s'était installé entre eux.

Quand ils se furent plongés dans la nourriture et qu'ils eurent assouvi leur faim, Blake lui retourna la question.

— Et toi? As-tu juré aussi de ne plus en boire?

Carson posa le sandwich au porc et se tamponna les coins de la bouche à l'aide d'une serviette de table.

— J'ai arrêté de boire pour le moment seulement. C'est un peu un pari que j'ai fait avec Harper. Nous voulions voir si nous serions capables d'arrêter de boire pendant une semaine. Puis une semaine est devenue deux et voilà que nous essayons de tenir tout l'été.

Elle secoua la tête.

— Par contre, je ne sais pas si j'arriverai à tenir tout l'été. J'aurai bien pris une bière ce soir avec ce barbecue.

— Après un certain temps, l'alcool finit par ne plus te manquer. Tu n'en as tout simplement plus envie, dit Blake.

Carson ajouta un peu de sucre à son thé et le mélangea avec sa paille. Les glaçons tintèrent de manière invitante et elle prit une gorgée. C'était bon, délicieux même. Mais ça ne valait pas une bière.

— J'espère que c'est vrai. Pour te dire la vérité, en ce moment, il n'y a pas un jour qui passe sans que j'aie une envie pressante de boire ne serait-ce qu'une bière ou un tout petit verre de vin.

Elle ramassa du doigt la condensation qui s'était formée sur son verre de thé glacé. Dans sa poitrine, son cœur battait la chamade : qu'était-elle prête à lui révéler ? Ses yeux se posèrent sur le bar, où une file de clients étaient assis aux tabourets, bavardant un verre à la main, puis se détournèrent vers la rangée d'arbustes en pot alignés à l'extérieur de la terrasse, avant d'atterrir sur la table laquée. Carson regardait tout sauf Blake.

— Je sais que tant que j'ai cette envie irrésistible, je n'ai pas répondu à la question la plus importante : suis-je capable d'arrêter ?

Les mots semblaient si neutres lorsqu'ils sortirent de sa bouche, mais lorsqu'elle regarda le visage de Blake, elle se rendit compte qu'il l'écoutait avec intérêt, sans émotion, sans porter de jugement.

Son écoute encouragea Carson à continuer. Pendant que la bougie se consumait faiblement entre eux, elle lui raconta tout de son père et de la façon dont son alcoolisme avait été un obstacle dans sa vie et à son talent. La nourriture de Carson refroidissait dans son assiette, mais elle continua à décortiquer une partie de son existence, lui donnant un aperçu de ce qu'avait été sa vie lorsqu'elle avait dû s'occuper de son père. Elle lui raconta comment elle l'avait quitté à l'âge de 18 ans pour se débrouiller toute seule et comment il était mort quelques années après son départ. Elle avait commencé à boire avec ses amis, mais il se trouvait que dans son domaine, les gens buvaient à peu près à n'importe quel moment de la journée. Ce n'était que récemment qu'elle s'était interrogée à savoir si elle portait le gène familial de l'alcoolisme.

Quand elle finit son récit, les autres tables de la terrasse étaient vides. Seul le bar était encore rempli et il régnait autour une ambiance un peu plus agitée.

— Veux-tu te promener sur la plage? lui demanda Blake.

Carson soupira lourdement et acquiesça. Elle avait la sensation désagréable de s'être mise à nu et l'idée de se délier les jambes semblait parfaite. Ils se dirigèrent vers la plage, marchant proche l'un de l'autre. Il ralentit ses grandes enjambées pour s'adapter à ses petits pas. La lune brillait de mille feux, et lorsqu'ils quittèrent les rues éclairées et que leurs pieds s'enfoncèrent dans le sable, ils purent distinguer l'immensité du ciel sombre comme le velours qui dominait l'océan, et virent les étoiles qui scintillaient dans le firmament. Blake la surprit en prenant sa main.

Carson était profondément consciente de sa proximité tandis qu'ils marchaient côte à côte. C'était la pleine lune et le ciel était parsemé d'étoiles. Non loin d'eux, les vagues s'échouaient sur la plage et refluaient à un rythme apaisant. Elle éclata presque de rire en s'imaginant que si elle avait été en train de travailler à cet instant, elle serait en plein tournage pour une publicité qui vendrait une fin de semaine romantique, avec deux amoureux marchant sur la plage. Mais cette pensée lui resta de travers lorsqu'elle se rappela qu'ils n'étaient pas des amoureux. Quand allait-il faire le premier geste? Elle voulait sentir ses bras autour d'elle, ses lèvres sur les siennes; elle voulait lui faire l'amour.

Carson était de plus en plus consciente du contact de sa main sur la sienne : c'était comme si chaque neurone dans cette région de sa peau s'était enflammé. Ils continuèrent à déambuler dans le sable irrégulier. Leurs hanches ou leurs épaules se touchaient de temps à autre, ce qui déclenchait un frisson le long de sa colonne vertébrale.

Puis, enfin, Blake s'arrêta et se tourna vers elle. Son pouce caressait légèrement le haut de sa main.

— Carson, hier quand tu as dit que tu allais peut-être partir… est-ce qu'il t'est venu à l'esprit que tu pourrais me manquer ?

Elle posa ses mains sur sa poitrine.

— Je l'espérais.

Il était debout devant elle, dans les ténèbres, à quelques centimètres seulement, si proche qu'elle put voir ses lèvres s'étirer en un sourire satisfait.

— Carson, dit-il avec une pointe d'exaspération dans la voix, ça fait des semaines que je me soucie de toi.

Carson avait 34 ans. Elle avait eu de nombreux amants et considérait qu'elle avait de l'expérience dans la manière d'agir des hommes. Elle en était presque blasée. Qu'y avait-il donc de différent chez cet homme pour qu'il la fasse rougir comme une ridicule adolescente ?

Blake fit glisser un doigt le long de ses bras nus. Les respirations de Carson suivaient chaque millimètre parcouru de cette longue et langoureuse caresse qui laissait derrière elle la chair de poule. Ses mains passèrent derrière son dos et l'attirèrent près de lui. Carson passa ses bras derrière le cou de Blake, se pressant contre lui en signe d'invitation. Mais il ne comptait pas se dépêcher. Il posa ses lèvres dans son cou et la goûta, puis remonta lentement le long de sa mâchoire, jusqu'à sa bouche. Il donnait l'impression d'avoir attendu si longtemps ce moment qu'il n'était plus pressé d'en finir.

Quand enfin, il appuya ses lèvres contre les siennes, Carson ouvrit la bouche pour l'accueillir. Il était doux au début, hésitant, testant sa réaction. Puis, ses bras la serrèrent un peu plus fort, l'écrasant contre sa poitrine. Carson se sentit alors dévorée par sa bouche. Le baiser se prolongea et elle sentit les mains de Blake vagabonder dans son dos, glisser sous son t-shirt, effleurer sa poitrine. Les pointes de ses seins durcirent et elle gémit faiblement.

Blake se recula et il retira ses mains pour les poser sur les avant-bras de Carson, sans pour autant la relâcher.

— Nous devrions y aller, murmura-t-il.

Il la reprit par la main et ils retournèrent sur leurs pas le long de la plage, d'un pas plus déterminé cette fois. Ils remontèrent le sombre chemin d'accès à la plage et traversèrent à la hâte les rues jusqu'à sa voiture. Blake lui ouvrit la portière côté passager, puis fit le tour pour s'installer derrière le volant. Il se tourna vers Carson.

— Viendrais-tu chez moi?

Blake avait les mains sur le volant. Il ne la touchait pas, pourtant tout son corps était enflammé. L'attraction entre leurs deux êtres était si intense qu'elle avait encore l'impression d'être en train de l'embrasser.

— Oui, oui, répéta-t-elle.

Blake sourit et repoussa une mèche de cheveux du visage de Carson. Il se pencha vers elle, et ses lèvres effleurèrent les siennes. Elle croyait qu'il n'avait que l'intention de l'embrasser doucement, mais ce simple contact était explosif et déclencha le feu de leur passion comme une étincelle dans une traînée de poudre. Ils se jetèrent l'un sur l'autre, presque affamés. Les mains de Blake tremblaient lorsqu'il caressa ses épaules, la repoussant délicatement vers l'arrière, puis elles glissèrent le long de la courbe de son dos et remontèrent en la serrant plus fort. Puis, changeant brusquement de décision, Blake se retira.

Carson haleta, les lèvres encore pleines de fourmillements. Il démarra le moteur et Carson s'adossa contre son siège. Elle ferma les yeux. Elle n'avait pas bu une seule goutte d'alcool, et pourtant, elle était sur un nuage. Son cœur battait la chamade, pompant le sang à pleine vitesse dans ses veines. Et Carson se sentait insouciante et étourdie, comme si elle était de retour sur le Zodiac lancé à pleine vitesse.

~

Carson s'éveilla en sursaut. Elle releva rapidement la tête et retint son souffle. Ses yeux balayèrent la petite pièce, les stores inclinés de la fenêtre qui laissaient filtrer les lueurs grises du matin. La faible lumière révéla la présence de vêtements éparpillés sur le sol. Certains de ces vêtements étaient les siens.

Elle entendit un faible ronflement à côté d'elle. C'était Blake. Il dormait sur le ventre, la bouche entrouverte et les cheveux en broussailles. Le drap recouvrait à peine la moitié de son derrière. *Un joli derrière*, pensa-t-elle. Le souvenir de la nuit dernière lui revint en mémoire. Blake était aussi habile que l'avaient promis ses baisers. Il était lent et réfléchi, aimait prendre son temps.

Carson se leva lentement pour ne pas le réveiller. Elle traversa la chambre en marchant sur la pointe des pieds, ramassant ses vêtements au passage. Elle les mit prudemment et chaque craquement du plancher résonnait comme une alarme dans sa tête. C'était l'appartement typique du célibataire. Des vêtements étaient éparpillés un peu partout sur les meubles, clés, stylos, canettes de soda et morceaux de papier s'entassaient pêle-mêle sur la commode, et une affiche de la NASCAR décorait l'un des murs.

Le reste de l'appartement était le prolongement de la chambre : une suite éclectique et confuse. C'était une vision qui ressemblait peu à la perception qu'elle avait de Blake, qui, dans son esprit, était méticuleux et précis. Les meubles étaient fonctionnels, mais placés sans aucune considération d'agencement de couleur, de taille ou de conception. Les étagères accrochées contre les murs débordaient de livres et la petite table en bois était couverte de papiers et de livres. Il y avait même un ordinateur portable, éteint, mais ouvert. *La bicyclette à l'entrée ajoute une belle petite touche*, se dit Carson en gloussant.

Mais la cuisine, contrairement au reste du logement, était propre, même s'il y régnait aussi un certain désordre. Elle octroya à Blake une bonne note pour avoir réussi l'exploit de ne pas laisser traîner de la vaisselle sale dans l'évier. Elle ouvrit le réfrigérateur avec inquiétude, s'attendant à y trouver une pomme trop mûre ou du lait tourné. Le bruit de la porte attira Hobbs, qui traversa la pièce en trottinant. Elle fut soulagée et impressionnée de découvrir un carton de lait frais biologique, une carafe en plastique remplie d'eau filtrée, un sac de carottes croquantes, du céleri, du fromage et des fruits frais.

Pendant qu'elle fouillait dans les profondeurs du réfrigérateur de son hôte, elle entendit un bruit de pas dans son dos.

Elle se retourna, un peu gênée.

— Je pille ton frigo, dit-elle en souriant.

Vêtu simplement de ses caleçons, Blake se tenait debout et gratta son ventre en bâillant longuement. Il s'approcha et l'attira vers lui avant de la gratifier d'un doux baiser.

— Bonjour beauté.

Il est vraiment mignon le matin, pensa Carson en laissant courir son doigt sur son torse musclé.

— Bonjour.

Hobbs poussa la cuisse de Blake de la tête, réclamant une caresse lui aussi.

— Tu as faim? demanda Blake à Carson. C'est le cas de Hobbs en tout cas.

Elle ne savait pas s'il la taquinait pour l'avoir surprise en train de fouiller dans son réfrigérateur ou s'il voulait l'attirer dans le jeu un peu stupide des allusions grivoises, et s'il s'attendait à ce qu'elle lui réponde qu'elle avait faim de ses baisers. Même si c'était le cas, elle ne pouvait se permettre de prononcer ces mots un peu mièvres.

— Je surferais avec un requin pour une bonne tasse de café.

Il eut un petit sourire satisfait.

— Du café. Bien sûr.

Il l'embrassa sur le nez et la relâcha pour remplir la cafetière d'eau.

— Je peux aider ?

— Il y a un sac de café moulu dans le frigo, lui dit-il. Tu veux bien sortir aussi le sac de gruau de maïs ?

Elle appréciait vers quelle direction se tournaient les pensées du jeune homme.

Ils travaillèrent en tandem, mélangeant le gruau, le beurre, le lait et l'eau. Lorsque Blake sortit un morceau de fromage cheddar, Carson rechigna en saisissant le morceau

— Pas de fromage. Ça ruine le goût du gruau.

— Pas du tout, rétorqua-t-il en tendant la main pour l'attraper.

— Bien sûr que si, dit-elle en riant tandis qu'il la malmenait pour récupérer le bout de cheddar.

Blake remporta l'empoignade et leva triomphalement son butin dans les airs, hors de portée de Carson. Hobbs marqua le geste d'un aboiement.

— Sérieusement, Blake, gémit Carson, le gruau, c'est meilleur nature avec un tas de beurre.

— Crois-moi, lui dit-il en abaissant le bras. Avec des œufs, on veut toujours du fromage.

— C'en est donc fini de ta galanterie, dit-elle d'un ton malicieux

— Tu verras, répliqua-t-il d'un air suffisant.

Pendant que Blake mélangeait les œufs, ils burent leur café et échangèrent quelques anecdotes de leurs vies respectives, les surprises, les chapitres un peu fous, les moments poignants : en somme, le processus habituel de l'interrogatoire d'un couple nouvellement formé. La fascination que Blake portait à la vie marine avait marqué son existence et la plupart de ses souvenirs mémorables.

— N'es-tu pas tenté d'explorer de nouveaux milieux?

Blake réfléchit pendant qu'il remuait le gruau.

— Je voyage encore pas mal, dans le cadre de conférences ou d'études. J'ai travaillé bénévolement quelque temps sur la côte du golfe après le désastre de la fuite de pétrole. On a observé une augmentation importante du nombre de morts précoces de dauphins dans cette zone. J'ai bien peur que les conséquences de ce désastre ne s'étalent sur plusieurs années encore.

— Non, en fait, je voulais plutôt parler de prendre tes affaires et partir. Voyager simplement... pour voyager.

Il secoua la tête.

— J'ai 37 ans. Ce n'est plus pour moi. J'ai chassé ce genre d'idées de mes pensées.

Blake la regarda, soudainement très sérieux.

— Et toi?

Carson but une gorgée de café, pas très sûre de sa réponse.

— Si tu m'avais posé la question il y a un mois, je n'aurais pas hésité. J'aimais dire que j'allais là où le vent me portait. Dès que j'entendais parler d'un emploi dans le domaine de la photographie, où que ce soit dans le monde, j'embarquais à bord du premier vol qui m'y conduisait. Mais j'ai vécu les quatre dernières années à Los Angeles pour travailler sur une série télévisée. C'était un véritable changement pour moi. Je croyais que j'aimerais ça, rester au même endroit, sortir avec les mêmes personnes et peut-être économiser un peu.

— J'en conclus que tu n'as pas aimé l'expérience?

Elle secoua la tête.

— En fait, j'ai beaucoup aimé. Pendant un temps. Mais dès que ma série a été annulée, j'ai ressenti l'envie de voyager de nouveau. Je détestais mon appartement et je venais de rompre avec mon petit copain.

— Peut-être que Los Angeles n'était pas le bon endroit pour toi, suggéra Blake. J'aimais beaucoup les Bahamas, mais ce n'était pas mon chez-moi.

Carson devina le mince espoir qui perçait dans sa réponse.

— Peut-être, dit-elle, même si au fond, elle n'était pas convaincue.

— Tu veux bien mélanger ça pour moi ? dit Blake en lui tendant la cuillère.

Lorsqu'elle saisit l'ustensile en bois, il attrapa son poignet et baissa la tête.

— J'ai besoin de t'embrasser maintenant.

Elle se mit à rire avec légèreté, ressentant en elle un intérêt renouvelé et pétillant. Lorsque les lèvres de Blake touchèrent les siennes, cela déclencha une fois de plus une combustion instantanée qui lui enflamma tout le corps. Blake s'éloigna pour éteindre le feu sous le gruau. Il souleva ensuite Carson dans ses bras.

— Attends, cria Carson en agitant la cuillère, laissant goutter quelques moreaux de gruau que Hobbs s'empressa de nettoyer de la langue.

Blake l'amena près de l'évier, dans lequel Carson jeta la cuillère. Riant aux éclats, elle posa la tête sur l'épaule de Blake tandis qu'il la portait jusqu'à sa chambre. Soudain, tous les commentaires grivois qui parlaient d'être affamé pour autre chose que du gruau jaillirent de ses lèvres en un flot ininterrompu.

CHAPITRE 16

Le jour suivant, Carson alla s'asseoir sur le quai et plongea ses pieds dans l'eau. Elle attendait Nate. L'eau était de plus en plus chaude au fur et à mesure que l'été avançait. Elle savait que d'ici le mois de septembre, l'océan aurait pour elle la même température que l'eau du bain. Carson avait développé une routine avec Delphine. Lorsqu'elle sifflait et tapait sur le quai, Delphine apparaissait la plupart du temps. Carson se redressa, tentant d'apercevoir le dauphin. Elle savait que Nate, comme elle, était impatient de revoir Delphine. Mais aujourd'hui, cette dernière ne répondit pas aux appels.

Les paroles de Blake lui revinrent à l'esprit. « Ce n'est pas bien de nourrir les dauphins. C'est de la complaisance et de l'égoïsme. Les gens pensent à eux-mêmes, pas aux dauphins. » Carson tapa du pied dans l'eau en faisant la moue. Bien sûr, elle avait entendu les avertissements qui recommandaient de ne pas nourrir ces animaux. Elle avait vu les pancartes. Mais Carson estimait simplement que le lien qui l'unissait à Delphine était spécial. Elle se donna bonne conscience en se disant que ce qui était valable pour les autres ne l'était pas forcément pour elle. Le fait était qu'elle avait encore besoin de sa relation avec Delphine. Elle ne savait pas si elle aurait la force de la laisser tomber. Elle était déchirée quant au choix qu'elle devait faire. Pendant les longues minutes où elle resta là, assise sur le quai, battant des pieds dans l'eau, un mot revenait sans cesse dans son esprit : *égoïsme*.

Des vibrations provoquées par des pas sur le quai la ramenèrent à la réalité. C'était Nate, qui tentait de négocier prudemment la marche qui menait au quai inférieur. Il commençait à prendre du poids, son gilet de sauvetage ne pendait plus pitoyablement sur ses épaules. Il avait bronzé et ses cheveux châtains avaient viré au blond. Carson sourit : son neveu ressemblait de plus en plus à un garçon qui passait son temps sur la plage, extrêmement normal.

— Salut Nate, cria-t-elle. Prêt à te mouiller ?

Nate regardait la surface de l'eau.

— Où est Delphine ?

Carson ne répondit pas tout de suite. Elle savait que son obsession pour le dauphin ne serait pas facile à refréner. Mais, qu'à cela ne tienne, elle avait pris une décision.

— Elle est là quelque part. Peut-être qu'elle est en train de jouer avec ses amis ou qu'elle est à la recherche de poisson. Viens, nous allons simplement aller dans l'eau et passer du bon temps.

— Appelle-la, tante Carson.

— J'ai déjà essayé, mentit-elle pour éviter une nouvelle crise. Allez viens, plonge dans l'eau. Elle nous rejoindra si elle le veut.

Nate scruta encore une fois l'eau du regard pendant que Carson retenait son souffle. Puis, il sembla la croire sur parole et il commença à descendre l'échelle. Carson le suivit, prenant conscience à ce moment qu'elle venait peut-être de trouver la solution à son dilemme. Elle ne nourrirait plus le dauphin et ne l'appellerait plus. Delphine viendrait *si elle en avait envie*.

∾

Ce soir-là, Mamaw était dans sa cuisine en train de se verser un verre de lait quand elle entendit une série de craquements et de froissements très étranges en provenance du porche. Elle déposa son verre sur la table et marcha jusqu'à la porte.

— Ces maudits ratons-laveurs sont de retour, murmura-t-elle.

Elle alluma et ouvrit la porte. Elle découvrit à son grand étonnement Nate, debout sur le seuil. Le garçon se figea aussitôt et ses yeux s'agrandirent comme ceux d'un chevreuil surpris par les phares d'une voiture. Il transportait dans ses bras trois cannes à pêche et une boîte d'appâts qui tenaient en équilibre précaire.

— Grand Dieu, mais que se passe-t-il? demanda Mamaw.

Nate ne dit pas un mot. Il se contenta de baisser les bras et de plisser les yeux, aveuglé par la lumière.

— Nate, que fais-tu ici? le gronda Mamaw. Sais-tu quelle heure il est?

— Il est 23 h 30, répliqua Nate.

Mamaw ne s'habituait toujours pas à la façon de penser du garçon, qui prenait tout au pied de la lettre.

— Oui et il y a bien longtemps que tu aurais dû aller te coucher.

— Je sais.

— Que fais-tu? T'en vas-tu pêcher?

— Non. Je ne fais que poser mes lignes.

— À cette heure-ci?

— Je devais attendre que tout le monde se soit endormi. C'est une surprise. Je veux avoir du poisson demain matin. Pour que Delphine vienne. Je vais poser mes lignes comme me l'a recommandé le vieux monsieur. Il a placé ses cannes à pêche et les a laissées là. Quand il est revenu, il avait attrapé des poissons.

Quelques jours auparavant, le voisin de Mamaw, M. Bellows, était parti pêcher sur le quai. Mamaw était allé lui parler, car ils se connaissaient depuis des années. Quand elle était revenue à la maison, elle avait dit à Nate qu'il pouvait aller sur le quai du voisin afin de le regarder pêcher. Quand le garçon lui avait dit qu'il avait peur, elle lui avait expliqué que la meilleure façon d'apprendre les ficelles du métier, c'était d'observer les personnes plus expérimentées l'exercer. Puis, elle lui avait raconté que le vieil homme, M. Bellows, avait été un bon ami de grand-père Edward, et que si ce dernier avait été là, c'était lui qui lui aurait appris comment pêcher comme il l'avait appris à Carson.

— Nate, le raisonna doucement Mamaw, je comprends que c'est une surprise. Mais tu sais que tu enfreins les règles en allant te promener sur le quai tout seul.

— Ça, c'est la règle de ma mère, pas celle de Carson. J'ai décidé que je ne veux plus vivre avec ma mère. Ni avec mon père. Je n'aime pas quand ils se disputent. Je veux rester ici, avec Carson et toi. Et Delphine. Alors, c'est aux règles de Carson que je dois obéir. Elle ne m'a jamais dit que je ne pouvais pas aller sur le quai tout seul. Alors, je n'enfreins pas les règles de Carson.

— Si ça, ce n'est pas la cerise sur le gâteau, marmonna Mamaw pour elle-même.

Elle s'adressa à Nate.

— Mon cher enfant, tu présentes tes arguments de manière logique. Toutefois, ta prémisse est fausse. Tu ne peux pas décider si tu veux rester avec ta mère ou avec Carson. Ta mère, c'est ta mère, point final. Cela ne changera jamais. Deuxièmement, en ce qui te concerne, les règles de ta mère sont aussi celles de la maison. Alors il n'est pas question que tu ailles sur le quai tout seul, ni ce soir, ni jamais.

Les épaules de Nate s'affaissèrent.

— Mais je dois poser les lignes. J'ai déjà préparé mes boules appâts. J'ai dépensé 4,23 $ pour acheter les ingrédients et les hameçons. Il ne me reste plus que 77 ¢ des 5 $ que j'avais. Je n'ai pas d'argent pour en acheter un autre lot.

Autant faire les choses jusqu'au bout, pensa Mamaw. Elle referma la porte derrière elle. Et puis, quel mal y avait-il ? Il avait tête pleine de rêves et de projets, comme n'importe quel petit garçon.

— Très bien Nate. Si je viens avec toi, alors tu ne contreviens à aucune règle. Donne-moi une ou deux cannes à pêche.

La nuit était plus fraîche qu'elle s'y était attendue. Les étoiles et la lune étaient voilées par les nuages, et il faisait donc particulièrement noir. Nate avait apporté une lampe torche, ce qui éclaira le chemin graveleux qui menait au quai. Mamaw n'avait jamais aimé se promener dehors la nuit, car elle ne pouvait voir les serpents, les araignées et tous les autres insectes qui, elle le savait, rampaient dans l'herbe. Lorsqu'elle posa le pied sur le bois du quai, elle se sentit déjà mieux. Elle suivit Nate, qui s'avançait sur le ponton en bois. Après quelques mètres seulement, il s'arrêta et déposa son équipement.

Mamaw tint la lampe torche pour Nate pendant que ce dernier sortait un sac de plastique noir de sa boîte de matériel.

— C'est ce qu'on appelle une pelote de vase, lui expliqua Nate en sortant de son sac deux boulettes molles à l'odeur repoussante. Le vieux monsieur d'à côté m'a appris comment les faire. Il m'a dit d'utiliser de la nourriture pour chats et du pain, et de les mélanger avec de la boue. Il m'a dit de m'assurer de bien utiliser cette foutue nourriture pour chats, comme ça, c'était sûr que ça attirerait le dauphin.

Mamaw rit intérieurement. Cette affirmation ressemblait effectivement à Hank.

— Il s'appelle M. Bellows.

— M. Bellows, répondit Nate tout en continuant de travailler.

— Tu te débrouilles vraiment bien, lui dit Mamaw. L'avais-tu déjà fait avant?

— Non. Seulement avec le vieux monsieur, M. Bellows. Mon père a de bonnes perches et des cordages dans la cabane à la maison, mais nous sommes juste allés pêcher une fois ensemble. C'était il y a deux ans, quand j'en avais sept. Il s'énervait quand je faisais des erreurs. Il ne savait pas comment faire des pelotes de vase. Il n'attrapait pas non plus de poisson. M. Bellows, lui, en pêche beaucoup. C'est un bien meilleur pêcheur que mon père.

Mamaw soupira. Elle avait pitié du garçon. Elle n'intervint pas quand Nate accrocha un avançon au bout de sa ligne. Lorsqu'il sortit l'hameçon qui ressemblait à un petit poisson avec des yeux rouges globuleux et plusieurs dents de travers, Nate leva la tête et sourit. C'était Mamaw qui le lui avait acheté, mais elle n'avait aucune idée à quelle espèce de poisson il était destiné. Elle le trouvait simplement comique. Elle aida Nate à enfiler les appâts sur les hameçons, puis il jeta à l'eau les leurres.

Nate passa beaucoup de temps à espacer les cannes à pêche posées contre la rambarde à distance égale, laissant environ 60 centimètres entre chacune d'elles.

— Le vieux monsieur, M. Bellows, m'a dit que des fils de pêche emmêlés, c'est le baiser de la mort, expliqua-t-il à Mamaw. Je sais que ce n'est pas un vrai baiser. Ça veut juste dire que c'est une mauvaise chose que les lignes s'emmêlent.

— Je vois.

Mamaw trouvait fascinante la façon dont Nate prenait chaque détail à cœur. Elle le regarda attacher minutieusement la poignée des cannes à la balustrade en utilisant du fil en nylon. Il fit des doubles nœuds, en arguant qu'il voulait absolument que le poisson ne s'échappe pas avant son retour le lendemain matin.

— Tout me semble parfait et en bon ordre, déclara Mamaw. Je crois qu'il est temps que nous retournions au lit.

Pendant tout le trajet du retour, Nate se retournait tous les trois ou quatre pas afin de vérifier que les cannes à pêche étaient encore bien en place.

— Je suis sûr que nous allons attraper quelque chose, dit Nate.

Ils entrèrent dans la maison et Mamaw referma la porte derrière eux.

CHAPITRE 17

C arson s'éveilla, le cœur battant, des larmes coulant sur ses joues, et emplie d'une profonde nostalgie. Elle avait rêvé de sa mère. Carson battit des paupières, un peu éblouie par la faible lumière de l'aube. Dans son rêve, tout était brumeux. Elle nageait dans des eaux troubles et sa mère l'appelait, mais elle ne pouvait la rejoindre. Carson rêvait rarement de sa mère, mais cette fois... même une fois éveillée, tout semblait encore si réel.

Un son perçant et étrange lui parvint de l'extérieur. Était-ce un oiseau ? Ou une personne en détresse ? Carson rassembla ses esprits et leva la tête, tous les sens en alerte. Ce n'était pas un oiseau. C'était le cri d'un dauphin !

Carson souleva sa couverture, mit ses tongs, traversa la maison à vive allure et jaillit dans l'encadrement de la porte. Dehors, les cris du dauphin fendaient l'air, frénétiques et chargés de peur. Ils ne ressemblaient à rien de ce qu'elle avait entendu auparavant. Elle courut tout droit vers le quai.

— Delphine ! hurla-t-elle.

Le ciel était nuageux et l'eau était remuée par le vent et les courants. Son cœur battait la chamade dans sa poitrine. Elle courut jusqu'au bout du quai. Carson balaya l'eau du regard, mais n'aperçut pas le dauphin. Puis, elle se figea et écouta attentivement. Les cris ne provenaient pas de là où elle se trouvait : ils venaient de derrière elle, plus près de la rive. Elle s'agrippa à la rambarde et regarda par-dessus.

— Non !

Ce qu'elle vit lui souleva l'estomac jusqu'au bord des lèvres.

Delphine était dans l'eau peu profonde, proche du quai. Elle se débattait comme si elle était empêtrée dans quelque chose. Le dauphin aperçut Carson et se mit à taper de la queue sur l'eau, ses cris redoublant d'ardeur, paniquée. La jeune femme plissa les yeux et constata que l'animal était coincé dans des lignes de pêche, à peine capable de bouger. Il y en avait tellement ! Elles ressemblaient à une toile d'araignée dont Delphine aurait été la proie infortunée. Deux cannes à pêche flottaient dans l'eau à côté d'elle. Carson recula d'un pas et remarqua qu'une troisième canne était coincée dans la balustrade du ponton.

— Delphine ! cria-t-elle de nouveau.

Des milliers de pensées lui traversaient l'esprit et elle se prit la tête entre les mains. *Calme-toi. Concentre-toi.* Que devait-elle faire en premier ?

Carson retourna en courant vers la maison. Une fois dans la cuisine, elle sauta sur le téléphone. Mamaw avait accroché sur le babillard une liste de numéros d'urgence. Puis, elle se souvint de quelqu'un. Blake. Où avait-elle laissé son téléphone mobile ?

— Mamaw ! cria Carson en courant dans le couloir, tout droit vers sa chambre, là où se trouvait son sac à main. Dora ! Harper ! Quelqu'un, aidez-moi !

Elle finit par trouver son cellulaire. Ses mains tremblaient quand elle composa le numéro de Blake. Les sonneries résonnèrent dans le combiné et elle pria pour qu'il réponde. On décrocha.

— Blake ?

— Carson?

— Viens vite. Delphine est coincée dans des fils de pêche. Tu dois venir l'aider!

— Delphine?

— Le dauphin!

— Mettons les choses au clair.

Sa voix était beaucoup plus alerte maintenant, plus ferme.

— Il y a un dauphin piégé dans des lignes de pêche à ton quai?

— Oui. Dépêche-toi.

— C'est grave?

— Très. Les fils lui coupent la chair.

— Bien. J'arrive aussi vite que possible. Carson, écoute-moi bien. Pas de tentatives héroïques. Éloigne-toi du dauphin.

Il raccrocha. Carson entendit le cri de Delphine au loin.

— Oublie ça, murmura-t-elle.

Elle ouvrit le tiroir au moment où Harper entrait en courant dans la cuisine.

— Que se passe-t-il? Mon Dieu, c'est quoi ce son horrible?

— C'est Delphine, dit Carson en prenant une paire de ciseaux.

Elle retourna en courant vers la crique, Harper sur ses talons. Il y avait des galets tranchants sur la rive, mais Carson avança tant bien que mal dans le sable et l'eau froide, sans s'arrêter. Harper, elle, s'arrêta au niveau de l'eau.

— Carson, ne t'approche pas d'elle.

Sa grande sœur l'ignora. À cet instant, elle carburait à l'adrénaline. Delphine commença à se tortiller en voyant Carson approcher.

— Je suis là, chuuuut… Calme-toi, chuchota Carson.

Elle ralentit au fur et à mesure qu'elle approchait de Delphine. Les yeux humides du dauphin fixèrent les siens. Carson voulut crier en voyant les dégâts dévastateurs. Le fil fin était enchevêtré autour du corps de Delphine : elle était emprisonnée des nageoires pectorales à la nageoire caudale, en passant par la nageoire dorsale. Chaque fois que Delphine voulait remonter à la surface pour respirer, elle tirait sur les fils qui entraient encore plus profondément sous sa chair, comme des lames de rasoir. Carson souleva la tête du dauphin et maintint son évent hors de l'eau. Le corps de Delphine, normalement brillant et immaculé, était strié de lacérations si profondes que les fils n'étaient plus visibles.

Mais le pire restait sa bouche. Le drôle d'hameçon qu'avait offert Mamaw à Nate pour l'amuser, celui qui ressemblait à un petit poisson aux yeux bizarres et doté de multiples crochets crantés, était profondément incrusté dans la bouche de Delphine. Carson voulut crier de rage en voyant la chair tendre déchirée par le métal. Des gouttes de sang coulaient dans l'eau, ce qui rappela à Carson qu'elle devrait s'inquiéter des requins qui pourraient rôder dans les parages. Elle examina la disposition des fils et entreprit d'en sectionner autant que possible, mais certains étaient si emmêlés qu'elle préféra attendre que Blake s'en occupe.

— Je suis là, murmura-t-elle à Delphine, tout près de sa tête.

Carson avait l'impression que les fils tranchaient son propre cœur.

— Ne t'inquiète pas. Je suis là pour toi. Peu importe ce qui arrive, je ne partirai pas.

— Carson! cria d'une voix hésitante Harper depuis la rive.

— Va voir si Blake arrive! répondit Carson en criant.

Harper tourna les talons et courut vers la maison.

Delphine commença à se calmer lorsque des trombes d'eau se déversèrent du ciel. Un véritable déluge. Carson se pencha par-dessus Delphine pour protéger son évent. La pluie battante transperça son dos telles de petites boules de glace. Les vagues lui aspergeaient le visage. Carson toussa et cracha l'eau salée de la mer. Elle ne laisserait pas Delphine toute seule. Elle devait à tout prix garder l'évent hors de l'eau.

Heureusement, c'était un de ces nuages qui se déplaçait vite, un phénomène très fréquent dans la région. Il ne faisait que passer, survoler le continent et se déplacer droit vers l'océan. La pluie battante se calma, puis se transforma en faible bruine. Les cheveux épais de Carson lui tombaient devant le visage, l'eau salée lui piquait les yeux et son t-shirt collait à son épiderme comme une deuxième peau. Mais elle ne laissa pas tomber. Elle leva les yeux et soupira de soulagement en voyant que les faibles lueurs de l'aube éclairaient maintenant un ciel bleu pâle. Carson resta agrippée à Delphine, en espérant qu'il s'agissait là d'un heureux présage.

~

La voiture de fonction gouvernementale dérapa avant de s'arrêter devant Sea Breeze. Carson, toujours dans l'eau, vit au loin une silhouette qui sautait de la Jeep et claquait la portière. Harper, juste à côté, pointait un doigt vers le quai. Blake jeta son sac sur son dos et débloula la descente sablonneuse qui menait au quai.

Mamaw, vêtue d'une ample robe, arrivait également en courant depuis la maison, suivie de près par Dora, encore en pyjama. Elles s'écartèrent du chemin lorsque Blake les dépassa à vive allure. Carson entendit les vibrations du ponton provoquées par le poids des nouveaux venus. Elles résonnaient en dessous, là où elle se trouvait. Delphine, surprise, se débattit de nouveau pour se libérer, et le fil qui l'emprisonnait s'enfonça encore plus profondément.

— Par ici ! Dépêche-toi ! cria Carson.

Delphine se tortilla de plus belle au son de ses cris.

— Chuuut… Arrête Delphine, la supplia Carson, qui tentait désespérément de maintenir la grosse tête du dauphin hors de l'eau.

Ses bras étaient engourdis et douloureux. Mais elle savait que ce n'était rien comparé aux souffrances de Delphine.

— S'il te plaît, arrête de bouger. Tout va bien. Il y a quelqu'un qui arrive pour t'aider. Tiens bon, juste un peu plus longtemps.

Son dos élançait à force de se tenir penchée dans une position inconfortable et ses bras serraient en étau le corps caoutchouteux de l'animal.

Carson pleura presque de soulagement en voyant accourir Blake, son t-shirt bleu de la NOAA sur le dos. Blake posa son sac et avança aussi vite que possible dans l'eau jusqu'à elle. Lorsqu'il fut assez proche, Carson vit que ses yeux lançaient des éclairs tellement il était furieux de la voir dans l'eau. Il posa ensuite son regard sur le dauphin et jura quand il vit le monofilament qui transperçait la chair du dauphin.

— Qu'est-ce qui s'est passé ?

Sa voix était rauque d'inquiétude.

— J'ai entendu le dauphin crier quand je me suis réveillée, débita Carson. Je suis tout de suite accourue et je l'ai trouvée emmêlée dans ces lignes de pêche. C'est à ce moment que je t'ai appelé. J'ai coupé le plus de fils que je pouvais.

— Qui est le crétin qui a laissé traîner cette canne à pêche ? cria Blake. Je n'ai jamais vu un cas pareil. Et ce fichu hameçon !

Il postillonnait presque de fureur lorsqu'il se pencha pour examiner l'hameçon à plusieurs crochets incrustés dans la bouche de Delphine.

Il n'attendit pas la réponse et pataugea dans l'eau jusqu'à son sac. Il en extirpa son cellulaire. Son corps tout entier semblait irradier une aura de fureur tandis qu'il parlait rapidement en regardant le dauphin.

— Ici Legare. J'ai un dauphin sérieusement emprisonné dans une ligne de pêche. C'est grave. Très grave. Un gros hameçon coincé dans la bouche. Les mouvements du dauphin sont très restreints. Coupures profondes. J'ai besoin qu'on m'envoie un vétérinaire aussi vite que possible. Et un moyen de transporter l'animal dans l'eau. Pendant ce temps, vérifiez s'il y a une place en rééducation. L'incident s'est produit à Sullivan's Island. À Sea Breeze... Oui, voilà, c'est celle-là. Combien de temps... Il viendra ? Parfait. Ceci est un cas prioritaire. Merci.

Il rangea le portable dans son sac et revint tout de suite à côté du dauphin.

— Je m'occupe de la suite, dit-il en plaçant ses longs bras sous le corps de l'animal afin de le soutenir. Allez, Carson, va te reposer. Tu trembles.

— Je ne la laisserai pas, répondit-elle.

Blake la fusilla du regard. Disparu, l'homme décontracté et fou amoureux avec qui elle avait passé la nuit. Il n'y avait pas de place pour le flirt chez l'homme qu'elle voyait en ce moment. Il avait pris le contrôle de la situation et n'était manifestement pas content de la voir encore dans l'eau.

— Écoute. Il s'agit d'une situation dangereuse. Tu risquerais de prendre un coup et d'être gravement blessée.

— Elle ne me ferait pas de mal.

— Elle ne le ferait pas hein ?

— Non. Nous sommes amies. Pourquoi ne peux-tu tout simplement pas couper ses liens ?

— Ils sont trop profondément incrustés, et si je les détache, elle pourrait essayer de s'enfuir. Nous ne voulons pas la perdre alors qu'elle est si mal en point. Elle ne survivrait pas longtemps avec tous ces fils autour d'elle. Et il faudra qu'un vétérinaire lui retire cet hameçon de la bouche. Merde, quel gâchis ! Il devrait arriver d'une minute à l'autre.

Il plissa les yeux, de plus en plus impatient.

— Je ne sais même pas pourquoi nous discutons. Sors de l'eau, Carson. C'est dangereux.

Il reporta son attention sur Delphine et la caressa doucement sur la tête, le corps. Il ne roucoulait pas et ne prononçait pas de mots de réconfort. Mais ses gestes calmèrent tout de même Delphine et Carson se dit que, d'une façon ou d'une autre, elle avait sûrement compris que Blake ne voulait que son bien et était là pour l'aider.

Puis, comme si les mots venaient à peine de se rendre jusqu'à son cerveau, il se retourna.

— Que veux-tu dire par « nous sommes amies » ?

— Je *connais* ce dauphin. Elle vient régulièrement nager près du quai.

— Delphine…, dit Blake, répétant le nom qu'il avait entendu au téléphone.

Carson acquiesça.

— On ne donne pas de *nom* à un animal sauvage. Ça ne peut que mener à quelque chose de mal, comme la situation actuelle.

Sa voix était de plus en plus chargée de soupçons.

— Dis-moi que tu ne l'as pas nourrie.

Carson se sentit traquée et elle détourna les yeux de son regard critique.

— Génial, vociféra-t-il. Bon sang, tu vois ce que tu as fait ? Ce n'est pas Flipper, c'est un animal sauvage ! On ne *nourrit* pas un animal sauvage, on ne *nage* pas avec un animal sauvage et on ne devient certainement pas l'*ami* d'un animal sauvage.

Carson fut touchée droit au cœur.

— Je sais, cria-t-elle. *Maintenant* je le sais. Je n'aurais jamais pu imaginer qu'une catastrophe semblable se produirait.

Elle regarda le dos ravagé de Delphine soulevé à intervalles réguliers par ses respirations laborieuses et ressentit les paroles de Blake se graver dans son esprit aussi profondément que le fil de pêche dans la chair du dauphin.

— Elle est venue d'elle-même. Elle m'a trouvée. Je ne lui aurais jamais fait de mal.

— Ah oui ?

Ses mots la heurtèrent si profondément que ses genoux se mirent à trembler. Elle ferma très fort les yeux pour empêcher les larmes de couler et se cramponna à Delphine. Puis, sa fureur sembla se dissiper. Il respira un grand coup.

— Je suis certain que tu ne voulais pas lui faire de mal. Je ne pense pas que tous ceux qui nourrissent les dauphins ont l'intention de leur faire du mal.

Il regarda le corps de Delphine qu'il tenait dans ses bras.

— Mais voilà ce qui arrive.

Carson ne put répondre à cette affirmation.

Delphine se tortilla de nouveau, tentant de taper de sa queue puissante. Mais chaque mouvement faisait s'enfoncer un peu plus profondément la fine ligne invisible dans sa chair, à la manière d'un rasoir.

— Tiens-la en place ! cria Blake, qui se débattait avec la tête de Delphine.

— J'essaie ! répondit Carson par-dessus le corps de l'animal.

Il était presque impossible de maîtriser la puissance de Delphine, même si elle était gravement blessée. Carson rapprocha son visage des yeux de la bête et murmura pour la calmer.

— Delphine, ça va bien se passer. Nous allons t'aider. Je ne vais pas partir.

Delphine sembla réagir au son de sa voix et arrêta de se débattre.

— Bien. Continue. Ça fonctionne, l'encouragea Blake.

— Je l'aime, sanglota Carson en regardant au fond de ses yeux sombres et méfiants.

Toute trace de dédain disparut du regard du jeune homme, mais son visage était encore crispé.

— Je te crois. Mais franchement, qu'est-ce que ça change ?

— Rien, je le sais. Bon sang, je le sais et je suis tellement désolée.

Elle ne pouvait s'arrêter de s'excuser.

— Que va-t-il lui arriver?

— Nous le saurons quand les vétérinaires arriveront, répondit Blake. Et j'espère qu'ils ne vont pas tarder. Chaque fois qu'elle bouge, les plaies s'ouvrent davantage.

Il leva les yeux et examina le visage de la jeune femme d'un air inquiet.

— Tu trembles et tes lèvres deviennent bleues. Pourquoi ne sortirais-tu pas de l'eau un instant?

— Non, elle va se fâcher si je l'abandonne, répliqua Carson, même si elle ne savait pas combien de temps elle tiendrait encore.

Elle sentait l'énergie du dauphin décliner petit à petit, plus le temps passait.

— Quand vont-ils arriver?

— Bientôt.

En réponse à Blake, ils entendirent les avertisseurs sonores d'un camion en marche arrière. Il regarda par-dessus son épaule.

— Les voilà enfin.

Carson vit qu'un camion jaune Penske arrivait devant la maison, les feux arrière clignotant. Le véhicule s'arrêta et les portières s'ouvrirent à la volée. Deux jeunes hommes accoururent vers eux, vêtus d'un haut de plongeur par-dessus leurs maillots de bain. Ils portaient un brancard d'un bleu vif.

— Carson, tu peux te reposer maintenant. Retourne à la maison et va te mettre quelque chose de chaud. Ici, tu ne feras qu'être dans nos pattes.

— Non, je...

— Carson, l'interrompit Blake d'un ton ferme. Laisse-nous faire notre travail. Ce sera mieux pour le dauph... pour Delphine.

Carson acquiesça et relâcha sa prise sur l'animal. Blake tint bon pendant que Carson reculait. Elle avait l'impression que les muscles de ses bras étaient piqués par des milliers d'aiguilles. La jeune femme sortit de l'eau en titubant. Delphine se tortilla entre les bras de Blake et poussa des cris de détresse. Lorsqu'elle l'entendit, Carson redoubla d'inquiétude, debout sur la rive.

Mamaw arriva en courant à ses côtés et Carson laissa enfin libre cours à ses larmes.

— Rentre à la maison et mets des vêtements secs. Tu es trempée jusqu'aux os.

— Je ne peux pas laisser Delphine, répliqua-t-elle, tremblotante, les yeux rivés sur le vétérinaire qui s'activait aux côtés du dauphin.

Harper accourut depuis la maison et se précipita au bout du quai, une serviette à la main. Mamaw couvrit les épaules de Carson et se mit à les frictionner doucement, pour réactiver la circulation du sang.

Harper resta debout, impuissante, une expression de douleur sur le visage.

Carson, elle, ne put détacher ses yeux de l'équipe de secours qui s'affairait dans l'eau. Le vétérinaire, son assistant et Blake manœuvrèrent afin de placer le brancard bleu sous Delphine. Ils finirent par la positionner sur le flanc afin de l'immobiliser. Puis, le vétérinaire sortit sa trousse remplie d'équipement et commença enfin à trancher les liens profondément incrustés. Carson ne voyait pas grand-chose de la scène avec le dos large des trois hommes placés en paravent autour du dauphin. Quand ils semblèrent en avoir fini, le vétérinaire était engagé dans une discussion animée avec Blake, et Carson n'aimait pas trop la façon dont il secouait la tête.

Lucille choisit ce moment pour arriver avec un plateau garni de craquelins et de fromage. Dora était juste derrière elle avec un thermos et des verres en polystyrène. Lucille posa le plateau sur le rebord du quai, saisit le thermos et versa un verre auquel elle ajouta plusieurs cuillérées de sucre. Elle le tendit à Carson.

— Bois tout jusqu'à la dernière goutte, d'accord?

Carson accepta le verre d'un air reconnaissant. Le liquide était chaud et sucré et diffusait une chaleur bienvenue dans son corps. Les doigts de Carson, serrés autour du verre, étaient plissés comme des pruneaux. La chaleur de la boisson semblait couler directement dans ses os.

— Carson! cria soudainement Blake.

Aussitôt, elle enleva la serviette, redonna le verre à Lucille et replongea dans l'eau.

— Nous allons la transporter dans le camion. Peux-tu nous aider?

— Bien sûr. Mais maintenant qu'elle est libre, ne pouvez-vous pas tout simplement la renvoyer à la mer?

— Non, répliqua sèchement le vétérinaire. Ces blessures nécessitent des soins médicaux. O.K., comptons jusqu'à trois et levons-la.

Ils saisirent tous les quatre une poignée de la civière flexible. Au compte de trois, ils synchronisèrent leurs mouvements afin de la lever doucement. Les muscles de Carson tremblèrent lorsqu'elle maintint avec détermination son côté du brancard à niveau, pas après pas. Lorsqu'ils atteignirent le bord de l'eau, Dora et Harper se précipitèrent pour les aider en soulevant chacune un côté. Commença alors l'éreintant trajet jusqu'au camion. Ils gravirent la légère pente, une longue montée qui les mena jusqu'à la rampe métallique du camion, qu'ils montèrent à son tour afin de déposer le dauphin.

Carson recula, exténuée et le dos voûté. Elle était une fois de plus ignorée par les trois hommes regroupés autour de Delphine. Blake et l'assistant travaillaient en tandem tandis que le vétérinaire prodiguait des soins à son patient. Carson descendit la rampe et rejoignit Mamaw. La jeune femme se blottit dans sa serviette et attendit. Après quelques minutes, le vétérinaire recomposa un numéro sur son cellulaire. Blake sauta du camion et essora comme il le pouvait le bas de son t-shirt. Carson marcha à sa rencontre. Lucille était sur ses talons, transportant le plateau plein de nourriture et de café brûlant. Elle lui tendit le plateau et il accepta un verre avec un sourire reconnaissant. Lucille fit le tour de l'équipe de secours pour leur offrir un peu de réconfort.

— Comment va-t-elle ? demanda Carson à Blake.

Ce dernier plissa les yeux tandis qu'il prenait une gorgée de café. Il secoua la tête.

— Pas très bien. Nous préférons toujours soigner un dauphin et le relâcher dès que nous nous sommes débarrassés des fils, mais dans ce cas, il y a trop de blessures. Elle devra être transportée dans un hôpital.

— Oh non, gémit Carson.

La nouvelle lui faisait l'effet d'une douche froide.

— Et ce n'est pas le pire. Maintenant, il y a quelques obligations dont nous devons nous acquitter.

— Qui sont ? demanda Carson, qui sentait son estomac se contracter.

— C'est compliqué, commença-t-il en changeant de position contre le camion. Tout d'abord, nous devons trouver un établissement qui a une place de libre. Mon collègue est au téléphone en ce moment. Il semblerait qu'il y ait de la place en Floride. Soit à Sarasota, soit à Panhandle.

— Pourquoi en Floride ? l'interrogea Carson. Il n'y a pas d'endroit plus proche ? Qu'en est-il de votre complexe ?

Mamaw s'approcha pour écouter la conversation.

— Seuls les animaux morts sont amenés dans nos locaux, dit-il tristement.

Il reprit une gorgée de café. Les genoux de Carson flageolaient.

— Dieu nous vienne en aide, murmura Mamaw en donnant à Carson de petites tapes sur le dos.

Blake poursuivit.

— Nous n'avons pas de centre de rééducation pour dauphins en Caroline du Sud.

Il repoussa une mèche trempée qui pendait devant son visage.

— Ce qui nous amène à notre deuxième obligation. Nous devons la transporter jusqu'à l'établissement spécialisé. À moins qu'un hélicoptère militaire ou de l'USGS soit autorisé à venir jusqu'ici et qu'il soit disponible, ce qui est peu vraisemblable, nous devrons transporter l'animal par voie terrestre. Il faut compter au moins 12 heures pour voyager de cette côte-ci à celle de la Floride... et le vétérinaire pense qu'elle ne tiendra pas. Parfois, nous avons de la chance et un généreux donateur se manifeste, comme FedEx. Nous pouvons alors nous permettre un voyage aéroporté.

Il souffla. Carson se sentit une nouvelle fois envahie par un froid glacial.

— Et que se passera-t-il si nous ne pouvons pas faire tout ça ? Et si nous n'arrivons pas à la déplacer ?

Blake semblait sincèrement peiné.

— Je crois que tu connais déjà la réponse à tes questions.

— Non, cria Carson. Tu ne peux pas laisser faire ça !

Blake détourna la tête et regarda la mer.

— N'importe quel avion ferait l'affaire ? demanda Mamaw.

Blake se tourna vers elle.

— Tant qu'il peut contenir un caisson rempli d'eau.

— Attendez, peut-être que je connais quelqu'un qui pourrait nous aider.

Mamaw donna une dernière tape sur le bras de Carson et marcha d'un pas décidé vers la maison. Lucille s'empressa de lui emboîter le pas.

Carson et Blake ne s'adressèrent plus la parole. Ce dernier tourna les talons et retourna dans le camion discuter avec ses collègues.

Harper et Dora escortèrent Carson jusqu'au quai. Ses jambes étaient faibles. L'inquiétude et la culpabilité se mêlaient en elle et lui donnaient l'impression qu'elle pourrait simplement s'effondrer dans un coin et pleurer pendant des heures. Mais elle n'abandonnerait pas Delphine. Elle s'assit sur le bord du quai, enveloppée dans sa serviette, pendant que l'équipe de la NOAA continuait de prodiguer des soins à Delphine et de faire des appels.

Beaucoup de temps sembla s'écouler avant que Mamaw ne revienne. Elle marchait d'un bon pas, tenant dans la main une feuille de papier blanc qui battait au vent. Carson bondit sur ses pieds et se précipita à sa rencontre.

— J'ai trouvé un avion, annonça-t-elle avec fierté. Un avion à réaction en fait.

— Quoi ? s'exclama Blake avec surprise.

Il appela ses collègues.

— Hé, nous avons un avion !

Puis, il se dépêcha de rejoindre les deux femmes.

— Qu'avez-vous déniché, Madame Muir ?

— J'ai demandé une faveur, répondit-elle, les yeux brillants de la satisfaction que lui procurait sa réussite. Mon vieil ami, Gaillard, a un avion à réaction qu'il utilise pour ses déplacements d'affaires. C'est un véritable gentleman et un bon voisin. Il n'a pas hésité un seul instant quand je lui ai expliqué la situation. Personne n'aime notre bord de mer autant que cet homme et il ne laisserait pas mourir ce pauvre dauphin juste sous son nez. Voilà toutes les informations nécessaires, dit-elle à Blake en lui tendant la feuille. Il suffit d'appeler à ce numéro. Gill m'a dit que l'avion serait prêt dès que vous le serez vous-mêmes.

— C'est une avancée considérable, dit Blake en lui serrant la main.

Pour la première fois, sa voix laissait paraître un peu d'espoir.

— Merci. Vous venez peut-être de sauver la vie de ce dauphin.

Il retourna en courant vers le camion. Il grimpa aussitôt et donna le papier au vétérinaire.

— Allons-y !

— Attendez ! Je viens avec elle, cria Carson en s'élançant à leur poursuite, laissant tomber sa serviette.

Les yeux de Blake lancèrent des éclairs.

— Tu ne peux pas.

— Elle a besoin de moi.

— Tu en as fait assez.

Carson serra les dents, réagissant péniblement au sous-entendu.

— Tu nous fais perdre un temps précieux, dit Blake. Un temps que ce dauphin ne peut se permettre de perdre. Tu ne viens pas avec nous Carson, alors laisse tomber.

Il marqua une pausa, puis continua d'un ton plus conciliant.

— Je t'appellerai pour te dire comment elle va.

— Laisse-les partir, ma belle, lui intima Mamaw. Tu ne feras que les gêner dans leur travail. Parfois, le meilleur soutien, c'est de savoir s'effacer.

Carson acquiesça à contrecœur et jeta un coup d'œil à l'intérieur du camion. Tout ce qu'elle vit, c'était le caisson qui transportait Delphine. Le visage de Blake s'adoucit.

— Nous prendrons bien soin d'elle. Je t'appellerai.

Puis, il étira le bras et ferma la porte métallique arrière du fourgon à la volée, juste devant son visage. Le moteur rugit et Mamaw prit la main de Carson. Elles reculèrent d'un pas.

Un cri déchirant franchit les lèvres de Carson lorsqu'elle vit le camion s'éloigner. C'était comme si un fragment de son âme lui était arraché, ne laissant derrière qu'une cruelle impression de vide.

Carson se tourna vers Mamaw.

— Comment c'est arrivé ? Le fil de pêche... d'où vient-il ?

Les yeux de Mamaw cillèrent et elle détourna le regard.

— Il pensait bien faire. Il voulait attraper du poisson pour elle.

Carson se sentit blêmir, les yeux encore fixés sur le point où avait disparu le camion. Elle jeta un regard vers le quai. Du sang flottait encore à la surface de l'eau et de longs morceaux de fils de pêche encore accrochés aux cannes dérivaient gaiement au vent comme des bannières. Carson ressentit soudainement une irrépressible vague de culpabilité lui nouer le ventre comme de la nausée, aussitôt suivie par le tourbillon aveuglant, chauffé à blanc de la furie. Et sa rage avait une cible.

CHAPITRE 18

—Nate!
Carson avait l'impression qu'un démon la poussait dans le dos. Elle traversa à vive allure les herbes sauvages qui la séparaient de la maison. Son cœur battait dans ses oreilles, couvrant les cris de Mamaw et de ses sœurs qui s'étaient jetées sur ses talons.

— Carson, attends, dit Mamaw en lui agrippant le bras.

Elle était pâle et à bout de souffle à cause de la poursuite.

— Ne fais rien sous le coup de la colère. Tu vas le regretter.

— Je le regrette déjà. Je suis malade de regret, vociféra-t-elle, crachant ses mots.

Elle repoussa Mamaw pour se défaire de son étreinte et franchit la porte du porche à pleine vitesse.

— Nate! hurla-t-elle si fort que sa voix était rauque. Nate où es-tu?

Dora la suivait de près tandis qu'elles traversaient le salon à grands pas.

— Que lui veux-tu? cria l'aînée.

Carson repoussa les cheveux qui lui étaient tombés devant le visage et poursuivit sa course folle dans le couloir, ses pieds laissant des traces de boue et de sable sur le tapis oriental. Elle poussa la porte de la bibliothèque sans se donner la peine de cogner. Les rideaux étaient tirés et la pièce était sombre. Nate était assis sur le bord du lit, les mains serrées entre les jambes. Il se balançait d'avant en arrière en gémissant doucement.

Carson se positionna debout devant lui, les jambes écartées. Nate ne daigna même pas la regarder ou faire signe qu'il avait remarqué sa présence.

— Tu sais ce que tu as fait? cria-t-elle. As-tu une idée de ce que tu as fait subir à Delphine?

Nate continua à se balancer, les yeux fixés sur le sol. Dora fit irruption dans la pièce, tel un tourbillon de rage.

— Que fais-tu? Tu oses crier contre mon fils!

Mamaw, Lucille et Harper étaient juste derrière elles. Carson pivota et fit face à Dora.

— Arrête de le protéger. Tu le protèges tout le temps! Sais-tu au moins ce qu'il a fait?

— Qu'a-t-il fait? rétorqua-t-elle, les yeux voilés par des larmes d'inquiétude.

C'était un véritable face à face entre les deux sœurs aux yeux rageurs.

— Ton fils a placé ces cannes à pêche sur le quai. Il les a laissées là toute la nuit.

— *Et alors?*

Le regard de Carson s'enflamma.

— *Et alors*, c'est comme ça que Delphine s'est retrouvée étranglée par les fils. Elle est gravement blessée, peut-être mourante. Et c'est de sa faute! Il devrait savoir qu'il ne faut pas laisser cet équipement traîner. Il a presque tué Delphine et il ne dit même pas qu'il est désolé!

— Il ne le dira pas. Tu ne l'as toujours pas compris? Arrête de crier contre lui! cria Dora, laissant apparaître toute l'ironie de la situation.

— Je suis tellement en colère! cracha Carson en serrant les poings.

— C'est *toi* qui lui as appris comment pêcher, l'accusa Dora.

Carson recula d'un pas.

— Génial. C'est ça, remets donc la faute sur moi. La vérité, c'est que Nate passait du bon temps pendant que tu n'étais pas là, et ça, tu ne le supportes pas.

Carson avait haussé le ton.

— Il doit accepter ses torts quand il est en faute.

— Non mais écoutez-moi qui parle d'accepter ses torts! répliqua Dora. Qui a amené ce dauphin près du quai la première fois? C'est *toi*! Pas Nate. C'est encore toi qui l'appelais et nageais avec lui. C'est de *ta* faute si le dauphin s'est retrouvé coincé dans ces fils. Cet animal n'était même pas censé nager aussi près du quai. Arrête de remettre la faute sur un garçon de neuf ans. Grandis un peu pour changer et accuse plutôt la seule personne responsable dans cette histoire, c'est à dire *toi*!

Carson vacilla comme si on l'avait frappée. Les accusations de Blake résonnaient dans sa tête, en écho aux paroles prononcées par Dora. Un lourd silence s'installa entre elles pendant un instant, durant lequel Carson n'arrivait pas à respirer tellement elle avait mal.

— D'accord, très bien, admit Carson. Mais ce n'est pas moi qui ai posé ces hameçons sur les fils de pêche et qui ai laissé les cannes traîner toute la nuit comme si c'était un piège, criat-elle. Bon Dieu Dora, tu ne peux pas être toujours en train de le protéger. Il a blessé Delphine. Il l'a presque tuée. Il se pourrait qu'elle ne survive pas. Et il ne reconnaît même pas ses torts.

Des larmes coulèrent des yeux de Carson quand elle se tourna vers Nate en lui adressant un regard accusateur. Mais les yeux du garçon ne croisèrent pas les siens. Elle s'agenouilla devant lui et plaça fermement ses mains sur ses avant-bras, pour le forcer à la regarder.

Nate eut un mouvement de recul et la frappa. Tous retinrent leur souffle lorsque le petit poing s'écrasa sur le visage de la jeune femme. Carson vit 36 chandelles et tomba vers l'arrière, la tête entre ses mains.

Nate sauta du lit et courut jusqu'à la porte, mais à l'instant où il allait la franchir, Lucille fondit sur lui. Il battit des bras en poussant des cris hystériques. Dora accourut à ses côtés et l'entoura de ses bras pour tenter de le calmer. Tout le monde se mit à crier et la pièce sombra dans le chaos le plus complet. Nate plaça ses mains sur ses oreilles et se laissa glisser par terre en gémissant.

Dora se tourna vers Carson, les yeux étincelants de fureur.

— Sors d'ici, cria-t-elle par-dessus son épaule. Tu ne crois pas que tu as déjà fait assez de dégâts ? Je n'ai pas besoin des conseils de la fille d'une femme inapte, voleuse de mari, alcoolique et suicidaire pour savoir comment me comporter avec mon enfant.

Le visage de Carson pâlit.

— Qu'as-tu dit ? bafouilla-t-elle.

Le visage de Dora lui indiqua qu'elle savait avoir franchi une ligne rouge, mais il était déjà trop tard.

— C'est la vérité. Tout le monde le sait. Personne n'a cru à cette histoire de foudre. À part toi.

Dora lui tourna alors le dos et s'occupa de Nate. Elle lui parla d'une voix douce et apaisante, tandis que Nate continuait à gémir.

Carson ne dit mot. Elle resta debout, le regard dans le vague, sentant les picotements causés par la claque. Quelque chose dans cette accusation ravivait un sentiment qui la hantait et qui couvait en elle, comme un fantôme qui hurlerait derrière sa fenêtre. Les paroles de Dora l'avaient rendue perplexe, et elle jeta instinctivement un coup d'œil en direction de Mamaw. Le visage de la vieille femme était affaissé par la tristesse et reflétait à cet instant tout le poids de ses 80 ans. Elle secoua légèrement la tête, puis fit signe à Carson de la suivre hors de la pièce. Harper se tenait près de la porte, les yeux exorbités.

— Harper, va donc chercher un verre d'eau frais pour Nate et ta sœur.

Elle se tourna vers Carson.

— Toi, tu viens avec moi dans ma chambre. Il est temps que tu apprennes la vérité de ma bouche.

~

Les rideaux épais blanc cassé et matelassés bordés de glands bleus étaient encore tirés, donnant à la chambre une atmosphère fraîche et sereine. Mamaw s'assit dans sa bergère capitonnée préférée et indiqua à Carson de s'asseoir à côté d'elle. La jeune femme referma la porte sur les gémissements de Nate et rejoignit Mamaw dans le petit salon aménagé. Elle se glissa sans bruit dans les coussins mous, exténuée, encore affectée par la douleur du cauchemar vécu le matin.

— Veux-tu quelque chose à boire ? demanda Mamaw.

— Non.

Carson ferma les yeux pour essayer de se calmer et de se concentrer. Elle était si en colère qu'elle devait réfléchir avant de prononcer chaque mot.

— Ce que je veux, c'est savoir ce qu'a voulu dire Dora, à propos de ma mère. Elle a parlé de *suicide*.

Carson rouvrit les yeux et regarda fixement Mamaw. Elle exigeait la vérité, pleine et entière.

Les mains de la vieille femme s'agitaient sur ses cuisses. Ce signe de nervosité agaça Carson, car elle sentait qu'une autre mauvaise nouvelle allait s'abattre sur sa tête.

— Est-ce vrai ? demanda Carson. Est-ce que ma mère s'est suicidée ?

— Ce n'est pas une question à laquelle on peut répondre par oui ou par non, commença de manière hésitante Mamaw.

— C'est impossible. Soit elle s'est suicidée, soit elle ne l'a pas fait.

Mamaw la regarda.

— Non, elle ne s'est pas enlevé la vie.

Cette réponse aida Carson à se réconcilier avec ses pensées.

— Alors pourquoi Dora prétend-elle le contraire ?

— Elle s'est trompée. Ce ne sont que des rumeurs malintentionnées.

— Des rumeurs…

— Écoute ce que j'ai à te dire, Carson. Ça, c'est la vérité.

Carson serra ses doigts autour des accoudoirs de sa chaise.

Mamaw soupira, puis se lança tranquillement dans son histoire.

— Tout cela s'est passé il y a si longtemps. Mais je suis encore hantée par ces événements. Carson, la mort de ta mère était horrible, un terrible accident. Sophie buvait. Elle avait un problème avec l'alcool, vois-tu. Comme Parker. Elle était dans sa chambre, allongée dans son lit. Elle regardait la télévision ou elle lisait, je ne sais pas. Mais elle était en train de fumer. Elle fumait beaucoup d'ailleurs.

Elle s'arrêta et prit une courte inspiration.

— Beaucoup d'entre nous fumaient comme des cheminées à l'époque. Les pompiers ont conclu que l'incendie s'est déclenché dans la chambre. L'explication la plus probable, c'est que Sophie a perdu connaissance pendant qu'elle fumait ; c'est en tout cas ce qu'a conclu le coroner. Ta mère n'avait pas l'intention de s'enlever la vie dans ce terrible incendie.

Mamaw marqua une pause.

— Je prie le Bon Dieu qu'elle soit morte rapidement.

— Mais… mais, j'ai toujours cru… Tu m'as toujours dit que le feu avait été causé par la foudre tombée sur la maison, dit Carson.

Mamaw joignit les mains sur ses genoux.

— Oui, c'est ce que je t'ai raconté. Il y avait une tempête ce soir-là et le ciel était zébré d'éclairs. Edward et moi en avons discuté et nous avons décidé que tu n'avais pas besoin de connaître ces détails macabres. Tu n'avais que quatre ans après tout. Ta mère venait tout juste de décéder : c'était déjà beaucoup pour la petite fille que tu étais.

Carson écouta attentivement et se frotta les yeux, tentant de mettre de l'ordre dans ses pensées.

— Mais plus tard, quand j'ai grandi. Pourquoi ne m'as-tu rien dit?

— À quoi bon? Je ne sais pas, peut-être aurais-je dû te le dire. Mais ce ne semblait jamais être le bon moment.

— Ma mère était une alcoolique elle aussi? demanda Carson, stupéfaite par l'énormité de cette révélation. Ça fausse le jeu à mon désavantage non? Quand je suis venue te voir et que je t'ai dit que je m'inquiétais d'un certain problème personnel, *là*, ça aurait été le moment de me parler de ma mère. Tu ne crois pas?

Mamaw soupira et hocha la tête.

— Mais comment Dora était-elle au courant?

Les yeux de Mamaw brillèrent de colère.

— Elle n'aurait jamais dû te dire les mots qu'elle a prononcés tout à l'heure. À vrai dire, elle n'aurait même jamais dû savoir tout cela. C'est sans doute sa mère qui le lui a raconté. Un horrible ragot. N'oublie jamais que dans la vie, il y a des rumeurs et des secrets de famille. On peut tolérer les premières, mais briser les liens d'une famille est impardonnable.

— Ne défends pas les secrets! cria Carson.

— Ce n'est pas mon intention. S'il y a quelque chose à retenir de cet été, n'est-ce pas que les secrets de famille sont un véritable cancer? Un mensonge en suit un autre et ils s'accumulent. Mais la vérité finit toujours par remonter à la surface.

— J'en ai plus qu'assez des secrets dans cette famille. Pourquoi n'essaierions-nous pas d'être honnêtes pour changer?

Les yeux de Mamaw se remplirent de larmes.

— J'étais avec Nate quand il a posé les hameçons.

— Quoi ?

Carson se figea.

— La nuit dernière, continua Mamaw en tentant de retenir ses larmes. Je l'ai surpris en train de se faufiler vers le quai avec ses cannes à pêche sous le bras. Alors je l'ai accompagné. Je l'ai aidé à poser ses appâts et à lancer les lignes. Je n'y voyais aucun mal. Il voulait attraper des poissons pour Delphine, tu comprends ? Il essayait de faire quelque chose pour *toi*.

Carson observa Mamaw.

— Pourquoi alors m'as-tu laissée crier contre Nate alors que c'est toi qui l'as laissé placer ces cannes à pêche ?

— Je… je ne sais pas, je n'ai pas vraiment compris ce dont il était question dans tout ce brouhaha, et quand ça a été le cas, il était trop tard. Je… je me sens tellement mal. Et lorsque j'ai vu ce pauvre dauphin… Je sais que le garçon se sent terriblement mal lui aussi. Il aime tellement ce dauphin, Carson. Et il t'aime tellement. Tu dois le savoir.

Carson poussa un gémissement guttural et se leva de sa chaise.

— Je ne sais pas quoi dire. Ma tête et mon cœur me font *mal*, se plaignit-elle. Ils me font vraiment, physiquement mal.

Elle s'interrompit et regarda Mamaw. Son cerveau fonctionnait à plein régime après les révélations de cette dernière. C'était beaucoup trop à digérer d'un coup. Carson avait l'impression que les murs se refermaient sur elle et elle trébucha en fuyant la pièce.

~

Au moment où Carson arriva au Dunleavy's, les fours étaient déjà en marche, les friteuses bouillonnaient, et le café était prêt. Ashley était occupée à mettre des nappes sur les tables dont elle avait la charge et sur celles de Carson. Cette dernière alla pointer, puis elle trébucha presque sur une cargaison d'alcool qu'ils avaient reçue plus tôt ce matin. La caisse au sommet de la pile tomba presque, mais elle la retint in extremis.

— Qu'est-ce qui t'est arrivé ? demanda Ashley lorsqu'elle fit irruption dans la cuisine pour transmettre une commande.

Carson était en train de nouer son tablier autour de ses hanches,

— Ne me demande même pas, répondit-elle.

Elle saisit une pile de menus et entra dans la salle à manger pour affronter la ruée du midi. Elle devait absolument garder son esprit occupé ailleurs ou elle allait devenir folle à force de s'inquiéter pour Delphine.

Brian lui servit plusieurs de ses regards accusateurs pendant son service, mais Carson était trop amorphe pour y répondre. Elle se contenta d'exécuter ce ballet maintes fois répété, comme un robot, ne réagissant pas aux plaisanteries mièvres des clients et répondant d'un ton morne aux questions monotones qu'elle avait entendues des milliers de fois. Ashley sentait que quelque chose ne tournait pas rond chez sa collègue et elle l'évita donc soigneusement pendant toute la durée du service.

Quand le dernier client quitta finalement l'établissement, Brian leur fit signe d'approcher depuis le bar. Il était affairé à sécher un verre avec une serviette.

— Ashley, tu peux partir plus tôt, lui dit Brian. Tu as fini ton service. Carson, tu fermes le restaurant. Des plaintes ?

— Je peux rester pour l'aider à ranger, ça ne me dérange pas, déclara Ashley.

Mais son indécision démontrait qu'il s'agissait davantage d'un acte de politesse que d'une intention altruiste.

— Pars donc, lui dit Carson. Merci de m'avoir aidée aujourd'hui.

Carson commença à empiler des verres sales sur un plateau.

— Qu'est-ce qui s'est passé aujourd'hui ? lui demanda Brian une fois qu'Ashley s'était éloignée.

Carson haussa les épaules.

— J'ai été retenue. Des problèmes de famille.

Brian examina son visage, puis décida d'abandonner l'affaire.

— Très bien alors, dit-il avant de retourner essuyer les verres. N'en fais pas une habitude, c'est tout.

Carson déposa les plateaux de cocktails dans le lave-vaisselle et rangea les verres propres tellement chauds qu'elle dut les prendre avec une serviette. Ensuite, elle prépara la salle du restaurant de sorte qu'elle soit prête pour le service du soir. Brian avait quitté le bar pour aller chercher quelque chose à l'épicerie ; Carson était donc toute seule dans le pub. Elle approvisionna le poste de travail des serveuses en glaçons et passa un coup de chiffon sur chaque table, puis s'assura que les récipients à condiments étaient remplis.

Il ne lui restait plus qu'à nettoyer le bar. Elle passa derrière le comptoir et polit le bois laqué. Carson devait maintenant essuyer les bouteilles d'alcool. Ses mains coururent au-dessus de chacune des bouteilles. Elle ressentait soudainement une soif intense qui lui brûlait la gorge. Ses mains tremblaient sur les bouteilles. Son envie était irrépressible. Elle jeta un coup d'œil aux alentours et, voyant qu'il n'y avait personne, elle tendit silencieusement la main sous le comptoir et saisit un verre. De l'autre main, elle attrapa une bouteille de tequila posée sur l'étagère, puis remplit son verre. Sa main tremblait tellement qu'elle renversa un peu de liquide sur les côtés. Carson prit alors une grande inspiration et fixa son verre.

Une voix dans son esprit lui hurlait de ne pas boire, de combattre la tentation et de ne pas succomber à ses vieux démons. Mais malgré tout, Carson savait qu'elle allait se laisser tenter. Elle n'avait que faire d'être sobre désormais. Quel intérêt ? Sa mère était alcoolique. Son père l'avait été. Elle l'était elle aussi.

Carson se baissa et but la dose de tequila d'une traite. Elle grimaça sous le choc : c'était comme si des aiguilles descendaient le long de son œsophage jusqu'à son estomac. Brian la renverrait s'il la surprenait. Mais Carson n'en avait que faire au point où elle en était. Sans réfléchir plus longtemps, elle se versa un deuxième verre et, fermant les yeux, elle le but d'un coup. Elle se lécha les lèvres, puis vissa le bouchon sur la bouteille. Carson lava le verre et l'essuya avec une serviette avant de ranger le tout à sa place. Elle saisit alors du bout des doigts une tranche de citron et la glissa dans sa bouche pour masquer l'odeur de l'alcool.

L'horloge accrochée au-dessus du bar était au néon et le logo d'une bière entourait le boîtier. Brian lui avait raconté que les distributeurs l'avaient amadoué avec des billets pour les matchs des Citadel pour qu'il la place à cet endroit. Maintenant que Carson y jetait un coup d'œil, elle constata qu'il était l'heure de rentrer à la maison. Elle retourna dans l'arrière-salle pour aller chercher son sac et s'enfermer un instant, afin d'être en paix.

La maison. Où est-ce ? s'interrogea-t-elle amèrement en pressant ses doigts sur son front. Le seul endroit qu'elle ait jamais vraiment considéré comme sa maison, Sea Breeze, était bien le dernier endroit où elle voulait se trouver en ce moment. Elle avait l'impression d'être à la dérive, sans ancre pour se fixer. Elle se sentait désespérément seule et triste. Carson voulait juste oublier ce jour horrible. Oublier Delphine, Nate et Mamaw. Oublier Blake.

Et sa mère. L'image insoutenable de sa mère brûlant dans son lit lui traversa la tête.

Oh mon Dieu, elle avait grand besoin de boire un autre verre. Un vrai, cette fois. Elle observa en douce la cargaison d'alcool qui attendait d'être rangée sur les étagères. La caisse du haut était ouverte et partiellement vidée. Carson s'empressa de choisir une bouteille Southern Comfort et de l'envelopper rapidement dans une serviette sale. Elle regarda par-dessus son épaule et enfonça la bouteille dans son sac à main. Ensuite, elle ferma à clé la porte arrière et marcha directement vers la voiturette de golf. Carson ouvrit le petit coffre métallique situé à l'arrière du véhicule. Elle coinça minutieusement la bouteille à côté de son sac de plage. Lorsque la jeune femme se retourna, son cœur fit un bond dans sa poitrine. Brian était à quelques pas et se dirigeait droit vers le pub, triant des enveloppes qu'il tenait dans ses mains. Carson ne lui adressa pas de signe de la main et ne lui cria pas d'au revoir. Elle se glissa plutôt sur son siège et démarra le moteur, le cœur battant. Elle n'avait jamais volé quoi que ce soit avant dans sa vie. Même pas lorsqu'elle était encore une enfant et que ses amis volaient à l'étalage pour s'amuser. Carson n'avait jamais pu le faire, car elle savait que c'était mal.

Tandis qu'elle descendait la rue, s'éloignant du Dunleavy's, elle fut surprise de constater que, malgré une épuisante matinée riche en émotions, elle ne sentait absolument plus rien.

~

Le quai flottant était branlant et oscillait légèrement sous l'effet des vagues. Carson marcha prudemment sur le bois grinçant. Elle avait bu tout l'après-midi. Elle savait qu'elle avait trop consommé et que ce n'était pas une bonne idée de marcher dans ces conditions sur des planches en bois flottantes.

Carson s'assit sur le bord du ponton, l'humeur un peu morose, et trempa ses pieds dans l'eau. Elle entendit un poisson sauter et tourna la tête instinctivement à la recherche de Delphine. L'eau noire de la crique était sombre. Aucun signe du dauphin.

— Delphine ! s'écria-t-elle

Fatiguée, étourdie, elle posa la tête contre ses bras, envahie par la solitude. Elle s'avança un peu et tenta de discerner le sifflement nasillard de Delphine, d'apercevoir son doux visage. Carson scruta la surface de l'eau, dans l'expectative. Comment allait-elle ? Que faisait-elle en ce moment ? Quand Blake allait-il l'appeler pour lui faire un bilan de son état de santé ?

Carson se traîna pour retourner en position assise et coinça la bouteille de Southern Comfort entre ses bras. Elle porta la bouteille à ses lèvres et but. Elle n'avait aucune idée de l'heure. Il devait au moins être 21 h, car le soleil s'était couché et le ciel prenait la lueur grise aux reflets pourpres qui annonçait l'arrivée imminente de la nuit. Le courant se déplaçait en même temps que la marée, de sorte qu'il remontait la boue à la surface, ce qui donnait à l'eau une apparence d'infusion saumâtre. Carson apercevait au loin les petites lumières scintillantes du pont qui reliait le mont Pleasant à Charleston. Elle aurait tant aimé redevenir une jeune fille, aller nager avec ses sœurs, innocente et pleine d'espoir en l'avenir, au lieu d'être assise sur un quai avec pour seule compagnie une bouteille de Southern Comfort. Elle avait l'impression d'être une femme de 34 ans aigrie qui se demandait ce qui avait bien pu si mal tourner. Elle but une autre gorgée. Pourrait-elle pardonner un jour à Dora de lui avoir jeté à la figure ces mots haineux : « voleuse de mari, alcoolique suicidaire » ?

Carson s'allongea sur le dos et observa les étoiles encore un peu floues dans le ciel pervenche. Elle savait que sa mère était morte dans l'horrible incendie qui avait ravagé la petite maison qu'ils louaient à Sullivan's Island. Elle avait accepté le fait que sa mère soit morte dans un incendie de la même façon que d'autres devaient composer avec la réalité d'un décès dans un accident de voiture ou provoqué par un cancer. Ce qui comptait pour un enfant, c'était que sa mère soit morte et non comment elle était morte. Mais ce soir, elle était davantage hantée par les mots de Mamaw que par ceux de Dora. Ils flottaient dans son esprit et se matérialisaient en images macabres. « Je prie le Bon Dieu qu'elle soit morte rapidement. »

Carson ferma les yeux et posa la tête sur son avant-bras. Elle tremblait. Mourir brûlé était sans doute l'une des façons de mourir les plus terribles qui soient. La peur indescriptible de brûler vivante lui donna la nausée. Carson frissonna dans la fraîcheur de la nuit. Sa peau était perlée d'une fine couche de sueur. Quelque part dans les tréfonds de sa mémoire, un souvenir ressurgit à la surface. Elle pouvait presque l'attraper, comme une main dans un épais nuage de fumée. Elle la chercha à tâtons, telle une enfant apeurée. La main était si proche : si seulement elle pouvait l'attraper.

— Papa ! cria-t-elle.

⁓

Une odeur nauséabonde flottait dans l'air. Un sifflement et des bruits de fracas la réveillèrent. Carson n'avait que quatre ans. Elle ne savait pas d'où provenaient ces sons, et bien qu'elle ait toujours la tête sous les draps, l'odeur persistait et la faisait tousser. Elle avait peur. La petite fille tira brusquement les draps devant son visage.

— Maman ! cria-t-elle. Papa !

Personne ne répondit et elle décida de descendre de son lit pour aller voir dans leur chambre. Tout était trop chaud : le plancher, l'air, la poignée de la porte. Cette dernière lui brûla la main lorsqu'elle la toucha. Une fumée grise de très mauvais augure s'infiltrait sous la porte et cela l'effraya. Il n'était pas censé y avoir de fumée. Elle retourna en courant vers son lit et tira la couverture au-dessus de sa tête. Un bruit de verre cassé se fit entendre, comme lorsque sa mère était fâchée.

— Carson !

C'était la voix de son père.

— Papa ! cria-t-elle, et son cœur bondit de joie dans sa poitrine. Papa !

Elle repoussa une fois de plus ses couvertures et se précipita vers la porte. Cette fois, elle l'ouvrit et se brûla en tournant la poignée. Mais peu importe : elle devait rejoindre son père. De la fumée envahit immédiatement sa chambre, une fumée épaisse et noire qui lui piquait les yeux et lui brûlait la gorge lorsqu'elle respirait. Carson toussa et se frotta les yeux, mais cela ne fit qu'aggraver les démangeaisons. Elle se mit à pleurer, savait qu'elle devait à tout prix atteindre la chambre de ses parents, où elle serait en sécurité. Elle marcha à tâtons le long du couloir, les paumes posées à plat contre les murs. Même ces derniers étaient brûlants. Et puis, finalement, elle le vit. Il était debout devant la chambre, immobile. Carson voulut lui hurler qu'elle était si contente de le voir, car elle savait qu'elle serait en sécurité dans ses bras.

— Papa! cria-t-elle encore avant que sa voix ne s'estompe dans la chaleur sèche.

Elle courut vers lui, trébuchant à plusieurs reprises. Il se retourna, mais elle pouvait à peine le voir avec toute cette fumée. Carson tendit la main.

Au lieu de l'attraper, son père lui tourna le dos et s'enfuit. La dernière vision que Carson eut de lui, c'était celle de sa silhouette disparaissant dans la fumée qui envahissait l'escalier. Elle tomba à genoux, secouée par les toussotements et les sanglots. Elle n'arrivait plus à l'appeler, car sa gorge était trop sèche. Tout ce qu'elle pouvait faire, c'était le suivre, et elle commença à ramper vers l'escalier. Des étincelles voletaient partout dans les airs et lui faisaient terriblement mal lorsqu'elles retombaient sur sa peau, comme des dents tranchantes et acérées. Elle descendit les marches en rampant aussi vite qu'elle le pouvait et finit par apercevoir la porte principale, ouverte. Un homme avec un gros chapeau se tenait dans l'encadrement.

— Papa! cria Carson, mais son cri se transforma en quinte de toux.

L'homme au gros chapeau sembla tout de même l'entendre, car il courut en haut de l'escalier et la souleva dans ses bras. La petite fille enfouit sa tête sous le manteau en caoutchouc de l'homme tandis qu'il la transportait hors de la maison.

Soudainement, l'air était plus frais et ne lui brûlait plus la peau, même si le simple fait de respirer provoquait encore une vive douleur. Elle toussa de nouveau et ouvrit prudemment un œil. Une femme la récupéra des bras du grand monsieur et la transporta jusqu'à un camion rouge. La femme lui sourit, mais Carson avait peur et ne cessait de pleurer en demandant son père.

— Il va bien, lui dit la jolie dame. Il est juste là-bas. Tu le vois ?

Carson regarda dans la direction qu'on lui indiquait. Elle vit son père, agenouillé dans l'herbe. Il était tout sale et son corps était plié en deux. Il avait caché son visage dans ses mains, comme s'il était en train de prier. Seulement, il ne priait pas : il pleurait.

Elle tendit la main vers lui. « Je suis ici, papa, voulait-elle lui dire. Ne t'en fais pas pour moi, je suis là. » Mais sa gorge lui faisait tellement mal qu'elle ne pouvait prononcer un mot et de toute façon, la femme l'éloignait encore plus de lui en l'amenant au fond du petit camion rouge. La belle dame l'allongea sur un lit d'enfant recouvert d'une feuille de papier blanc en lui murmurant que tout allait bien se passer.

— Je veux ma maman, dit Carson d'une voix rauque.

Le visage de l'infirmière se figea. Elle avait dans son regard une lueur d'effroi qui lui indiqua que quelque chose de mal s'était produit. Puis, elle lui plaça sur la bouche une sorte de coupe en plastique en lui disant qu'elle l'aiderait à respirer.

— Repose-toi, ma belle, lui dit l'infirmière. Je vais m'occuper de toi. Ne t'inquiète pas. Tout va très bien se passer.

Mais Carson sentait que ce ne serait pas le cas. Elle se sentit envahie par une terreur qui lui serra le cœur. C'était pire que cette fumée diabolique qui avait envahi la maison. La peur la pétrifia.

~

Carson toussa et haleta, à la recherche d'oxygène. Elle ouvrit les yeux et observa d'un regard fou les ténèbres de la nuit tandis que son cœur battait à toute allure dans sa poitrine. Pendant un instant terrifiant, elle ne sut pas où elle se trouvait. Puis, au fur et à mesure que son rythme cardiaque se stabilisait, elle reprit conscience du clapotis de l'eau et sentit de nouveau le mouvement du quai flottant. Elle se rappela alors qu'elle était dehors, à Sea Breeze, sur le ponton de bois.

Carson s'assit tant bien que mal. Sa tête tournait et elle se frotta le visage avec les mains. Elle avait chaud et était effrayée, comme si elle était encore piégée dans la fumée aveuglante. Elle se souvenait de cette terrible nuit dans l'incendie, s'en souvenait maintenant comme si c'était hier. Le souvenir était si net dans sa mémoire qu'elle pouvait presque sentir la brûlure du feu et le grésillement des étincelles sur sa peau. Avait-elle relégué cette pensée dans un coin sombre de sa mémoire pour qu'elle n'ait plus jamais à y faire face ? Pourquoi l'avait-elle volontairement bloquée ?

Un frisson la traversa. Elle savait pourquoi. Elle ferma les yeux et revit le dos de son père tandis qu'il déboulait les marches quatre à quatre. Il l'avait abandonnée là, au beau milieu de l'incendie qui faisait rage. Il avait laissé son enfant à une mort certaine simplement pour pouvoir sortir plus rapidement de la maison, sauvant ainsi sa propre vie. Quel genre de père faisait une chose pareille ? Quel genre d'homme ? Carson ressentit la douleur tranchante de la trahison. Toute son enfance, elle avait été à ses côtés. Tous les jours, il lui avait dit qu'il l'aimait.

Ce n'était qu'un tissu de mensonges. Comment aurait-il pu l'aimer alors qu'il l'aurait laissée brûler vive ? Puis, comme si quelqu'un remuait le couteau dans la plaie, elle comprit que l'abandon, c'était ce qu'il avait répété toute sa vie.

Carson se releva péniblement. Son corps était encore chaud, pénétré par les flammes qui avaient brûlé dans son souvenir. Ses vêtements étaient trempés de sueur et lui collaient à la peau. Elle devait absolument abaisser sa température corporelle. Les lumières étaient un peu plus floues et le quai semblait bouger plus fort sur ses amarres. Carson enleva son t-shirt et ouvrit la fermeture à glissière de son short, puis elle envoya ses vêtements voler d'un coup de pied qui les fit atterrir à côté de ses tongs. Elle s'avança en chancelant vers le bord du quai et contempla l'eau sombre. Les ténèbres l'appelaient. Carson poussa sur ses pieds et plongea.

L'eau était merveilleusement fraîche. Elle commença à battre des pieds pour se maintenir à flot et repoussa ses cheveux trempés vers l'arrière. La jeune femme se sentait étrangement faible, alors elle se mit à nager la brasse, tendant ses jambes comme celles des grenouilles. Elle avait confiance en elle quand il s'agissait de nager, se sentait toujours forte et en sécurité. Elle décida donc de nager jusqu'au quai le plus proche. Il n'y avait aucun bateau dans les environs aussi tard le soir, et Carson estima qu'il n'y aurait pas de danger à étirer les bras et nager un peu plus loin.

Mais après plusieurs mouvements des bras, elle remarqua que le prochain ponton était sensiblement plus éloigné. Elle était allée trop loin. Le courant l'entraînait dans la mauvaise direction. Elle regarda à droite puis à gauche et se concentra sur son propre quai en faisant de grands mouvements pour rejoindre la terre ferme. Mais le courant ne s'affaiblissait pas. Carson tenta de ne pas paniquer. Elle connaissait ces eaux comme sa poche. Mais elle se rendit également compte qu'elle avait été stupide de venir jusqu'ici toute seule. De nuit. Après avoir bu.

Concentre-toi, s'ordonna-t-elle en repartant de plus belle. Mais ses bras étaient trop faibles et elle suffoqua en avalant de travers une gorgée d'eau salée. Elle fut contrainte d'arrêter de bouger, car elle toussait beaucoup trop et recrachait de l'eau, tentant de reprendre son souffle. Oh mon Dieu, là, elle était vraiment en difficulté. Son cœur recommençait à s'emballer et elle battit des bras pour avancer, mais cette fois, avec des mouvements désordonnés. Désormais, elle ne cherchait plus à retourner vers le quai : elle voulait simplement atteindre le tertre boueux afin de sortir de l'eau. Elle nagea aussi vite qu'elle le put, en vain. Elle ne progressa pas d'un pouce. Elle était réduite à l'état de bois échappé poussé par le puissant courant, attiré vers le grand large.

~

Dora, debout sur la véranda, buvait son café en observant la crique. C'était une nuit d'encre, les nuages voilaient la lumière de la lune et des étoiles. *Quelle soirée !* pensa-t-elle en bâillant. Il avait fallu des heures avant que Nate ne s'endorme. Le pauvre enfant s'était refermé sur lui-même pendant toute la journée. Il n'avait pas voulu parler, manger ou quitter sa chambre. Dora ne comprenait pas ce qui avait pu pousser Carson à empoigner Nate de la sorte. Ne l'avait-elle pas averti que Nate n'aimait pas qu'on le touche ? Avec ce qui était arrivé à ce fichu dauphin, il avait perdu tout bon sens. Elle aurait préféré que l'animal ne s'approche jamais de ce quai. Ils avaient déjà assez de problèmes familiaux pour ne pas en plus rajouter un dauphin sauvage dans le tableau.

Mais elle se sentait tout de même un peu coupable. *Je n'aurais jamais dû dire ce que j'ai dit à Carson*, pensa-t-elle avec un pincement au cœur. C'étaient des paroles cruelles et peu réfléchies. Mamaw était fâchée, Lucille l'avait fusillée du regard et Harper ne lui adressait plus la parole. Dora n'avait pas voulu se montrer insensible. Elle avait crié ces mots sans vraiment réfléchir. Elle était tellement fâchée quand cela s'était produit, elle avait vu rouge. Comme Carson. Elle avait voulu blesser Carson comme cette dernière avait fait mal à son fils.

Une silhouette sur le quai attira son attention, la silhouette d'une femme. Dora scruta la pénombre et reconnut Carson.

C'était donc là qu'elle se cachait. Elle était partie travailler vers midi et personne n'avait entendu parler d'elle depuis.

Dora s'avança de quelques pas jusqu'au bord de la véranda, sans quitter du regard l'ombre qui déambulait sur le quai. C'était étrange. Sa sœur semblait tituber et… que faisait-elle ? Bon Dieu, elle enlevait ses vêtements. Elle ne comptait tout de même pas faire trempette à cette heure-ci ? Seule dans la nuit ?

Puis, une pensée frappa Dora de plein fouet. Carson était ivre.

— Carson ! cria-t-elle.

La jeune femme était maintenant sur le bord du ponton, vacillant légèrement, les yeux perdus dans les profondeurs de l'eau. *Mais qu'est-ce qu'elle fiche, bon sang ?*

— Carson !

Dora posa sa tasse de café sur la table, et quand elle releva les yeux, Carson avait disparu. Le cœur de Dora fit un bond dans sa poitrine et elle se lança dans une course éperdue vers le quai, ralentie par ses sandales à talons qui n'étaient pas conçues pour ce genre d'activité. Elle s'en débarrassa d'un coup de pied et se remit aussitôt à courir. Lorsqu'elle atteignit enfin la limite du long quai flottant, Dora n'arrivait toujours pas à repérer Carson. Un nuage se déplaça, permettant ainsi à un rayon de lune d'éclairer la surface de l'eau. Dora plissa les yeux et aperçut un chatoiement de peau, quelque part, plus loin dans la crique. Dora jura. Cette idiote s'était fait piéger par le courant.

Dora fut stimulée par une montée d'adrénaline et décida de passer à l'action. Elle manœuvra le treuil du quai surélevé afin d'abaisser au niveau de l'eau le bateau qui y était accroché, en gardant un œil sur la silhouette qui dérivait dans l'eau. Le treuil eut des ratés tandis que l'embarcation s'abaissait à une lenteur désespérante. Dora procéda rapidement afin de délier les amarres, puis sauta dans le bateau. Elle avait toujours été la pilote de la famille, celle qui préférait tirer les personnes sur les skis nautiques ou dans des radeaux pneumatiques. Dora démarra le moteur du hors-bord et partit à la recherche de Carson. Elle balaya l'eau noire du regard et arrêta brusquement l'engin lorsqu'elle aperçut sa sœur en train dépasser de l'eau. Dora laissa le bateau dériver tandis qu'elle se jetait sur la bouée de sauvetage.

— Carson! l'appela-t-elle.

— Je suis là! répondit sa sœur.

— Accroche-toi.

Dora lança la bouée par-dessus bord. Elle atterrit juste à côté de Carson, qui, toussant pour recracher l'eau de mer, battit des pieds et des mains pour l'attraper. Luttant contre le fort courant, jurant comme un charretier et suant à grosses gouttes, Dora tira de toutes ses forces sur la corde pour attirer sa sœur près de la barque.

— Donne-moi ta main, cria Dora.

Carson lâcha la bouée et leva la main. Dora se pencha vers l'arrière et tira sa cadette hors de l'eau. Cette dernière s'écrasa sans élégance sur le banc de l'embarcation comme un phoque échoué sur la plage.

Carson s'agenouilla et recracha de l'eau avant de se pencher par-dessus bord et de vomir ses tripes. Dora retint ses longs cheveux noirs pour les empêcher de tomber devant son visage. Carson rendit tout l'alcool et l'eau de mer contenus dans son estomac. Quand elle eut terminé sa besogne, elle tremblait de tout son corps et se laissa glisser sans force sur le banc rembourré, posant son front sur ses mains. Dora alla chercher la couverture de secours du bateau et enveloppa les épaules de Carson. Sa jeune sœur avait toujours été la fille forte du groupe, la plus athlétique. Pourtant, aujourd'hui, elle était aussi faible et apeurée qu'un chaton sauvé de la noyade.

Et Dora savait que c'était de sa faute.

CHAPITRE 19

— Ah, te voilà réveillée.

Carson ouvrit les yeux. Le monde autour d'elle était recouvert d'un voile cotonneux. Ses yeux étaient secs et collés, et elle avait du mal à battre des paupières. Les rayures dans les volets fermés laissaient passer la lumière brillante du jour.

— J'ai dormi pendant longtemps ? coassa-t-elle.

— Treize heures, répondit Mamaw. Mais qui les compte ?

Carson frissonna sous la couverture et les fins draps de coton. Chaque os de son corps était douloureux.

— J'ai tellement froid.

Mamaw posa la main sur le front de Carson à la recherche de signes de fièvre, comme lorsqu'elle était encore une petite fille. Carson trouva que la paume de la main de sa grand-mère était fraîche et réconfortante. Ses paupières retombèrent d'elles-mêmes.

— Tu as toujours de la fièvre.

— Je me sens terriblement mal.

— Ça n'a rien d'étonnant, répondit Mamaw en se dirigeant vers l'armoire pour en sortir une courtepointe.

Elle le secoua, puis en recouvrit Carson.

— Tu as passé des heures dans l'eau froide hier matin, et la nuit passée, tu as décidé de te baigner. À quoi pensais-tu donc ? Tu sais que c'est l'heure à laquelle chassent les requins. Et seule en plus ! Dieu nous vienne en aide, il aurait pu t'arriver n'importe quoi. Si Dora n'avait pas été par hasard sur la véranda à ce moment-là…

Mamaw saisit le verre d'eau posé sur la table de chevet.

— Tiens ma chérie, bois ça. J'ai quelques aspirines pour aider à faire baisser ta température. Essaie donc de boire un peu, d'accord ?

Elle aida Carson à se relever sur ses coudes. Ce simple mouvement déclencha une vague de douleur dans sa tête, mais elle parvint tout de même à avaler les comprimés. Après quelques gorgées, elle s'affaissa de nouveau dans le lit.

— Voilà qui devrait t'aider à te sentir mieux. Crois-tu que tu peux manger quelque chose ? demanda Mamaw en reposant le verre. Lucille a préparé une pleine casserole de soupe au poulet juste pour toi.

— Plus tard peut-être, répondit Carson en léchant ses lèvres humides.

Les longs doigts de la vieille dame rentrèrent le couvre-lit sous le matelas.

— Tu es encore trop chaude. Je vais aller te chercher un linge frais à mettre sur ton front.

Carson étira le bras et attrapa la main de sa grand-mère.

— Ne pars pas.

— Très bien ma chérie, convint Mamaw, un peu surprise. Je reste, si c'est ce que tu veux.

Elle s'assit sur le bord du lit. Elle portait une de ses tuniques. Celle-ci était couleur corail et s'agençait parfaitement avec ses boucles d'oreilles de même couleur.

— Qu'est-ce qui te trouble, mon enfant ?

— Mamaw, je…

Le visage de Carson s'affaissa. Elle ferma les yeux et revit les images cauchemardesques de sa mère brûlant vive dans son lit. Elle avait tenté de les conjurer, mais ces pensées l'avaient tenue éveillée toute la nuit et elle s'était tournée et retournée dans tous les sens sans pouvoir trouver le sommeil. Carson avait l'impression que son cerveau s'était consumé, comme si le souvenir était un brasier dévorant chacune de ses pensées éveillées. Elle frissonna et changea de position pour se recroqueviller plus près de Mamaw, entourant cette dernière de ses bras en gémissant.

— Carson! s'exclama la grand-mère en lissant les cheveux sur le front de sa petite-fille en une douce caresse. Tu ne t'es pas accrochée à moi de cette façon depuis que tu étais une petite fille.

— Mamaw, la nuit dernière, commença-t-elle d'une voix chevrotante, je me suis rappelé l'incendie.

La main de Mamaw se figea.

— Oh, mon enfant…

— Après toutes ces années, ce souvenir est revenu à la surface. Je devais sûrement l'avoir relégué dans un coin de ma mémoire.

— De quoi te souviens-tu?

— Je me rappelle le feu et l'horrible fumée qui était déjà là quand je me suis réveillée ce jour-là. Il faisait si chaud, l'air était brûlant. J'ai entendu papa m'appeler et je suis sortie le retrouver, mais j'avais peur. J'ai tout de même continué à avancer. Et c'est là que je l'ai vu…

Elle s'arrêta et serra Mamaw encore plus fort.

— Tu l'as vu? Que s'est-il passé ensuite?

— Il est parti. Mamaw, il m'a abandonnée dans l'incendie qui faisait rage. Je n'étais qu'une enfant et il m'a laissée là. Je n'oublierais jamais la vision de son dos lorsqu'il a descendu les marches en courant.

Sa voix s'éteignit.

— Comment a-t-il pu faire cela ?

— Oh Carson, Carson, murmura Mamaw. Comment puis-je expliquer ce qui est arrivé cette nuit-là ?

— Tu ne peux pas. C'est atroce. Je ne le pardonnerai jamais.

Mamaw se leva lentement et se dirigea vers la fenêtre. Elle ajusta les volets afin qu'ils laissent filtrer un peu plus de lumière. Elle regarda un moment par la fenêtre la fine pluie qui tambourinait contre les carreaux. *Toute cette eau sera béné-fique pour la terre*, se dit-elle. Un peu comme les larmes font du bien à Carson. Une vertu cathartique. Mais comment devait-elle l'aider à traverser cette tempête ?

Elle se retourna et joignit les mains.

— Carson, ton père est venu me voir après l'incendie. Il était malade, comme toi en ce moment. Malade dans son corps et dans sa tête. Il venait tout juste de perdre ta mère. Malgré leur incompatibilité criante, ils s'aimaient. Il l'a beaucoup pleurée.

Elle fit une pause.

— Et il a beaucoup regretté ce qui t'est arrivé. Il s'est jeté dans mes bras et a pleuré comme un bébé. Il était rongé par le remords, regrettait de ne pas être retourné te chercher dans la maison en flammes. Quand il a vu le pompier ressortir en te tenant dans ses bras, encrassée par la fumée et les brûlures, il est tombé à genoux et a remercié le ciel.

— Mais il m'a vue, pleura Carson en regardant Mamaw droit dans les yeux. Tu ne peux pas toujours le défendre. J'étais là. Il m'a vue, mais il est parti en courant.

— Non, mon enfant, il ne t'a pas vue, lui répondit Mamaw d'un ton ferme. Parker m'a raconté que quand il est rentré à la maison ce soir-là, le feu sortait par les fenêtres à l'étage. Pris de panique, il s'est immédiatement engouffré dans la maison pour vous chercher, Sophie et toi. Mais au moment où il est arrivé à l'étage des chambres, la pièce avait déjà brûlé. Le lit.

Elle fit un léger mouvement de désespoir.

— Il l'a vue, expliqua-t-elle en secouant tristement la tête. Il l'a vue brûler dans son lit. Tu comprends ? Il était en état de choc, ma chérie. Il ne savait pas ce qu'il faisait. Il s'est simplement retourné et a quitté la maison en courant, et aurait continué à courir si un pompier ne l'avait pas arrêté. Il n'avait plus toute sa tête. Il ne t'a jamais vue.

Carson ferma les yeux, et les images de cette terrible nuit ressurgirent aussitôt. Elle se rappela comment elle l'avait appelé pour qu'il lui vienne en aide. Comme elle l'avait vu, debout sur le seuil de la chambre parentale, aussi immobile qu'une statue, puis comment il avait tourné le dos et avait descendu l'escalier.

Elle n'avait pas réussi à le rejoindre, il n'avait pas tendu la main. Ce que Mamaw lui racontait était possible. Son cœur voulait la croire, mais son esprit combattait encore cette idée.

— Il s'est tout de même comporté comme une vraie poule mouillée. M'abandonner ainsi… Je n'avais que quatre ans.

— Oh Carson, dit Mamaw d'un ton las, il est bien facile pour nous de le juger maintenant, avec le recul. Nous croyons savoir ce que nous ferions dans une situation d'urgence, mais ce n'est que lorsque nous sommes mis à l'épreuve que nous découvrons si nous en sommes capables. Je ne saurais te dire ce que j'aurais fait en pareilles circonstances.

— *Rien* ne m'empêcherait d'aller secourir mon propre enfant.

Mamaw tapa gentiment sur l'épaule de sa petite-fille.

— Peut-être que tu as raison. Tu es plus forte que lui. Tu es la femme la plus forte que je connaisse et il en a toujours été ainsi. Dans cet incendie, tu n'as pas abandonné, et même si tu n'avais que quatre ans, tu as trouvé le chemin de la sortie. Tu es une survivante Carson.

Mamaw soupira, accablée. Les 24 dernières heures l'avaient exténuée. Elle s'assit dans une chaise à côté du lit et recommença à caresser les cheveux de la jeune femme du bout des doigts.

— Les traumatismes sont des fardeaux lourds, très lourds à porter. Tu en as souffert, mais tu as enduré. Peut-être que maintenant que tu sais ce qu'a vécu ton père à ce moment, tu seras capable de lui pardonner son erreur. Et de pardonner ta mère pour son rôle dans cette tragédie.

— Je ne les pardonne pas. Ils m'ont abandonnée tous les deux, se fâcha Carson.

— Sophie était une âme perdue. Elle a risqué de façon inconsidérée sa vie et celle de sa fille. Elle a payé le prix fort pour cela. Il n'y a rien à dire de plus.

Mamaw balaya la pièce du regard. Ses yeux s'arrêtèrent sur le portrait accroché au-dessus du lit de Carson. Elle implorait le ciel de lui donner les mots justes afin de redonner à sa petite-fille la confiance que dégageait son ancêtre.

— Quant à Parker, continua Mamaw, il a lui aussi payé très cher ses erreurs. Il ne s'est jamais pardonné de ne pas avoir aidé Sophie à arrêter de boire et de t'avoir laissée derrière lui en quittant la maison en proie aux flammes. Ces fautes l'ont hanté jusqu'au jour de sa mort. J'ai peur que ton père ne soit jamais réellement sorti de cet incendie. Pourquoi crois-tu qu'il ne t'a pas laissée vivre avec moi? Je l'ai supplié de me laisser m'occuper de toi, mais il me répétait qu'il était ton père et qu'il ne t'abandonnerait jamais plus.

— Il aurait dû, dit Carson en posant la tête sur la cuisse de Mamaw. Oui, j'aurais bien aimé.

— Moi aussi. Mais il était ton père, et malgré toutes ces fautes commises, il t'aimait. Essaie d'y penser et oublie ta rancune.

Carson se sentit affaiblie après ce nouveau déferlement d'émotions. Elle referma les paupières.

— Je ne veux plus y penser. Je ne veux plus penser à mon père. Je veux juste tout oublier.

— C'est du déni, ma chérie, commenta Mamaw. Tu n'es plus une petite fille, tu es une adulte. Au moins maintenant, tu connais la vérité, et avec le temps, tu apprendras à prendre du recul.

Carson détourna la tête sur son oreiller.

— Maintenant, écoute-moi. Je sais que tu couves une culpabilité injuste pour ne pas avoir été présente quand ton père est décédé. Ma pauvre, pauvre orpheline, qui a trop tôt perdu sa mère. Qui prenait donc soin de *toi* ? Tu n'étais pas la mère de Parker, ce n'était pas ton rôle. C'était le mien. Déleste ton cœur de cette culpabilité. Oublie la colère que tu éprouves pour ton père. Laisse tout cela.

Carson serra très fort les paupières et sentit la chaleur des larmes qui formaient une flaque sur l'oreiller.

— Je ne peux pas, gémit-elle.

— Tu dois le faire. Si tu laisses la culpabilité et la colère pourrir en toi, elles empoisonneront ta vie. Tu dois trouver dans ton cœur la force de pardonner ton père... Nate... et ta pauvre mère, que Dieu ait son âme.

Elle fit une pause.

— Tu dois aussi me pardonner. Te pardonner. Pour ton propre bien.

Mamaw tapota la main de Carson et se leva. Elle était à bout de nerfs. Elle se sentait vieille, comme si elle était une de ces vieilles reliques dont les os étaient sur le point de se transformer en poussière. Avant de quitter la chambre, elle s'arrêta sur le seuil de la porte et regarda une fois de plus sa petite-fille.

— N'oublie pas, ma chérie. Ton père ne t'a pas sauvée. Mais tu l'as sauvé.

～

Une vague de mauvais temps s'abattit sur la Caroline du Sud. Trois jours de pluie continue. Dora sortit de la chambre de Nate et ferma silencieusement la porte derrière elle. Elle s'y adossa. Il était très sensible au moindre bruit et le grondement du tonnerre l'avait gardé éveillé toute la nuit. Cela s'ajoutait au fait qu'il traversait une nouvelle crise.

Dora se redressa et se frotta le visage avec les mains. Elle vit que de l'autre côté du couloir, la porte de Carson était fermée. Elle entendit depuis sa propre chambre, qu'elle partageait avec Harper, le cliquetis des touches d'un clavier. Dora soupira de mécontentement. Harper s'était retirée en ermite depuis plusieurs jours et passait son temps soit sur son téléphone, son iPad ou son ordinateur. Elle se cachait.

Dora se lança à la recherche de Mamaw et la trouva assise dans le salon. Elle semblait absorbée par la lecture de son livre et ne répondit pas aux appels de Dora. Toutefois, quand cette dernière s'approcha, elle vit que Mamaw piquait du nez. La femme se retourna pour partir, mais dans son mouvement, son pied heurta accidentellement la table, ce qui réveilla Mamaw en sursaut.

— Je suis désolée, s'excusa Dora d'une voix craintive. Je ne voulais pas te déranger.

Mamaw battit lourdement des paupières.

— Non, non ce n'est pas grave, je m'étais simplement assoupie.

Elle lui adressa un faible sourire.

— C'est à cause de la pluie. Le bruit régulier des gouttes de pluie me donne envie de dormir.

Mamaw prit une profonde inspiration.

— J'adore les bonnes pluies d'été, l'odeur de la terre mouillée et le grondement du tonnerre au loin.

Elle donna de petites tapes sur le coussin à côté d'elle.

— Viens t'asseoir. Il est toujours agréable d'avoir de la compagnie. La maison est aussi silencieuse qu'un tombeau.

Dora s'assit à côté de sa grand-mère. Elle remarqua que Mamaw étudiait ses vêtements du regard. Malgré le temps pluvieux, elle portait des pantalons blancs et une tunique turquoise décorée d'étoiles de mer blanches. Maintenant qu'elle passait plus de temps avec ses sœurs très à cheval sur leur style vestimentaire, Dora essayait de soigner son apparence. Elle ne se contentait plus de pantalons à ceinture élastique et de t-shirts bouffants.

— Tu es très jolie aujourd'hui, la complimenta Mamaw. C'est très gai comme couleurs. Nous aurions bien besoin d'un peu de gaieté en ce moment.

— Merci, répondit Dora, ravie que ses efforts soient remarqués. Comment va Carson ?

Le sourire de Mamaw s'évanouit.

— Pas très bien. Et Nate ?

— Pareil. C'est de cela que je suis venue te parler. Il ne veut plus sortir de sa chambre et il reste assis sur son lit. Il passe son temps à lire ses livres sur les dauphins. Il ne parle plus, sauf pour évoquer Delphine. Des nouvelles ?

— Non, indiqua Mamaw. Pas un mot. Blake a promis de passer un coup de fil. J'imagine qu'il n'y a pas de développement.

Dora réfléchit quelques secondes.

— Ce n'est pas très encourageant. Mamaw ; et s'ils ne peuvent pas la sauver ?

— Je ne crois pas que nous en sommes encore là.

— Je dois envisager cette possibilité. Je me disais... Peut-être qu'il vaudrait mieux que Nate reparte, que je l'amène loin d'ici, où il ne fait que penser à ce dauphin. Si cet animal devait mourir, je ne voudrais pas que Nate soit ici quand ça arrivera.

— Est-ce que ça change quelque chose ?

— Tout lui rappelle Delphine ici.

— Je crois vraiment qu'il ferait mieux de rester, au moins jusqu'à ce qu'il apprenne ce qui sera arrivé à Delphine. Tu sais qu'il s'inquiétera si vous partez. Il n'est tout simplement pas du genre à oublier tout cela.

— Non, je suppose que tu as raison.

Dora se tordit les mains, indécise. Elle se sentait perdue, incapable de naviguer sur cette mer agitée.

Mamaw laissa s'installer un silence. Elle redoutait de se lancer dans cette discussion, mais elle devait absolument en avoir le cœur net.

— Crois-tu que Nate comprend ce qu'il a fait ? C'est un lourd fardeau pour de si petites épaules.

Dora se sentit submergée par une vague d'inquiétude. Elle poussa un grand soupir et s'enfonça dans les coussins du sofa. Elle secoua la tête entre ses mains.

— Je ne sais pas ! Je ne sais vraiment pas s'il comprend la notion de culpabilité. Il ne peut pas me communiquer ses émotions.

Dora respira plus calmement cette fois. Elle se rendit compte que Mamaw ne pouvait pas vraiment comprendre ce qu'elle traversait avec Nate.

— Il comprend que Delphine est blessée, tenta d'expliquer Dora, et qu'on l'a amenée dans un hôpital en Floride. Il se sent vraiment mal à cause de ça.

Elle se mit à pleurer.

— Il a déjà tellement de mal à maîtriser ses émotions en temps normal, alors maintenant...

Elle leva les bras au ciel.

— C'est un vrai bazar !

Mamaw tendit le bras et donna une petite tape sur la main de Dora.

— Il est toujours dur de voir que son enfant est en détresse.

— Je sais, Mamaw. Mais c'est encore plus difficile lorsque ton fils est autiste.

— Je suis sûre que c'est vrai. Mais Nate doit tout de même assumer les conséquences de ses gestes. Tu ne pourras pas le protéger de tous les épisodes difficiles de la vie humaine, tu sais. Aucun parent ne peut le faire. Tout ce que tu peux faire, c'est le laisser traverser ces épreuves et en tirer des enseignements. Il faut simplement lui donner les outils nécessaires.

» Dora, je ne crois pas que vous devriez partir. Vraiment. Pour le bien de Nate. Il a développé une belle routine ici. De toute façon, vous ne pouvez retourner chez vous. Tu ne m'as pas dit que les ouvriers sont en plein travaux pour que tu puisses revendre la maison ? Comment vas-tu faire avec toutes les odeurs de vernis et de peinture ? Ce ne sera pas vivable pour Nate et toi. Pense aux contrariétés ! C'est vrai, il y a eu un accroc dans notre routine, mais nous devons nous serrer les coudes et repartir à zéro.

— J'imagine, répondit Dora sans conviction.

Elle n'avait pas réfléchi à tout cela. Mamaw, elle, comme à son habitude, l'avait fait.

— Accepterait-il au moins de voir Carson ? s'enquit Mamaw.

Dora secoua la tête.

— Non. Il ne veut pas du tout la voir.

Mamaw émit un *tss* ennuyé et agita la tête.

— C'est vraiment dommage. Ils s'entendaient tellement bien tous les deux. Ils avaient fait tellement de progrès. Quelle pagaille !

Elle regarda Dora.

— Eh bien, ma chérie, va jeter un coup d'œil dans la chambre de ta sœur. Va voir si elle dort. Je sais qu'elle serait contrariée de ne pas *te* voir.

Dora hésita. Elle ne voulait pas vraiment voir sa sœur.

— Je ne voudrais pas la réveiller.

Mamaw haussa les épaules.

— Tu devrais. Elle n'a plus de fièvre. C'est ce qui la fait souffrir à l'intérieur qui m'inquiète. Elle ne fait que dormir.

Lorsqu'elle se réveille, elle se contente de fixer le mur. Elle ne veut même pas ouvrir les stores.

— Je regrette d'avoir évoqué ces mauvais souvenirs, dit Dora. C'était une décision irréfléchie de ma part. Je me suis laissée emporter par l'émotion du moment. Parfois, je parle d'abord et je réfléchis ensuite.

— Oui…

Mamaw se pinça les lèvres.

— Je vais essayer de m'améliorer à ce sujet.

— C'est bien ma chérie, acquiesça Mamaw avant de soupirer. Je suppose qu'il n'est pas plus mal que la vérité ait fini par refaire surface, même si cette plaie est très profonde. Carson doit juste se réconcilier avec ce qui s'est passé, à son propre rythme. Et elle y arrivera.

Mamaw tapota la main de Dora, un peu plus brusquement cette fois.

— Allez, maintenant, va voir ta sœur. Je crois qu'elle a besoin de toi en ce moment, plus que jamais auparavant.

～

Dora cogna à la porte de la chambre.

— Carson? Es-tu réveillée?

— Entre, répondit Carson sans enthousiasme.

La voix de cette dernière lui semblait faible. Lorsque Dora ouvrit la porte, sa sœur était couchée sur le dos et la pièce était plongée dans la pénombre. Ses yeux étaient fermés, les stores étaient descendus, l'atmosphère était aussi lugubre qu'une chambre d'hôpital.

— Bonjour ma belle, dit Dora en passant le pas de la porte. Comment vas-tu?

— Ça va, dit Carson d'une voix morne, sans vie.

Dora s'avança à côté du lit et resta debout à regarder sa sœur.

— Ma chérie, tu as l'air aussi mal que je le suis moi-même à l'intérieur.

Carson ouvrit les yeux et ricana.

— Tiens, elle est pas mal, celle-là.

Dora s'assit sur le bord du lit et serra la main de Carson dans la sienne.

— Je n'aime pas te voir dans cet état. Ne sois pas triste, ma puce. Tout va bien se passer.

— Je sais, répondit faiblement Carson, sans conviction.

Dora sentit peser sur elle le poids du remords qui étouffait son cœur. Elle n'était pas venue ici pour faire une scène, mais elle ne pouvait supporter de voir sa petite sœur dans cet état.

— Je suis si désolée…, murmura Dora avant d'éclater en sanglots. Je suis désolée de t'avoir dit ces choses horribles. Oh, Carson, je n'aurais jamais pu penser que…

Elle renifla et s'essuya les yeux.

— Rien ne justifie de s'enlever la vie, Carson. Tu as tout l'avenir devant toi.

Carson leva la tête et regarda son aînée comme si cette dernière était devenue folle.

— Attends, attends une minute. Tu crois que… Est-ce que tu crois honnêtement que j'essayais de me suicider ?

Dora sécha ses larmes et lui rendit son regard.

— Ce n'est pas ce que tu as tenté de faire ?

— Non ! s'exclama Carson en retirant sa main de celle de Dora. Bon sang, bien sûr que non. Pourquoi penses-tu que je pourrais faire une chose pareille ?

— Je… je ne sais pas, balbutia Dora. Je suppose que c'est parce que tu étais tellement triste de ce qui est arrivé au dauphin, et que juste après, je t'ai dit ces choses sur ta mère… J'ai juste…

— Tu croyais que si ma mère s'était suicidée, alors je le ferais aussi ?

— Non, pas maintenant que tu le dis.

Voilà, elle avait encore mis ses pieds dans les plats.

— Je ne sais pas ce que je pensais en fait.

— Mince, Dora…, lâcha Carson en regardant ailleurs.

— Je t'ai vue plonger dans l'eau, puis je t'ai perdue de vue, alors mon instinct a pris le dessus.

Carson poussa un rire bref qui fit sursauter Dora. Lorsque Carson la regarda de nouveau, elle ne semblait pas en colère. En vérité, elle avait l'air vaguement amusée.

— Oh, Dora, dit Carson, j'imagine que je dois remercier le Seigneur pour ton instinct.

Dora poussa un long soupir.

Mais Carson avait maintenant un air horrifié.

— *J'étais* vraiment en difficulté. Je savais pourtant qu'il ne faut pas aller dans l'eau toute seule, mais j'étais ivre, voilà pourquoi j'ai quand même plongé. C'est un miracle que je ne sois pas morte. Mais *non* Dora, je n'ai *pas* tenté de me suicider.

Elle passa sa main dans ses cheveux.

— Et soyons aussi claires sur autre chose : ma mère ne s'est pas enlevé la vie. Elle était saoule et elle fumait, quand elle a perdu connaissance. D'accord ?

Dora avait ouvert de grands yeux pleins de curiosité. Elle hocha la tête.

— Merde, dit Carson d'un ton morne. Mais je suppose que tu avais un peu raison après tout. J'ai succombé à mes vieux démons. Je suis une alcoolique, comme ma mère.

Dora ressentait de nouveau le poids écrasant de la honte en repensant aux paroles insensibles qu'elle avait prononcées.

— Ne fais pas attention à ce que j'ai dit. Je n'ai pas connu ta mère. Elle a été ma nounou, mais j'étais trop jeune pour me rappeler quoi que ce soit, à part le fait qu'elle était très jolie. Alors, n'écoute pas ce que je dis. J'ai été méchante et haineuse et en colère contre toi pour avoir fait mal à Nate. Alors, j'ai voulu te faire mal en retour. Ce n'est pas une excuse, je le sais.

Elle regarda ailleurs.

— Et qui suis-je pour juger une mère, n'est-ce pas ? Je sais que tu penses que je suis une mauvaise mère. Protectrice à l'excès, étouffante.

— Je n'ai jamais dit que tu étais une mauvaise mère, s'expliqua Carson. Tu es une excellente mère. La meilleure. Peut-être juste un peu… trop protectrice.

Dora laissa échapper un bref rire désespéré.

— Cal me dit la même chose. Il m'a d'ailleurs déclaré que c'est pour ça qu'il m'a quittée. Ou c'était l'une des principales raisons, peu importe. Il a dit que je donnais tellement d'attention à Nate qu'il ne m'en restait plus pour lui. Il a même ajouté que Nate ne l'aimait pas. Au début, j'ai tout nié. Mais dernièrement, j'ai eu du temps pour y penser et je me suis rendu compte qu'il avait raison. Non pas qu'il ait été parfait.

Les lèvres de Dora se mirent à trembler et elle sortit un mouchoir de sa poche.

— Et soudainement, voilà que j'ai tout perdu : mon mari, ma maison, ma vie.

Elle regarda son ventre.

— Merde, même ma silhouette. Tout ce qui comptait pour moi me glisse entre les doigts. J'ai peur. Tu sais, parfois, quand je suis toute seule, j'enfonce ma tête dans l'oreiller et je me mets à hurler jusqu'à me vider de toute mon énergie.

Elle renifla.

— Tu crois que ça veut dire quoi ? Suis-je en train de perdre aussi la tête ?

— Non, répondit Carson en se redressant pour s'asseoir. Qui se soucie de cette fichue maison de toute façon ? C'est un fardeau que tu portes sur tes épaules depuis tant d'années. Et franchement, Cal l'était aussi. J'ai toujours pensé qu'il ne te méritait pas.

Dora eut un rire un peu sceptique.

— Maintenant, tu commences à parler comme Mamaw.

Carson haussa les sourcils.

— Alors tu sais que c'est la vérité. Mamaw n'a jamais tort.

Elles explosèrent de rire à l'unisson, et tout de suite, la tension entre elles diminua.

— Je suis sérieuse, ajouta tout de même Carson. Bon débarras.

— Alors pourquoi est-ce que je me sens si mal ? demanda Dora, toujours les larmes aux yeux, tripotant son mouchoir.

— Toi et moi, dit Carson avec sincérité, nous sommes dans une mauvaise passe en ce moment. Même chose pour Harper. Mais nous allons nous en sortir. Je te le promets. Dora, tu m'as lancé une bouée et tu m'as sorti la tête de l'eau quand j'avais besoin de toi. Laisse-moi t'aider aussi.

Elle serra le bras de sa sœur et le secoua gentiment.

— Je suis là pour toi, d'accord ? Tu n'es pas seule, toi non plus.

≈

L'appel tant attendu arriva à 16 h le lendemain. Carson était sortie du lit, avait pris une douche et se tenait dans l'encadrement de la porte du balcon, observant le paysage, lorsque Lucille cogna à sa porte.

— Il y a quelqu'un au téléphone qui te demande. C'est le gars au dauphin, déclara Lucille.

Elle regarda Carson se ruer sur le téléphone, puis avec un sourire, referma la porte.

— Carson, j'écoute.

— Carson, c'est Blake. Je suis à l'hôpital, le Mote Marine Laboratory à Sarasota.

Elle serra le combiné encore plus fort.

— Comment va Delphine ?

— Mieux. La situation était délicate pendant un certain temps, mais elle est jeune et forte. Elle a tenu le coup. Le monofilament du fil de pêche s'était enfoncé profondément et on a dû procéder à une chirurgie pour l'extraire. Elle a ensuite été mise sous antibiotiques et liquides intraveineux. Au début, elle ne démontrait aucun intérêt pour la nourriture, mais elle pouvait nager seule, ce qui était bon signe. Les vétérinaires ont ensuite fait une seconde opération pour retirer les fils qui encerclaient la base de sa queue, qui était déjà mutilée à cause de la morsure du requin. Mais ce matin, elle a vraiment franchi un cap. Ses analyses sanguines étaient vraiment meilleures et elle s'est remise à manger. Elle semble même nager avec plus d'aisance. Delphine n'est pas encore tirée d'affaire, mais nous avons bon espoir qu'elle réussira à s'en sortir.

Carson se mit à pleurer. Elle ne s'attendait pas à avoir une réaction aussi viscérale. Elle resta accrochée au combiné du téléphone et, le dos contre le mur, elle se laissa glisser par terre tandis que des sanglots lui secouaient le corps. Carson se faisait honte, mais elle ne pouvait retenir ses pleurs, même si Blake l'écoutait.

— Tout va bien aller Carson, la rassura Blake. Delphine est une battante.

— Je suis tellement contente, parvint-elle à articuler. Tu… tu ne sais pas ce que ça a été, ici.

— J'en ai une assez bonne idée.

— Merci Blake, merci beaucoup.

— Remercie plutôt l'incroyable équipe médicale de Mote. Tout le mérite leur revient.

— Je le ferai. Je vais leur écrire aujourd'hui.

— Ce serait bien si tu pouvais envoyer un don en argent. Le coût de toute cette opération est assez élevé.

— Bien sûr, convint-elle. Je leur suis très reconnaissante.

— Bon, je ferais mieux d'y aller. Je ne dois pas manquer mon vol. Je voulais au moins que tu saches où nous en étions avant de repartir.

— Tu rentres ?

— Je n'ai plus rien à faire ici.

— Quand est-ce que Delphine sera de retour?

— Je ne sais pas. On verra comment évolue son état de santé au jour le jour. Ce n'est plus de mon ressort.

— Blake… hésita Carson. Pourrais-tu m'appeler quand tu seras rentré? demanda-t-elle. Je voudrais te voir.

Il ne répondit pas tout de suite.

— S'il te plaît, ajouta-t-elle.

— Ouais, bien sûr, dit-il finalement, apparemment peu enthousiaste. Je t'appelle dès que je serai installé. J'ai sûrement beaucoup de travail qui s'est empilé sur mon bureau en mon absence. Mais je t'appellerai.

Elle entendit qu'il raccrochait le téléphone. Carson s'inquiétait du ton de voix de Blake. Il avait semblé si distant. Elle aurait préféré qu'il soit en colère.

Mais Delphine, au moins, allait s'en sortir. Et pour la première fois depuis plusieurs jours, Carson sourit.

~

Carson cogna à la porte de Nate. Pas de réponse.

— Nate?

Toujours pas de réaction.

Carson tourna la poignée et poussa doucement la porte. Elle ne voulait pas effrayer le garçon et savait comment il réagirait en la voyant. Il pourrait très bien se remettre à hurler.

La pièce était faiblement éclairée. Dora lui avait expliqué qu'il aimait garder les volets fermés, car il préférait regarder la télévision ou jouer aux jeux vidéo dans le noir.

— Nate?

Nate se retourna brusquement, surpris. Elle vit dans son regard l'inquiétude et la méfiance qu'elle y avait vues la première fois qu'ils s'étaient rencontrés. Et elle en fut attristée.

— Est-ce que je peux entrer?

— Non.

Il reporta son attention sur son jeu vidéo.

Carson hésita, mais ne franchit pas le pas de la porte.

— J'ai de bonnes nouvelles.

— Va-t'en.

— C'est à propos de Delphine.

Les doigts de Nate cessèrent de pianoter sur les boutons de sa manette.

— Quoi ?

Carson s'avança de quelques pas.

— J'ai reçu un coup de fil de Blake. C'est le monsieur qui est venu quand Delphine est tombée malade. Celui qui l'a amenée dans un hôpital en Floride.

Pas de réponse.

— Il a dit qu'elle se sent beaucoup mieux. Delphine va s'en sortir.

Nate demeura inexpressif, mais il abaissa les mains et déposa la manette par terre.

— Et ses blessures ?

— Eh bien, les docteurs vont lui donner des médicaments. Ça va prendre du temps pour qu'elle guérisse, mais ils pensent qu'elle va s'en remettre. Ça va simplement prendre du temps.

Nate ne réagit pas.

— Je voulais te le dire. Et je suis désolée de m'être fâchée et de t'avoir serré comme ça. Je n'aurais pas dû le faire. Parfois, les gens se mettent en colère et font des choses qu'ils ne devraient pas. Des choses qu'ils regrettent. Je suis désolée, répéta-t-elle.

Nate, une fois de plus, ne dit pas un mot.

— O.K. alors.

Carson tenta un sourire, puis se retourna pour partir. En marchant vers la porte, Carson espéra que Nate l'appellerait, qu'il lui dirait qu'il était heureux que les blessures de Delphine soient en train de guérir. Mais il ne le fit pas.

Le garçon reprit sa manette et poursuivit son jeu. Carson referma la porte. Elle comprit à cet instant que les blessures de Delphine n'étaient pas les seules qui devraient guérir.

CHAPITRE 20

U ne semaine plus tard, Carson était en chemin vers le café-restaurant Medley de Sullivan's Island, pressée d'arriver à son rendez-vous. Elle avait attendu longtemps près du téléphone, et Blake l'avait finalement appelée après être revenu de Floride. Il avait eu un changement radical d'attitude à l'égard de Carson depuis l'incident avec Delphine. Au téléphone, il avait semblé très formel, impatient même, lorsqu'elle avait demandé à le rencontrer.

Elle entra dans le café et constata que Blake était déjà debout au comptoir. Il était habillé comme d'habitude de son short kaki, d'un t-shirt brun et de sandales. Il semblait moins arrangé que d'ordinaire. Ses cheveux noirs étaient plus longs et il s'était laissé pousser la barbe et la moustache en se contentant de les tailler, un style qu'elle aimait particulièrement chez les hommes qui ne se conformaient pas vraiment aux tendances de la mode. Mais connaissant Blake, elle savait qu'il était sans doute simplement las de se raser. En le revoyant, elle fut une fois de plus troublée par la force de l'attraction qu'il exerçait sur elle. Elle se rendit compte, et ce sentiment la perturbait, qu'elle l'aimait plus qu'elle ne l'aurait voulu. Il était occupé à déchiffrer les offres du jour tracées à la craie blanche sur le grand tableau noir accroché au mur.

— Hé, fit-elle en s'approchant.

Blake regarda par-dessus son épaule. Sa première réaction fut de lui sourire et ses yeux noirs s'illuminèrent. Mais ce fut alors comme s'il se rappelait qu'il devait être fâché contre elle, et son sourire disparut aussi vite.

— Salut, dit-il d'une voix posée. Ça fait plaisir de te revoir.

Voilà qu'il se comportait comme si nous étions de nouveau de parfaits étrangers l'un pour l'autre, pensa Carson avec regret.

— Merci d'avoir accepté de me rencontrer.

— Pas de problème, répondit-il de façon désinvolte. Ça fait partie de mon boulot.

Elle retint sa respiration.

— Est-ce que tu dois être aussi désagréable?

— Je ne croyais pas être désagréable.

— Peu importe, souffla-t-elle en tournant les talons. Je vois que ce n'était finalement peut-être pas une bonne idée.

— Attends, s'empressa-t-il de dire.

Elle se retourna en le regardant d'un air blessé.

— O.K., je l'admets, je suis encore en colère.

— Et je suis encore dévastée, répliqua Carson d'une voix chevrotante.

Blake fronça les sourcils, l'air pensif.

— Tu veux un café? demanda-t-il d'un ton plus conciliant.

Carson se redonna une contenance et jeta un coup d'œil au menu inscrit sur le grand tableau noir.

— Un latté, s'il te plaît.

Blake passa commande. Carson posa une main sur son ventre, le temps de régulariser sa respiration et de se ressaisir.

Les tasses en main, ils jetèrent tous deux des regards circulaires, observant la salle. Il n'y avait pas beaucoup de monde dans le café en ce milieu de matinée ensoleillée idéale pour aller à la plage. Ils s'assirent à une petite table à côté de la fenêtre.

— Blake, commença-t-elle.

Elle redoutait de s'engager dans cette conversation, mais savait qu'elle ne pouvait l'éviter. Il valait mieux se lancer à pieds joints que d'endurer du papotage de circonstance.

— J'ai demandé à te rencontrer aujourd'hui parce que je voulais… je devais te dire en personne à quel point je me sens mal pour ce qui est arrivé à Delphine.

Elle leva la tête et vit qu'il avait entouré sa tasse de ses mains et qu'il la fixait des yeux.

— Je n'ai pas soufflé avant que tu appelles pour me dire que Delphine allait s'en sortir. Si elle était morte, je ne sais pas ce que j'aurais fait. J'ai l'impression d'avoir une deuxième chance, continua-t-elle. Oui, c'était la faute de Nate si ces lignes de pêche traînaient près du quai. Mais la principale fautive, c'est moi. C'est moi qui ai attiré Delphine au tout début. Je m'en rends compte maintenant. Je voulais qu'elle soit là, car cela me faisait plaisir. Et je ne sais pas pourquoi, crois-le ou non, elle voulait venir, elle aussi. Mais peu importe, ce n'est pas une excuse. Je sais maintenant qu'elle venait à un endroit où elle n'aurait pas dû venir.

— Et le dauphin s'est blessé.

— Exact, répliqua-t-elle. Je suis tellement désolée.

— Je comprends que ce genre de chose arrive, dit-il. Ce que je ne comprends pas toutefois, c'est ce qui t'arrive, à toi. Je croyais que tu comprenais. Je croyais que tu étais de mon côté.

— Je le *suis*.

— Vraiment ? Alors pourquoi, malgré tout ce que je t'ai expliqué, tout ce que nous avons vu ensemble, ne m'as-tu jamais mentionné qu'un dauphin à l'attitude particulièrement amicale rôdait près du quai ? Tu l'as nourri. Tu as nagé avec lui. Tu ne t'es pas mieux comportée que ces bateaux de plaisance qui sèment des appâts pour divertir les touristes. Je me sens trahi, Carson. Je me sens…

— Blessé, compléta-t-elle.

Il se pinça les lèvres et acquiesça.

— Et déçu.

Carson ne pouvait se défendre. Elle pouvait à la limite composer avec la colère de Blake, mais sa déception et son affliction la dévastaient.

— Blake, je suis désolée.

Il la regarda droit dans les yeux, comme s'il tentait d'évaluer sa sincérité.

Elle vit la lueur dans ses yeux vaciller.

— D'accord.

Carson savait que « d'accord » était un mot que l'on prononçait lorsqu'on n'avait plus rien à dire. Mais elle n'avait pas encore mérité son pardon.

— Et maintenant ? demanda-t-elle.

— Est-ce que j'ai mentionné qu'en vertu de la Loi de protection des mammifères marins, il est illégal de nourrir les dauphins ? C'est une infraction passible d'une amende de 22 000 $ dans une affaire civile, et de un an de prison accompagné d'une amende de 25 000 $ en droit criminel ?

Carson pâlit.

— Est-ce que j'ai mentionné que nous allons faire don d'une somme importante à l'hôpital ?

Blake sourit à moitié.

— Je suis ravi de l'entendre. Ils en auront bien besoin là-bas.

— Tu ne vas pas...

— Pas si tu ne continues pas de...

— Je ne le ferai plus, promit Carson.

— Alors, si on relâche Delphine dans la crique, demanda-t-il, tu ne l'appelleras ni ne la nourriras plus ? Plus jamais ?

L'image de Delphine traversa son esprit et elle ressentit de nouveau la force du lien qui les unissait. La simple idée de ne plus pouvoir entretenir cette relation provoqua en elle une douleur vive à laquelle elle ne s'attendait pas.

— Ce sera difficile, dit-elle lentement. J'ai l'impression de perdre ma meilleure amie. Mais je ne veux plus jamais la voir souffrir. Et si elle revient d'elle-même ? Est-ce que je pourrais au moins la saluer ?

— Bien sûr. Tant que tu ne lui donnes pas à manger et que tu ne nages pas avec elle. Et que tu ne laisses pas quelqu'un d'autre en faire de même.

— Je vais être tellement heureuse de la revoir. Elle me manque terriblement.

Carson marqua une pause lorsqu'elle réalisa qu'elle avançait en terrain miné. Elle ne voulait pas se remettre à pleurer.

— Tu pourras me surveiller s'il le faut.

Il retint son habituel sourire en coin.

— Je pourrais très bien faire ça, en effet.

Blake jeta un coup d'œil à sa montre et déplia ses longues jambes.

— Je dois partir, dit-il sans ambages.

Il saisit alors sa tasse dans l'intention affichée de s'en aller aussi vite que possible.

Carson fut prise au dépourvu par cette décision soudaine. Elle lui attrapa instinctivement la main.

— Attends.

Blake se figea, puis reprit place dans sa chaise et attendit la suite.

Carson retira sa main et la regarda d'un air absent.

— Écoute, je sais que je t'ai déçu. Mais où allons-nous maintenant ?

Il haussa les épaules.

— Je ne sais pas.

Carson le regarda par en dessous. Elle frissonna de peur. À cet instant précis, elle savait qu'elle ne voulait pas le voir partir. C'était un tout nouveau sentiment pour elle. Auparavant, dans ses relations, dès qu'il y avait un semblant de discorde ou de problème, elle était la première à s'éloigner en courant.

Mais aujourd'hui, pour la première fois de sa vie, elle ne voulait pas que ça se finisse ainsi.

— J'ai commis une erreur. Je le reconnais. N'as-tu jamais commis une erreur ?

— Bien sûr que oui. Mais là n'est pas la question.

Il ne poursuivit pas tout de suite, et ce temps d'attente dura une éternité.

— Je ne sais juste pas si nous voulons les mêmes choses. Je croyais que oui, mais maintenant…

Carson sentit sa colonne vertébrale se raidir. Elle essaya de rassembler ses pensées qui s'entrechoquaient dans sa tête.

— Je suis la même personne que j'étais hier et le jour d'avant. Mais j'ai traversé beaucoup d'obstacles ces derniers jours. J'en ai appris beaucoup. Vraiment beaucoup.

Carson commença à parler et ce fut soudain comme si les vannes s'étaient ouvertes et que les mots sortaient de sa bouche en un torrent ininterrompu. Elle n'omit aucun détail et lui raconta comment elle s'était éveillée aux cris de Delphine, l'horreur de la découvrir profondément lacérée, l'hameçon dans la gueule et le sentiment de désespoir qui l'avait envahie lorsque Delphine avait dû être transportée en Floride. Carson lui confia également son accès de fureur contre Nate, qui avait eu la mauvaise idée de laisser traîner les cannes à pêche, ce que Dora lui avait dit concernant sa mère et les explications prodiguées par Mamaw. Elle lui parla de son rêve et de comment elle s'était rappelée, après toutes ces années, la nuit de la mort de sa mère. Enfin, elle lui révéla en toute honnêteté comment, désespérée, elle s'était laissée aller à boire ce soir-là, sur le quai.

— Je sais que je ne peux pas changer le passé, ni les erreurs des autres ou les miennes. Mais je peux commencer par changer qui je suis. Blake, je suis à l'aube de ma nouvelle vie, de mon nouveau moi. Le temps d'une deuxième chance est arrivé. Pour moi et pour Delphine.

Elle prit une grande inspiration.

— Je te demande à toi aussi de m'accorder une seconde chance.

Blake se gratta la mâchoire, accordant visiblement à ces confessions toute la considération qu'elles méritaient. Lorsqu'il s'adressa à elle, sa voix ne portait aucune trace de condescendance. Et Carson lui en fut reconnaissante.

— Je sais que j'ai été un peu rude avec toi dans l'eau la dernière fois. Non pas que je n'aurais pas été brusque avec qui que ce soit d'autre à cet instant. Mais j'étais particulièrement en colère de *te* voir à cet endroit.

— Je sais, dit-elle d'un air défait en regardant par la fenêtre. Parce que tu t'es senti trahi.

— Parce que j'avais peur.

Carson tourna brusquement la tête. Blake était en train de déchirer du bout des doigts le rebord de son gobelet en carton.

— J'avais peur que tu te blesses. Les dauphins sont des animaux sauvages particulièrement puissants qui peuvent parfois se montrer agressifs. Ils peuvent infliger de graves morsures ; il y a plein de cas de ce genre répertoriés. Si j'étais en colère, c'est parce que je t'ai vue dans l'eau et que j'étais inquiet.

Carson était certaine qu'il avait vu le soulagement se faire jour sur son visage.

— La seule personne qui peut me faire du mal, c'est toi.

— Je ne veux pas te faire du mal.

— Alors ne le fais pas.

～

Une fois qu'elle eut dit au revoir à Blake, Carson se dirigea tout droit vers le Dunleavy's. Il y avait une autre rédemption dont elle devait s'acquitter.

Le pub était silencieux. C'était la période de calme qui s'installait généralement entre le repas du midi et l'heure du cocktail. Quelques habitués étaient assis aux tables. Elle repéra Devlin au bar. Il n'y avait pas moyen de l'éviter si elle voulait parler à Brian, de l'autre côté du comptoir. Brian leva les yeux, et quand il la vit, il cessa de frotter le verre qu'il tenait dans les mains.

— Hé, Brian, l'appela-t-elle tandis qu'elle s'approchait du bar.

— Carson, répondit-il, étrangement réservé, tu te sens mieux ?

— Oui merci, dit-elle nerveusement en constatant sa froideur affichée.

Les yeux de Devlin s'illuminèrent quand ils la repérèrent.

— Salut, belle inconnue, la salua-t-il en se penchant par-dessus le comptoir. Content de voir que tu es de retour. Ton joli visage m'a manqué. Ce n'est vraiment pas facile de regarder l'affreuse bouille de Brian.

Carson lui jeta un regard en biais, pas tout à fait surprise de voir qu'il ne semblait éprouver le moindre remords par rapport à son attitude de la dernière fois. Elle se demandait même s'il s'en souvenait.

— Salut Dev, répondit-elle pour la forme avant de reporter son attention sur Brian. Est-ce que je peux te parler ? En privé.

— Bien sûr.

Il posa son verre et sa serviette.

— Dans mon bureau, dit-il en la dirigeant vers une des banquettes, celle qui était la plus éloignée du bar.

Elle se glissa sur le siège face à lui. Devlin, perplexe, les suivit du regard. Carson s'assit, les genoux serrés et les mains coincées entre les cuisses. Elle regarda Brian, assis de l'autre côté de la dalle de bois qui servait de table. Il était adossé contre son siège, les mains croisées devant lui.

— Brian, il y a quelque chose que j'ai fait et dont j'ai honte, commença-t-elle de façon hésitante. Tu as peut-être entendu parler de ce qui s'est passé avec ce dauphin, près du quai, à Sea Breeze ?

Il acquiesça sobrement.

— Les nouvelles vont vite. Une tragédie.

— J'aimais beaucoup ce dauphin et ce qui lui est arrivé est de ma faute. Il y a pas mal de choses qui ne se sont pas bien passées ce jour-là et j'étais très mal. Quand je suis venue travailler, je n'étais plus moi-même. Même si ça n'excuse pas ce que j'ai fait, s'empressa-t-elle d'ajouter.

Carson déglutit difficilement. Elle devait arrêter de tourner autour du pot et cracher le morceau.

— Brian, j'ai volé une de tes bouteilles de Southern Comfort.

Brian ne dit rien pendant un moment.

— Ça me fait mal au cœur de l'entendre.

— Nous sommes deux. Est-ce que tu te sentirais mieux si je te disais que c'est la première fois que je vole quelque chose ? La première fois de ma vie ?

Il releva la tête et nota la sincérité dans les yeux de Carson, mais il avait encore les mâchoires serrées.

— Est-ce que tu te sentirais mieux si je te disais que je n'en ai que faire ?

Le visage de Carson perdit toutes ses couleurs, et pendant un instant, elle crut qu'elle allait avoir la nausée.

— Je te rembourserai, dit Carson.

Brian lui servit un air qui semblait dire « Ben voyons ».

— Ouais et tout va bien aller. Nous allons juste faire comme si de rien n'était.

Carson fixa ses mains, le cœur dans les talons.

— Non, je sais que ça ne peut pas se passer comme ça.

— Je sais à quel point l'alcool donne l'impression de pouvoir reléguer tous les problèmes au second plan.

Brian se gratta le nez.

— Il ne faut pas se mentir, jeune fille. Tu as fermé les yeux là-dessus, c'est tout. Ce n'est pas la solution.

— Je l'ai compris. Tu as l'air d'en savoir pas mal sur tout ça, s'avança-t-elle prudemment.

— Vingt ans que je suis sobre. Et oui, je suis alcoolique.

Carson fut surprise par cet aveu subit.

— Alors pourquoi travailler dans un bar?

Il sourit à moitié.

— Écoute-moi bien, jeune fille. Je travaille depuis long-temps dans ce milieu. Je sais que je peux être en présence d'alcool sans pour autant me mettre à boire. Tu ne le sais pas encore. Tu n'arrives pas à résister quand il y en a dans le coin.

Carson regarda Brian reculer dans son siège. C'était un homme attentionné et honnête qui ne méritait pas ce qu'elle lui avait fait.

— Alors, quelle est la suite? demanda-t-elle.

— À propos de quoi? Le vol ou la boisson? s'enquit-il d'une voix douce dénuée de sarcasme.

— Les deux.

— Je ne vais pas rester assis ici et te dire que tout va bien se passer, parce que ce ne sera pas le cas. Crois-le ou non, tu n'es pas la première personne à voler quelque chose ici. J'ai déjà tout vu. Des gens qui ont rempli des sacs de plastique de nourriture et d'alcool, puis qui ont prétendu sortir les pou-belles par exemple. Bon Dieu! J'ai même surpris un cuisinier fourrer 20 steaks dans un sac de plastique qu'il a mis à la pou-belle et un de ses amis est passé les ramasser. Malin, mais pathétique. Je n'ai pas été tendre à leur endroit. Un restau-rant, c'est un des commerces les plus difficiles à tenir à flots. Chaque sou compte.

En vérité, lorsqu'elle avait commis son larcin, elle n'avait pas du tout pensé aux pertes et profits du restaurant. *Quel employé s'en soucie?* se dit-elle. Elle baissa piteusement la tête. Carson n'aurait jamais cru qu'il serait possible de se sentir encore plus mal.

— Je te plains de devoir affronter ces problèmes, dit Brian. Mais je crois qu'il n'est pas nécessaire de te dire que tu ne peux tout simplement pas continuer à travailler ici.

— Je sais, admit-elle. Je te remercie, Brian. Pour ce boulot et pour ta gentillesse.

— Tu n'es plus une fillette, Carson. C'est ton choix. Mais si tu penses avoir un sérieux problème avec l'alcool, j'espère... je te prie de considérer les Alcooliques Anonymes. Je crois que tu es assez forte pour combattre cette envie. Je serais ravi de t'accompagner à une réunion. Si tu préfères y aller toute seule, sache qu'il y a pas mal de réunions dans le coin. Vas-y. Au moins une fois.

— Je vais y penser Brian, je te le promets. Ta gentillesse est très appréciée, à propos du vol, mais aussi pour tes soucis sincères et ton aide.

Brian tendit le bras et lui serra la main.

— Et j'apprécie le fait que tu sois venue me voir en premier. Je savais que tu avais pris cette bouteille.

Carson pâlit lorsqu'elle entendit cette dernière remarque et lui serra la main. Brian sourit.

— Tu es la bienvenue ici, quand tu veux. Et amène Mamaw avec toi un jour. Je n'ai pas vu cette renégate depuis des lustres.

CHAPITRE 21

Quelques jours plus tard, Carson regardait par la fenêtre quand elle découvrit avec surprise que Blake se trouvait sur le pas de la porte. Ils avaient passé la nuit ensemble et s'étaient dit au revoir juste après le café ce matin même. Blake était parti au travail à Fort Johnson et Carson était retournée à Sea Breeze. Elle se demandait bien ce qu'avait oublié Blake et qui l'avait poussé à venir jusqu'ici.

— Hé, lui dit-elle avec un sourire chaleureux en lui ouvrant la porte.

Blake affichait un sourire crispé et avait un regard troublé.

— Entre donc, dit Carson, le visage assombri. Quel est le problème ?

— Je peux te parler une minute ?

Les pensées de Carson se bousculaient maintenant dans sa tête.

— Euh, bien sûr. Ici ça ira ? demanda-t-elle en indiquant le salon.

Elle le suivit dans la pièce et ils prirent chacun une bergère. Blake s'assit bien droit, sa chemise en jean bleue râpée aux poignets, exposant ses mains bronzées qui reposaient sur ses cuisses. Carson releva les cheveux qui lui tombaient sur le visage.

— Il fait tellement humide aujourd'hui, dit-elle pour démarrer la conversation. Mamaw ne veut pas augmenter la climatisation. Elle dit qu'elle préfère quand il fait un peu lourd.

Blake rit, mais son cœur n'y était pas. Il joignit les paumes et fixa ses mains du regard. Carson, quant à elle, croisa les jambes, les cuisses serrées. Elle sentait son estomac se nouer.

— Carson, il y a quelque chose que je dois te dire.

— D'accord…, dit-elle, inquiète.

— C'est à propos de Delphine.

— Qu'est-ce qu'elle a?

— Ces derniers jours, j'ai passé en revue tous les dossiers photo de dauphins que nous avons repérés dans la région ces cinq dernières années. J'ai essayé d'établir des recoupements avec les photos que tu m'as envoyées. Eric aussi a tout analysé. Il n'y a aucune trace de Delphine dans notre base de données.

Carson fronça les sourcils.

— Qu'est-ce que ça veut dire?

— Ça veut dire qu'elle n'est pas classifiée comme étant une résidente de l'estuaire de Charleston. Elle n'est pas des nôtres.

— Comment est-ce possible? Elle était là pourtant, non?

— Il y a plusieurs possibilités. Il se pourrait qu'elle était tout simplement en train de migrer le long de la côte lorsqu'elle s'est retrouvée confrontée au requin et en est ressortie blessée. Cet épisode pourrait l'avoir poussée à se diriger vers des eaux moins dangereuses. C'est là qu'elle t'a rencontrée et qu'elle a trouvé un repas gratuit. Alors, elle aurait décidé de rester.

— Est-ce qu'ils font ça? Est-ce que les dauphins côtiers s'aventurent dans les rivières?

Blake acquiesça.

— Oui. La plupart préfèrent rester dans une région donnée, mais quelques spécimens naviguent entre les deux régions. Il y a toujours des dauphins qui suivent les bateaux qui pêchent la crevette et se déplacent ainsi des côtes vers les eaux du port. Tu as d'ailleurs mentionné qu'il y avait une embarcation ce jour-là. Mon hypothèse, c'est qu'elle s'est aventurée dans la crique pour une raison quelconque et qu'elle a décidé d'y rester.

— Alors, elle est toute seule? dit Carson, qui avait de la peine pour Delphine. Pas étonnant qu'elle se soit montrée amicale avec moi!

— Ou bien, elle est restée *parce que* tu t'es montrée amicale avec elle. Nuance.

— Tu ne perds jamais de temps pour me rappeler mon erreur.

— Je n'ai pas l'intention d'être dur avec toi. Je ne veux juste pas te voir retomber dans tes pensées un peu trop sentimentales à son égard. Pour votre bien, à toutes les deux.

— Alors, que faisons-nous maintenant? Quand on la renverra à l'eau, fera-t-elle partie de la communauté locale de dauphins?

Il se frotta les mains, comme s'il était frustré de ne pas avoir le contrôle de la situation.

— Ça, Carson, c'est le problème.

Carson nota un changement dans le ton de sa voix. Elle pouvait presque sentir la tension qui émanait du corps de Blake. Elle fit taire ses propres émotions et écouta attentivement ce qu'il avait à dire.

— Quel problème?

— Carson, tenta-t-il de développer sur des bases solides. Si Delphine ne fait pas partie de la population locale de dauphins, l'hôpital du Mote Marine Laboratory ne la relâchera pas dans notre estuaire.

— Quoi? Ils ne peuvent pas faire ça. C'est chez elle ici. Nous l'avons amenée là-bas pour qu'ils la soignent, pas pour qu'ils la gardent!

— Ils ne vont pas la garder, tenta-t-il de la calmer.

— Ils ne peuvent tout de même pas la relâcher dans les eaux de la Floride! C'est ridicule. Elle n'est pas une résidente locale là-bas non plus. Quel intérêt? Au moins, ici, je suis là pour elle. Elle me connaît.

— Carson, écoute-moi : c'est bien plus compliqué que ça. Tout d'abord, le fait qu'elle ne soit pas originaire de notre estuaire signifie qu'elle ne bénéficiera pas d'un système de soutien. C'est le premier problème. Le deuxième, c'est justement ce que tu viens d'évoquer : que tu prendrais soin d'elle. Ça ne peut pas se passer comme ça, nous en avons déjà discuté. Pour te dire bien franchement Carson, son attitude beaucoup trop amicale nous inquiétait déjà, car cela pourrait vouloir dire qu'elle avait déjà appris à dépendre des humains. Elle est la candidate idéale pour devenir une autre quémandeuse, ce qui est très mauvais pour elle. Troisièmement, et c'est sans doute le plus important, ses blessures sont très graves. Ajoute à cela sa queue déjà amochée et ça te fait un dauphin particulièrement vulnérable.

Blake soupira. Ses yeux cherchaient ceux de Carson.

— Nous avons pris en compte tous les facteurs. La NOAA ne prend jamais de décisions à la légère. Nous voulons tous qu'un dauphin retourne dans son environnement sauvage quand cela est possible. La décision n'a pas encore été prise. Elle dépendra de comment guériront les blessures de Delphine. Et, ajouta-t-il sobrement, accroche-toi, parce qu'il pourrait y avoir un quatrième problème. Delphine ne guérit pas aussi vite qu'ils l'auraient espéré. Elle ne mange pas assez et elle est de plus en plus apathique.

Carson réagit péniblement.

— Depuis quand es-tu au courant?

— Quelques jours.

— Et c'est seulement maintenant que tu m'en parles?

— Je ne voulais pas t'inquiéter. Nous espérions tous qu'elle s'en remettrait.

Carson essaya de s'imaginer Delphine (ses yeux curieux, sa bienveillance constante) apathique et blessée, enfermée dans un étrange aquarium mobile. Ses mains étaient moites et quelques gouttes de transpiration se formèrent sur son front. Elle les essuya du revers de la main, maudissant l'étouffante humidité ambiante.

— Certains dauphins peuvent devenir léthargiques quand ils se trouvent dans un environnement qu'ils ne connaissent pas. Parfois aussi, ce peut être l'effet d'une cause médicale. Mais nous ne savons pas exactement ce qui se passe dans le cas de Delphine. Au final, ils pourraient devoir la transférer dans un autre établissement.

— Ils n'ont pas le droit, s'écria Carson.

Elle se leva et fit les cent pas dans la pièce, horrifiée, menacée même par ce tout nouveau développement.

— Je ne comprends pas. Pourquoi m'as-tu amenée voir ces dauphins à l'état sauvage ? Tu m'as montré à quel point il était préférable pour eux de vivre dans leur environnement naturel, de socialiser avec les membres de leur espèce, de chasser en groupe. Et maintenant, tu me dis qu'ils ne comptent pas relâcher Delphine ? Qu'ils vont la placer dans un autre complexe ? Et tu vas accepter ça ? Elle ne comprendra pas pourquoi on l'a placée là. C'est tellement cruel.

Blake tendit le bras vers elle.

— Carson.

— Ne me touche pas ! s'exclama Carson en levant les mains. Je ne comprends pas comment tu peux les laisser faire ça. Tu travailles pour la NOAA. Tu pourrais y mettre un terme. Tu pourrais faire en sorte qu'elle revienne ici.

— Non, je ne peux pas. Je n'ai pas l'autorité nécessaire. Et même si c'était le cas, je ne le ferais pas.

— Pourquoi pas? laissa-t-elle échapper entre ses dents serrées.

— Parce que nous devons toujours faire ce qui est bon pour le dauphin.

Carson bégaya, puis retint ses mots. Elle aurait voulu lui crier après, lui hurler qu'elle le détestait, mais bien sûr, elle n'en fit rien. Elle détestait cette situation. Elle détestait le rôle qu'elle y jouait. Elle détestait que Delphine soit piégée dans cet état.

Cependant, elle ne pouvait supporter de regarder Blake, de se trouver en sa présence. Elle en avait assez de ses règles et de ses lois, de son incompréhension totale de la relation qu'elle entretenait avec Delphine. De l'intensité du lien qui les unissait. Elle en avait fini avec lui, avec tout ça. Carson arrêta de tourner en rond. Elle avait une fois de plus l'impression que les murs de la maison se refermaient sur elle. Cette vieille panique qui l'avait rongée remontait à la surface, dans sa poitrine, et tout ce dont elle était sûre à cet instant, c'était qu'elle devait s'échapper.

— J'ai besoin être seule maintenant, dit-elle.

Elle fit un geste brusque vers la porte.

— Maintenant, si tu veux bien sortir…

Carson tourna les talons et monta quatre à quatre les marches jusqu'à sa chambre. Elle se haïssait d'avoir laissé libre cours à ses émotions. Puis, elle décida de sortir prendre une bonne bouffée d'air frais et se redonner une contenance. Elle traversa à la hâte la maison étouffante d'humidité. Elle devait aller dans l'eau.

~

Le ciel au-dessus de la terre continentale était semblable à un mur de pluie aux reflets mauves. Des éclairs transperçaient les nuages, immédiatement suivis du grondement sourd du tonnerre. Au-dessus de l'île, pourtant, le ciel était encore ensoleillé et d'un bleu resplendissant. Carson courut le long du quai, ses pieds battant le bois comme le fracas de l'orage. Une fois qu'elle eut atteint le quai flottant, elle déchira ses vêtements, laissant apparaître son soutien-gorge et sa culotte, et resta debout sur le bord, les orteils pendant dans le vide.

Carson prit une grande inspiration et tenta de se calmer. Des flèches de lumière solaire perçaient la surface de l'eau. Dans les profondeurs, entre les piloris couverts de mousse, une longue ombre rôdait. Le cœur de Carson bondit dans sa poitrine en repensant instinctivement à Delphine. Elle s'avança légèrement pour regarder par-dessus la rampe et scruta le creux des vagues. Elle ne vit rien qui sortait de l'ordinaire. Ce n'était que la respiration lente et régulière de la masse aqueuse.

Quelque chose d'indescriptible se produisit lorsqu'elle plongea son regard dans les profondeurs bleutées de l'océan. Elle pouvait sentir l'anxiété s'évacuer lentement de son corps, comme si elle avait appuyé sur le bouton « supprimer » pour effacer la litanie de tracas qui lui occupait l'esprit. Très vite, la respiration de Carson se calqua sur les mouvements des vagues. Ses pensées devinrent calmes et rationnelles.

La mer abritait, elle le savait, d'innombrables créatures marines. De petits poissons fonçaient en flèche entre les piloris de bois ou grignotaient des algues. Le long de la rive, les pointes noires des huîtres empilées les unes sur les autres formaient un lit dangereusement délicieux et barbelé. Elle regarda de nouveau le fond sablonneux de la crique et se demanda si elle avait imaginé l'ombre qui rôdait dans les profondeurs.

Carson croisa les bras et se pinça les lèvres, songeuse. Pendant combien de temps encore resterait-elle à trembler sur le bord?

Elle se remémora les paroles de Mamaw. « Tu es la fille la plus forte que je connaisse. » Elle se souvint aussi de l'air effronté, téméraire et plein de confiance de son ancêtre sur le portrait, Claire. Enfin, Carson repensa à sa mère et au courage qu'il fallait pour voyager seule jusqu'en Amérique et y commencer une nouvelle vie.

Elle devait elle aussi trouver en elle le courage nécessaire. Certes, elle avait encore peur des ombres au fond de l'eau. Elle aurait été stupide si ça n'avait pas été le cas. Mais cette mer était aussi son territoire. Il y a quelque 500 millions d'années, tous les êtres humains considéraient l'océan comme leur territoire. Le lien qui les unissait à lui était personnel. Cette connexion intime afflua dans sa mémoire, plus profondément que n'importe quoi.

Debout sur le quai, Carson secoua ses jambes, réactivant la circulation du sang. Le soleil lui réchauffait le visage et elle leva les bras dans les airs, fixant un point imaginaire dans l'eau. Elle respira profondément l'air frais : c'était l'acte évolutif majeur qui la différenciait du poisson nageant dans la mer. Mais c'était également ce besoin d'oxygène qui la liait au dauphin. Carson plongea dans l'eau. Le liquide frais l'enveloppa, l'accueillit en son sein.

Ici, c'est chez moi, pensa-t-elle tandis qu'elle étirait les bras et qu'elle expirait une série de bulles. Elle battit énergiquement des pieds pour remonter à la surface et respira un grand coup. Des gouttes d'eau coulèrent sur son visage souriant. Carson se jeta de nouveau vers l'avant et agita les jambes de plus belle. Une brasse après l'autre, elle progressa contre le courant sans s'arrêter, enivrée par son triomphe. Elle nagea tout droit jusqu'au quai de M. Bellows et s'y reposa. Ses bras étaient un peu douloureux après tant de jours passés sans faire d'exercice.

— J'ai réussi, s'exalta-t-elle.

Elle avisa du regard le quai de Sea Breeze, jaugeant la distance qui l'en séparait. Il était temps de retourner.

Carson poussa sur ses jambes et entama le trajet du retour. Elle le fit cette fois à un rythme moins rapide, savourant le fait d'étendre ses bras aussi loin qu'elle le pouvait et la chaleur du soleil sur son visage. Elle s'imagina Delphine nageant à ses côtés, revit ses yeux ardents et brillants, impatiente de découvrir leur prochaine aventure. Elle sentit l'énergie du dauphin circuler en elle. Ces eaux, elle le réalisait maintenant, étaient porteuses de souvenirs. À cet instant précis, elle sut que Delphine serait toujours avec elle.

Tandis qu'elle s'approchait du quai, Carson remarqua que Blake l'attendait, les mains sur les hanches. Il se pencha pour lui offrir sa main. La douleur et la colère qu'elle avait ressenties s'étaient dissoutes et avaient laissé place à une autre facette de sa personnalité, la plus forte, la plus sûre d'elle-même, et qui accueillait Blake avec joie. Il n'y avait plus de place dans son cœur pour des désagréments insignifiants. Elle attrapa sa main et sentit ses doigts forts entourer les siens.

Blake posa une serviette autour de ses épaules, puis recula de quelques pas à distance raisonnable. Il était de toute évidence encore sur le qui-vive après son accès de fureur.

— Est-ce que nous pouvons discuter de tout ça? demanda-t-il. S'il te plaît, Carson. C'est beaucoup trop important.

— Oui bien sûr, acquiesça-t-elle d'un ton conciliant.

Elle commença à s'essuyer le corps à l'aide de la serviette.

— Je voudrais te demander pardon pour ma petite crise de tout à l'heure. Je suis encore sensible quand il s'agit de Delphine. Mais que reste-t-il à discuter? Tu viens tout juste de m'expliquer que la décision est déjà prise.

Elle marqua une pause et respira lentement.

— Tu m'as dit qu'ils allaient déplacer Delphine dans un autre complexe.

— Non, ce n'est pas ce que j'ai dit, répondit-il en articulant clairement chacun des mots. Je t'ai dit que Delphine n'allait pas bien et qu'ils *envisagent* de la placer dans un autre établissement.

— Et que comme elle ne faisait pas partie de la communauté locale de dauphins, il était vraisemblable que c'est ce qui allait se produire, résuma Carson.

Elle soupira et resserra la serviette autour d'elle. Une vague de découragement s'abattit sur elle.

— Quelle est la différence?

— Il y a une différence et c'est ce que je veux que tu comprennes.

Blake changea de position sur ses pieds et posa ses mains sur ses hanches. Carson reconnut dans ce geste un signe qu'il avait réfléchi à la question en long et en large et qu'il était sur le point de s'expliquer.

— L'endroit où nous envisageons de placer Carson est vraiment unique en son genre. Il se trouve dans les Keys de la Floride et dispose de lagons naturels. La mer y entre et en ressort constamment. Delphine sera en quelque sorte toujours dans l'océan Atlantique, sa maison. Ce n'est pas un bassin artificiel. En plus, ils vont la présenter au reste du banc de dauphins déjà sur place. Delphine sera accueillie par un personnel dévoué et finira même par être acceptée par les dauphins. Si elle se rend là-bas, elle appartiendra à une nouvelle famille. J'ai déjà vu ça se produire avec d'autres spécimens auparavant.

L'idée de penser à Delphine nageant en compagnie d'une famille de dauphins la rasséréna. Cela ressemblait tellement à Blake d'écouter ses inquiétudes et de lui offrir des réponses intelligentes. Sa réaction était calme, subtile et persuasive. Elle se laissa tomber sur le quai, serra les jambes sous son poids et enveloppa sa serviette contre elle. Elle laissa planer un dernier regard sur la crique, qui semblait si vide sans Delphine.

Blake s'assit à côté d'elle. Le silence régnait. Seul le lointain grondement du tonnerre brisait le calme général tandis que des nuages d'orage s'approchaient au-dessus·de leurs têtes. Les vagues gris-vert de la mer agitée venaient mourir contre les rondins du ponton.

— Je croyais que tu étais contre le fait de garder des dauphins en captivité? lui demanda-t-elle d'une petite voix en s'efforçant de se montrer juste et réaliste.

Blake sembla apprécier son effort, comprenant enfin que, pour elle, la situation n'était pas blanche ou noire. C'était un problème qui présentait des croisements émotionnels complexes.

— Si tu me demandes si je suis opposé à ce qu'on capture des dauphins à l'état sauvage, alors ma réponse est sans équivoque : c'est oui. Aucun dauphin sauvage ne devrait être arraché à son habitat naturel, peu importe la raison. Jamais. En même temps, le fait est que certains centres et aquariums spécialisés offrent aux spécimens blessés qu'on ne peut relâcher dans la nature une place de choix où ils pourront vivre heureux, où on s'occupera d'eux et où ils seront aimés. Autrement, ces dauphins finiraient sûrement dans l'estomac d'un requin ou pourraient mourir de faim.

Il s'arrêta un instant.

— Le Dolphin Research Center est un site de ce genre. C'est là qu'ils comptent envoyer Delphine, s'ils jugent qu'elle ne peut être relâchée dans la nature.

Une bourrasque fraîche projeta des embruns sur eux. Carson frissonna et elle commença à claquer des dents.

Blake fronça les sourcils et passa un bras autour de ses épaules. Elle résista un peu, mais il lui murmura son nom à l'oreille et l'attira vers lui. Carson sentit la force de ses bras et elle se laissa aller contre lui. Blake glissa ses bras autour de ses hanches et la serra. Elle respira profondément, sentit la vague odeur de son corps et celle de sa chemise élimée. Il ne dit pas un mot et posa plutôt son menton sur ses cheveux doux.

Carson repoussa une mèche derrière son oreille.

— J'ai pensé et pensé encore…

Sa voix s'évanouit.

— Pensé à quoi ?

— C'est comme si je mettais en place une à une les pièces d'un casse-tête qui m'avait déconcertée pendant des années. Tout commence enfin à prendre sens. Le fait que j'évite toujours de m'engager dans des relations durables, que je ne compte jamais sur rien ni personne, que je fuis toutes les sortes d'engagements. Ce n'était peut-être pas quelque chose dont j'étais consciente, mais à bien y penser, comment pourrais-je l'expliquer autrement ? Je n'ai même jamais voulu devenir propriétaire d'un condominium, pour l'amour du ciel. J'ai toujours eu cette…

Elle chercha ses mots.

— … cette *obsession* d'être sans entraves, libre de quiconque ou de quoi que ce soit qui pourrait me coincer.

Elle prit une grande inspiration.

— C'était avant Delphine. Cet été, pour la première fois de ma vie, j'ai éprouvé un véritable attachement pour un être, un dauphin qui plus est.

Elle éclata de rire, encore ébahie par ce petit miracle qu'elle avait vécu.

— Elle m'a changée. Il n'y a pas d'autre façon de l'exprimer et je ne sais pas comment te l'expliquer. Toute ma vie, j'ai gardé mes distances avec tellement de choses : mes émotions, les personnes qui me sont chères, mes responsabilités. Avec Delphine, je ne pouvais pas faire ça. Pour communiquer avec elle, je devais absolument ouvrir mon cœur.

Elle secoua la tête.

— Je ne pouvais pas la tromper. Je ne pouvais pas entrer dans l'eau triste ou en colère. Elle m'a obligée à élever mes vibrations. Delphine me rendait heureuse.

Carson maugréa et se prit la tête entre les mains.

— Je suis gênée de te dire tout ça. Tu dois vraiment croire que je suis une de ces nanas délurées de Los Angeles.

Elle abaissa ses mains et le regarda dans les yeux.

— Mais c'est la vérité. Et je ne suis pas prête à vivre ma vie sans elle au moment où nous nous parlons.

— Je sais.

Carson se tourna pour lui faire face.

— J'ai l'impression de l'abandonner. Et tout ce que j'ai fait dans ma vie, c'est abandonner : mes emplois, mes relations personnelles.

Elle secoua de nouveau la tête.

— Je ne le ferai pas une fois de plus. Blake, tu sais que c'est un péché capital pour moi.

— Nous ne l'abandonnons pas, Carson, tenta de plaider le jeune homme. C'est même le contraire. Ils sont impatients de la voir. Et ce n'est pas non plus comme si tu avais eu un rôle dans cette décision. Elle était blessée et tu lui as sauvé la vie.

— Est-ce que tu pourrais le lui expliquer ? demanda Carson. D'une manière qu'elle pourra comprendre ? Tu n'en es pas capable, répondit-elle pour lui. Tout comme tu ne peux pas comprendre ce que je ressens. Tu vois les dauphins comme de fascinantes créatures dotées d'intelligence. C'est tout. Tu n'envisages même pas la possibilité que les humains et les dauphins puissent entrer en contact d'une façon qu'on ne peut expliquer scientifiquement. C'est quelque chose que je sens dans mon cœur, pas dans ma tête. Je n'ai pas d'études ou de résultats de recherche à partager avec toi. Mais je sais que ce lien existe. Je le *sais*.

— Mais je ne doute *pas* que vous ayez partagé quelque chose de spécial, répliqua Blake.

Il soutint son regard.

— Je te crois.

Carson soupira, soulagée qu'il valide enfin ses sentiments les plus profonds.

— Tu trembles, dit Blake. Nous devrions y aller.

— Tu as raison, dit Carson.

Une idée avait germé dans sa tête depuis le jour où Delphine avait dû être emmenée. Elle avait pris une décision.

— Je devrais y aller. En Floride. Je dois revoir Delphine. Voir de mes propres yeux qu'elle va bien.

— Carson…

— Si elle est déprimée, elle sera contente de me voir. Elle me connaît. Je pourrais l'aider. Je dois essayer.

Elle prit la main de Blake.

— Pourrais-tu au moins m'aider pour ça?

— Tu veux te rendre au Dolphin Research Center?

— Non, je veux aller à l'hôpital. Au Mote Marine Laboratory, là où se trouve Delphine.

— Le traitement pourrait prendre des semaines. Des mois.

— Je ne resterai que le temps qu'elle franchisse le cap.

— Où vas-tu loger? Comment vas-tu te payer tous les frais?

— Je trouverai un boulot et un endroit pas cher où dormir. Je sais comment me débrouiller pour ça.

— Tu ne pourras pas rentrer dans le complexe. Seul le personnel est autorisé dans l'enceinte.

— Alors, aide-moi à trouver un travail là-bas. Ou un stage. Ou même un poste bénévole. Je nettoierai le plancher, les aquariums, peu importe ce qu'ils veulent. Tant que je peux mettre le pied dans le complexe et la voir de mes propres yeux.

Blake fronça les sourcils.

— Tu ne pourras pas changer leur décision, tu sais.

— Je n'en ai pas l'intention. Je veux simplement voir si je peux aider à sauver Delphine. Je crois que je lui dois bien ça.

Le tonnerre gronda, plus près, plus fort.

Blake jeta un coup d'œil aux nuages et son profil s'illumina quand un éclair zébra le ciel.

— Tu me demandes de t'aider à partir, dit-il.

— Oui.

— Et après? rétorqua-t-il en tournant son visage vers elle. Maintenant, c'est à *toi* que je le demande. Qu'en est-il de nous?

Une bourrasque se leva et Carson se sentit soudain très déterminée. Elle prit sa main dans la sienne, la serra, puis le regarda dans les yeux.

— Je ne veux pas te perdre non plus, répondit-elle. Blake, tu comptes beaucoup pour moi. Beaucoup. Je sais que nous aussi, nous entretenons quelque chose de spécial. Mais je sais dans mon cœur que si j'abandonne ça aussi, que si je ne vois pas de mes propres yeux qu'elle va mieux et que je ne lui fais pas comprendre que je ne l'abandonne pas, alors je ne serai jamais capable d'aller de l'avant. Je ne ferai que fuir, encore une fois. Tu comprends? C'est ce que je fais *tout le temps*. Je sauve les meubles et je pars. Mais je veux briser ce cercle vicieux. C'est seulement si je passe au travers de cette épreuve avec Delphine qu'il y aura de l'espoir pour que ça fonctionne entre toi et moi.

Blake se pencha vers elle, de sorte que leurs fronts se touchent.

— Dis-moi seulement que tu vas revenir.

— Je vais revenir.

Il bougea la tête afin de l'embrasser tendrement, de façon passionnée, presque possessive.

Le tonnerre éclata au-dessus d'eux et résonna longtemps, les avertissant que le cœur de l'orage était maintenant sur eux. Blake plaça ses mains autour du visage de Carson, comme s'il voulait capturer une image de cet instant, puis il se releva et aida Carson à se remettre sur pied. Main dans la main, ils coururent le long du quai pour aller se réfugier sous le toit protecteur de Sea Breeze.

CHAPITRE 22

— Tu voulais me voir ?

Mamaw quitta des yeux la petite boîte joliment enrubannée posée sur ses genoux. Carson se tenait debout à la porte, l'air curieux, peut-être aussi un peu anxieuse du fait qu'elle avait été convoquée dans la chambre de Mamaw. Carson partait pour la Floride le lendemain matin. Toute la journée, elle avait virevolté comme un derviche tourneur, rangeant ses affaires, préparant ses bagages en prévision du voyage. La maison était silencieuse maintenant, à l'exception des murmures des femmes assises sur la véranda et du cliquetis des glaçons contre leurs verres. Mamaw examina la jeune femme de la tête au pied, elle qui était vêtue de ce que la vieille femme avait fini par accepter comme étant un pyjama : des caleçons pour homme et un vieux t-shirt. Ses longs cheveux drapaient ses épaules comme un châle de velours noir.

— Oui, entre, répondit Mamaw en lui faisant signe d'approcher de la main.

Puis, elle tapota la chaise à côté d'elle. Carson sourit et rejoignit Mamaw dans le petit boudoir qui jouxtait sa chambre. Une petite lampe munie d'un abat-jour bleu répandait une lumière jaune sur le tissu de chintz qui recouvrait la table et les chaises assorties. C'était la pièce préférée de Mamaw, l'endroit parfait pour un tête-à-tête. Elle lissa distraitement de ses doigts le col de sa robe en soie rose pâle et regarda Carson s'approcher vers elle.

Carson se pencha et embrassa sa grand-mère sur la joue.

— C'est joli ici.

— Je voulais avoir une petite discussion avec toi avant ton départ, commença Mamaw.

— Mes valises sont faites et je suis prête à partir, lui dit Carson.

Mamaw examina le visage de sa petite-fille et y repéra tous les signes familiers d'un départ imminent : l'excitation dans ses yeux, l'énergie que dégageait chacun des pores de sa peau. Pourquoi les êtres chers étaient-ils toujours si pressés de partir ? Mamaw n'avait jamais ressenti l'appel du voyage et de l'inconnu. Elle n'avait jamais compris pourquoi on voudrait quitter les criques chaudes et venteuses, les couchers de soleil stupéfiants et le murmure des vagues de la côte de la Caroline du Sud. Il y avait plus qu'assez de culture à Charleston pour satisfaire les goûts des personnes les plus difficiles et exigeantes. Mamaw était certaine de ne pas comprendre l'attrait des grandes villes.

Carson avait sans doute remarqué des signes d'anxiété sur son visage, car elle se pencha et posa la main sur celle de Mamaw.

— Je serai de retour bientôt. Je te le promets. Je pars pour quelques semaines seulement. Je sais à quel point cet été est important pour toi. Je ne te décevrai pas.

— Oh mon enfant, déclara Mamaw en donnant des petites tapes sur la main de Carson. Tu ne m'as jamais déçue.

Carson la regarda d'un air soupçonneux.

— Jamais ? J'ai plutôt l'impression que je me suis plantée. Une fois de plus.

— Jamais, répliqua Mamaw fermement.

Elle détestait voir du défaitisme chez ses petites-filles et elle en détectait en général très rapidement les signes.

— Plutôt le contraire même. C'est d'ailleurs ce dont je voulais te parler, Carson.

Elle regarda sa petite-fille droit dans les yeux, pour bien se faire comprendre.

— Ça a été un mois difficile pour toi. Pourtant, tu es passée au travers de cette montagne russe d'émotions et de secrets de famille, tu as affronté ton penchant pour l'alcool, tu as pris sur tes épaules le poids de ce terrible accident impliquant le dauphin, le tout avec une élégance et un courage dont toutes les femmes ne sont pas capables.

Les yeux de Carson étaient grands ouverts et incrédules. Pendant un instant, Mamaw revit la petite fille qui était venue vivre avec elle après l'incendie, la fillette qui avait des bandages sur sa peau brûlée, les cheveux roussis et de grands yeux bleus pleins d'un espoir vulnérable qui avaient suscité le dévouement inconditionnel de Mamaw.

— Je suis très fière de toi, déclara Mamaw avec emphase.

Elle voulait que Carson s'imprègne de ces mots.

Cette dernière ferma les yeux un moment, puis les rouvrit.

— Je ne suis pas sûre de le mériter, bredouilla Carson. Et pour ce qui est de l'alcool, je prends vraiment ça au jour le jour.

— C'est ce que nous faisons tous, ma chérie. Nous nous réveillons, nous prenons notre courage à deux mains et nous nous levons pour faire face à une nouvelle journée.

Carson hocha la tête, attentive.

— Voilà que tu parles comme Blake. Il est vraiment, comment dire, optimiste.

— Ah?

Toute mention d'un jeune gentleman piquait immédiatement sa curiosité.

— Comment se porte ce charmant jeune homme?

Carson lui adressa un sourire entendu.

— Il va bien Mamaw.

Mamaw attendit la suite, en vain. Elle ne put s'empêcher de continuer.

— Tu le vois encore alors ? Même après cet incident avec le dauphin ?

— Je crois que je suis en période de probation, répondit Carson avec un petit rire.

— Et que pense-t-il de te voir partir ?

— Ça ne lui plaît pas trop, avoua Carson. Mais il comprend pourquoi je dois le faire. Il s'est arrangé pour me permettre de voir Delphine. Je n'aurais jamais pu entrer dans le centre sans son aide.

— Je vois. C'est donc un très gentil jeune homme.

— Tu me l'as déjà dit, Mamaw, indiqua Carson en lui donnant un petit coup de coude. Sérieusement, il compte beaucoup pour moi. Plus que n'importe quel autre homme auparavant. Et je suis sûre que c'est la même chose pour lui. Nous prenons ça au jour le jour. D'accord ?

Mamaw tenta de dissimuler le plaisir que lui procurait cette révélation en regardant le paquet posé sur ses genoux.

— Alors, commença Mamaw d'une voix enjouée.

Elle se redressa dans sa chaise et saisit la boîte.

— J'ai un petit cadeau pour toi.

— Un cadeau ? Ce n'est pas mon anniversaire.

— Je suis parfaitement consciente que ce n'est pas ton anniversaire, jeune sotte. Et ce n'est pas non plus Noël, le 4 juillet ou la Journée national de l'arbre.

Elle tendit à Carson la petite boîte enveloppée d'un papier bleu brillant et entourée d'un ruban blanc.

— Une grand-mère n'a-t-elle pas le droit d'offrir un cadeau à sa petite-fille si elle en a envie ? Ouvre-le !

Le visage de Carson se fendit d'un sourire. Elle se pencha avec fébrilité sur la boîte et dénoua soigneusement le ruban, le roula pour en faire une boule, puis retira lentement le ruban adhésif, veillant à ne pas déchirer le papier. Mamaw s'amusa à la regarder déballer délicatement l'emballage et revit la fillette que Carson avait jadis été. Elle était si différente de Harper, qui déchirait le papier et laisser traîner les morceaux autour d'elle.

Avant de soulever le couvercle, Carson secoua la boîte près de son oreille et leva les yeux au ciel, tentant de deviner d'un air moqueur ce qu'il y avait à l'intérieur.

— Un bracelet peut-être? Ou une broche?

Mamaw ne répondit pas et se contenta de hausser les sourcils. Elle serra les mains, redoutant la réaction de Carson.

Carson ouvrit la boîte, puis releva les coins du fragile mouchoir en coton jaune, celui que Mamaw avait caché dans la manche de sa chemise le jour de son mariage. Ses initiales, MCM, étaient délicatement brodées dessus. Carson se figea. Enveloppée dans le coton se trouvait une clé attachée à un anneau d'argent en forme de dauphin. Carson regarda sa grand-mère d'un air de profonde incompréhension.

— C'est une plaisanterie? Est-ce que… Est-ce que ce sont les clés du Bombardier bleu? s'écria Carson.

— Affirmatif.

— Mais… Je croyais que tu avais dit… Je ne comprends pas, balbutia Carson.

— Il n'y a rien à comprendre, expliqua Mamaw avec un petit rire. Voici mon cadeau! Cette Cadillac est peut-être un peu vieille, mais elle est en parfait état. Elle t'amènera en Floride et te ramènera à nous en toute sécurité. Et partout où tu voudras aller. Elle est à toi maintenant. Je veux que tu la prennes. Tu l'as méritée.

Bouche bée, Carson entoura Mamaw de ses bras et la serra très fort. Mamaw huma une bouffée de son parfum sur la peau de Carson, leur parfum désormais, et elle ressentit à nouveau le lien ancien qu'elle avait toujours eu avec Carson.

— Je ne sais pas quoi dire, dit Carson en glissant dans sa chaise.

Elle fixait les clés d'un regard incrédule.

— « Merci » est en général très approprié dans ce genre de circonstances, répondit Mamaw en lui adressant un clin d'œil.

Carson éclata de rire.

— Merci.

Une vague d'émotions fit monter les larmes aux yeux de Mamaw.

— Oh, je n'aime vraiment pas te voir partir. Allez, embrasse-moi en guise d'au revoir, ma chère enfant, dit Mamaw avec une fanfaronnade feinte. Et après, au lit ! Tu auras besoin de sommeil. Une longue route t'attend demain.

— Je te souhaite bonne nuit maintenant et le baiser d'au revoir sera pour demain.

Mamaw secoua la tête.

— Non. Je veux tout maintenant. Je déteste les adieux.

Elle soupira.

— J'en ai vu beaucoup trop au cours de ma vie.

Carson embrassa sa grand-mère sur la joue et s'attarda à son oreille.

— Je serai vite de retour. Je te le promets.

∼

C'était un matin idéal pour voyager. Le ciel était dégagé et l'air était pur, libéré de l'humidité étouffante du Sud qui donnait l'impression d'être trempé dès 9 h. Mamaw était debout à la fenêtre du porche, les mains appuyées sur la rampe, contemplant la scène qui se déroulait en bas.

— Vous êtes certaine de ne pas vouloir les rejoindre ? lui demanda Lucille, juste à côté d'elle. Nous avons l'air d'un couple de vieilles chouettes perchées ici.

— Certaine, dit Mamaw.

Elle eut le pincement au cœur que provoquaient toujours chez elle les scènes de départ. Mais elle reprit du poil de la bête et redressa les épaules.

— Nous nous sommes déjà acquittées de nos au revoir, déclara-t-elle d'un ton malicieux. Et tu sais à quel point j'ai horreur des mélodrames.

— Uh-hum, fit Lucille, pleine de sarcasme. Vous n'aimez pas les drames : bien sûr !

Mamaw eut l'élégance de glousser et se concentra sur l'attroupement de jeunes femmes rassemblées autour de la Cadillac bleue. La voiture était pleine à craquer, la capote était baissée. Pendant un instant, la vieille femme se rappela l'époque où elle était encore jeune et où elle se trouvait là, dans cette même allée. Elle riait, distribuait les câlins et les embrassades, multipliant les au revoir. C'était l'époque où Parker suivait son envie de voyager et où elle affichait des sourires forcés pour cacher la tristesse qui l'accablait chaque fois qu'elle voyait ses Filles de l'été repartir vers leurs lointaines maisons, chaque fin d'été. Elle se remémora aussi les ultimes adieux à son mari et à son fils. Tel était le fardeau d'une longue vie. Il y avait trop d'au revoir, tellement de levers et de couchers du soleil, et tout autant de souvenirs heureux et malheureux.

Carson était la plus grande, vêtue de jeans délavés et d'un pâle t-shirt de lin bleu. Ses cheveux sombres étaient noués en une tresse qui courait le long de son dos comme une corde. Elle portait aussi une sorte de chapeau mou de paille orné d'une bande d'un bleu vif. Elle était appuyée contre la grosse voiture et affichait des airs de propriétaire, jouant avec ses clés au nez et à la barbe de ses sœurs. Dora était juste à côté d'elle, habillée de bermudas roses et d'un t-shirt fleuri. Ses cheveux blonds cascadaient librement sur ses épaules et elle buvait le contenu de sa tasse tandis qu'elles discutaient. Harper était aussi élancée qu'un petit oiseau noir dans ses pantalons au ras des chevilles et son t-shirt, ses cheveux couleur cuivre tirés en une queue de cheval. Mamaw se demandait encore comment elle arrivait à tenir en équilibre sur ces sandales à talons hauts.

— Elles sont aussi différentes aujourd'hui qu'elles l'ont toujours été, confia-t-elle à Lucille. Et pourtant, ces dernières semaines, je crois qu'elles ont tout de même en commun des choses particulièrement profondes. Tu ne crois pas ?

— Si par « choses en commun », vous entendez qu'elles ne se jettent plus à la gorge l'une de l'autre et qu'elles recommencent peu à peu à s'aimer, alors je suis plutôt d'accord, rétorqua Lucille.

— Ça aussi, bien sûr, commenta Mamaw avec une pointe d'impatience.

Mais c'était tellement plus que cela. Et pourtant. Il était si difficile de le traduire avec des mots. Même si ces femmes étaient encore en train de négocier les liens délicats des rapports fraternels, elle avait perçu ces derniers temps dans leur voix et dans certains gestes le début d'un renouement. Une sorte de redécouverte de ce qu'elles avaient jadis partagé lorsqu'elles étaient ensemble à Sea Breeze lors de ces étés, il y avait si longtemps... Du temps où les filles se blottissaient toutes les trois sous une même serviette sur la plage, murmurant le soir dans leurs lits, buvant avec trois pailles différentes le même flotteur à la racinette et explorant ensemble les mystères de l'île. Elle avait prié pour que, au fur et à mesure que l'été avançait et qu'elles passaient du temps à Sea Breeze (le nom à lui seul avait l'effet d'une bouffée d'air frais[6]), elles redécouvrent la force vitale qui redonnerait à leur vie un sens et un objectif.

Des rires s'élevèrent jusqu'à elle, attirant de nouveau l'attention de Mamaw sur le groupe. Quelque chose venait de plier les filles en deux. Elles se tenaient le ventre, les larmes aux yeux, et leurs gloussements aigus étaient plus bruyants que le cri perçant du balbuzard qui volait en cercles dans le ciel. Le

---

6. N.d.T. : « Sea Breeze » signifie « brise de mer ».

cœur de Mamaw se gonfla d'émotion et ses yeux s'emplirent de larmes.

— Regarde-les, dit-elle à Lucille. C'est ainsi que je veux *toujours* les voir. Heureuses. Unies. Présentes l'une pour l'autre. Lorsque nous serons parties, c'est tout ce qu'il leur restera. Est-ce trop demander ?

— Je reconnais que c'est le souhait de toutes les mères, déclara Lucille.

— Je m'inquiète pour elles, dit Mamaw du fond du cœur. Elles semblent heureuses pour le moment, mais elles ne sont pas encore casées. Toutes les trois. Je me demande ce que je peux bien faire pour les aider.

— Ne recommencez donc pas avec ça. Vous vous rappelez les problèmes que cela a causés ? Vous les avez réunies ici et elles sont de retour dans la partie. C'est tout ce que vous pouviez faire. Désormais, c'est à elles de jouer leurs mains.

— Mais les cartes n'ont pas encore toutes été distribuées, tempéra Mamaw.

Lucille haussa les épaules.

— Bien sûr. Ce sera ainsi jusqu'à la fin de la partie.

Elle se tourna vers Marietta et elles échangèrent un regard qui portait des souvenirs d'une vie entière.

— Parfois on gagne, parfois on perd.

Le klaxon harmonieux de la Cadillac les força à reporter leur attention sur les sœurs. Carson levait les yeux vers la terrasse, son bras levé dans les airs pour leur adresser un signe de la main. Mamaw et Lucille lui retournèrent son salut avec enthousiasme. Elles observèrent la grosse voiture rouler lentement dans l'allée, suivie de près par Dora et Harper qui trottaient derrière en hurlant :

— Mort aux dames !

Carson lança un ultime klaxon, puis accéléra. Le moteur rugit et la voiture démarra en trombe, disparaissant ensuite au coin de la haie de verdure.

Dora et Harper restèrent longtemps au bout de l'allée, à agiter la main en guise d'au revoir. Puis, elles partirent bras dessus, bras dessous, marchant lentement vers la plage.

— Doux Seigneur, murmura Mamaw en voyant cela.

C'était une première pour ces deux-là. Mamaw porta son regard sur l'océan étincelant. Les vagues roulaient paresseusement sur la plage, puis se retiraient, le tout avec la précision d'un métronome. Peut-être Lucille avait-elle raison, se dit-elle, même si elle ne le lui avouerait jamais. La vie n'était vraiment qu'une partie de cartes.

Mamaw se tourna vers Lucille.

— Il est temps de fuir ce soleil. Prête pour une partie de gin-rami ? Je te donne 20 points d'avance ?

— Le jour où j'aurai besoin que vous me donniez 20 points d'avance, je me mettrai aux échecs, s'offusqua Lucille.

Mamaw éclata de rire, soudainement pleine d'espoir. Elle saisit la rampe de l'escalier, puis juste avant de quitter le porche, elle se retourna et balaya une dernière fois du regard l'océan infini. La Cadillac avait disparu, mais au loin, les deux femmes marchaient côte à côte, sur le long chemin venteux.

REMERCIEMENTS

L e monde des dauphins est fascinant et complexe. Je dois mille remerciements à de nombreuses personnes qui ont partagé avec moi leurs connaissances et leur expertise, et qui m'ont éclairée sur ces créatures intelligentes et charismatiques.

Je dois mille remerciements au D^{re} Pat Fair, directrice du programme sur les mammifères marins (à la NOAA), qui a agi en mentor, en amie et en rédactrice en chef pour tout ce qui touche aux *Tursiops truncatus*. Toute ma reconnaissance également à Eric Zolman de la NOAA pour les beaux souvenirs sur le Zodiac. Et à Justin Greenman, ainsi que Wayne McFee.

Ma gratitude la plus sincère à tout le personnel dévoué du Dolphin Research Center, à Grassy Key, en Floride, pour cette éducation de l'esprit et de l'âme. Des remerciements tout particuliers à Linda Erb, Joan Mehew, Becky Rhodes, Mary Stella, Rita Erwin et Kirsten Donald pour avoir répondu à mes innombrables questions, pour m'avoir fourni de beaux aperçus, pour leur soutien et pour des expériences liées au dauphin que je chérirai à jamais. Et à tous mes confrères bénévoles (Sarah, Candace, Stacy, Nate, Lindsey, Ryan, Alice, Marissa, June, Clare, Arielle, Abby, Jeanette, Donna, Abby, Debbie, Viv et Misty) qui m'ont aidée à apprendre les ficelles des soins aux animaux. Une chaleureuse étreinte et un gros merci à Joel Martino, qui m'a permis de passer un séjour parfait à Port Kaya.

Un merci bien spécial aussi à Stephen McCulloch de la Florida Atlantic University (Harbor Branch) : ton expertise et ton imagination sont étonnantes et inspirantes. Des remerciements sincères à Lynne Byrd, Randall Wells et Hayley Rutger du Mote Marine Laboratory and Aquarium, à Shelley Dearhart de l'aquarium de Caroline du Sud et à Ron Hardy de Gulf World pour votre aide et vos conseils pendant la rédaction de ce livre.

Comme toujours, merci du fond du cœur à la merveilleuse équipe de Gallery Books pour leur soutien continu. Je suis privilégiée de pouvoir bénéficier du talent et du dévouement de mes rédactrices en chef, Lauren McKenna et Alexandra Lewis ; de mon éditrice, Louise Burke ; et de Jean Anne Rose à la publicité.

J'envoie toute ma reconnaissance à mes agents Kimberly Whalen et Robert Gottlieb, ainsi qu'à toute l'équipe de Trident Media Group, sans oublier Joe Veltre chez Gersh, pour leurs sages conseils.

Sur le plan personnel maintenant, mon amour inconditionnel et un gros merci à Marguerite Martino, James Cryns et Margaretta Kruesi pour toutes vos critiques, vos idées et votre soutien. Et à mon équipe : Angela May, Buzzy Porter, Kathie Bennett, Lisa Laing et Lisa Minnick.

Enfin, à Markus : tu sais à quel point je t'aime.

Cher lecteur,

Les dauphins sont adorés partout dans le monde. Depuis la nuit des temps, on loue leur intelligence, leur beauté (ce sourire apparent!), leur curiosité et leur capacité à entrer en contact avec les humains.

Pourtant, malgré notre amour pour ces créatures, l'être humain reste la principale menace qui pèse sur eux. Les risques pour leur santé et pour leur vie sont multiples : matériel de pêche (filet à mailles, résille, chalut), débris marins, opérations de pêche à la palangre, et bateaux de plaisance qui attirent les dauphins à l'aide d'appâts. Parmi les autres dangers qui les guettent, notons l'exposition aux polluants et aux biotoxines, les éclosions virales et la récolte directe.

Comment aider? Soyez SENSÉ.

S   S'éloigner : garder une distance de 50 mètres environ entre vous et le dauphin.

E   Enseignez aux autres comment être SENSÉ en présence de dauphins.

N   Neutre : c'est la position sur laquelle doit être le moteur de votre embarcation quand vous être près de dauphins.

S   S'abstenir de nourrir, de toucher ou de nager avec des dauphins sauvages.

É   Écartez-vous si les dauphins montrent des signes de troubles.

Si vous désirez en apprendre davantage sur les dauphins, visitez le site Web www.education.noaa.gov (en anglais seulement).

Nous pouvons tous contribuer à la protection de ces «anges des profondeurs».

Mary Alice Monroe

QUELQUES DONNÉES
SUR LES DAUPHINS

• Le Grand dauphin de l'Atlantique (*Tursiops truncatus*) mesure entre 2 et 4 mètres (6 à 12 pieds) et pèse entre 135 et 635 kilogrammes.

• Les dauphins vivent en groupes sociaux fluides appelés «bancs de dauphins». La taille d'un banc varie généralement entre 2 et 15 membres. Le régime alimentaire naturel du Grand dauphin est composé de poissons et de crustacés. Ils ne mâchent pas leur nourriture, mais l'avalent plutôt en une bouchée. Les dauphins cherchent généralement leur nourriture en groupe et chassent intelligemment en utilisant des techniques basées sur la coopération des membres.

• Les Grands dauphins côtiers sont des animaux très sociables. Les groupes de dauphins femelles accompagnées de leurs petits sont appelés des «maternités». Les femelles agissent généralement en tant que nourrices ou «tantes». Les plus vieux mâles se rassemblent en groupes de célibataires. Parfois, deux ou trois spécimens se réunissent pour former une «paire» ou un «trio». Ces mâles vont généralement rester ensemble pendant de longues périodes, voire toute leur vie. Les jeunes dauphins comme les vieux aiment se poursuivre, transporter des objets, se lancer des algues ou utiliser des objets pour inviter leurs semblables à interagir.

• La grossesse d'un Grand dauphin dure 12 mois. Puisque les dauphins sont des mammifères, les dauphins portent les petits et les élèvent pendant environ deux ans. Les mères restent avec leur bébé et leur apprennent à développer leurs compétences de socialisation pendant environ cinq ans.

• La durée de vie d'un Grand dauphin côtier est de 25 ans. Ils peuvent même atteindre l'âge de 50 ans, mais cela reste très rare.

• Vision : Les dauphins ont des yeux très spéciaux qui s'adaptent aux changements de lumière sous l'eau et hors d'elle. Les Grands dauphins peuvent voir jusqu'à une distance de trois mètres sous l'eau en cas de bonnes conditions de visibilité, et jusqu'à quatre mètres hors de l'eau.

• Ouïe : Le son voyage plus vite et plus loin que la lumière dans l'océan. Les dauphins ont une ouïe ultra-sensible. Ils produisent et perçoivent des sons afin de détecter les proies ou les prédateurs, pour naviguer, communiquer et déterminer la position de leurs congénères.

• Vocalisation : Les dauphins produisent des cliquetis et des sons qui ressemblent à des gémissements, des sifflements, des grognements et des couinements. Lorsqu'ils sont au-dessus de la surface de l'eau, ils produisent des sons en expirant de l'air par leur évent. Les dauphins sont capables de développer des sifflements personnalisés, aussi appelés « noms ».

• Écholocalisation : Les sons émis par les dauphins ricochent sur les objets présents dans l'eau et reviennent sous forment d'échos que le dauphin reçoit dans la mâchoire inférieure.

Grâce à ces échos, un dauphin peut déterminer la taille, la forme, la distance, la vitesse, la direction et la densité d'un objet, ce qui lui permet en quelque sorte de «voir» sous l'eau. L'écholocalisation des dauphins est considérée comme le système de sonar le plus avancé à ce jour, unique et inégalé par tous les autres systèmes de localisation sur Terre, qu'ils soient naturels ou humains.

Ne manquez pas la suite de la série

Les étés sur la côte

LE VENT D'ÉTÉ